W9-BNC-881

PARLEZ-MOI DE LA FRANCE

Michel Winock

PARLEZ-MOI DE LA FRANCE

Éditions du Seuil

Édition revue et augmentée

ISBN 2-02-028511-8
(ISBN 2-259-00235-8, 1re publication)

« De bien des manières,
mon pays reste pour moi
une énigme »
Georges Bernanos,
Lettre aux Anglais

« Personne n'est plus convaincu que moi que la France est multiple », disait Charles de Gaulle. Les contradictions dont les siècles l'ont pétrie intimident le portraitiste. Avance-t-on un trait singulier de son caractère qu'un autre, exactement inverse, nous saute aux yeux. La France ne cesse d'être double, royaliste et républicaine, catholique et incrédule, parisienne et provinciale, citadine et villageoise, hospitalière et xénophobe, sédentaire et expéditionnaire, voltairienne et rousseauiste, classique et romantique, ancienne et moderne, on n'en finit pas de décliner l'interminable dualité d'un pays où tout et le contraire de tout paraît s'y être fait naturaliser.

Ce livre est une tentative de réponse – évidemment subjective. La question était celle de mes étudiants étrangers, aussi bien de New York que de Saint-Pétersbourg : « Peut-on résumer la France ? » Je m'en sentais bien incapable, mais ne pouvais me dérober. Les chapitres qui suivent sont nés loin du pays natal, là où l'on peut oser dire d'où l'on vient, qui l'on est, ce qu'on pourrait devenir. Il s'ensuit un mélange de propos didactiques et de réflexions personnelles, de courtes leçons d'histoire et de considérations sur le temps présent, j'ai conscience du caractère hybride du montage ; l'accueil réservé à la première édition de cet ouvrage me laisse espérer que le lecteur pourra en tirer profit.

1

Les Français veulent-ils encore rester une nation ?

A l'heure de l'Union européenne, une peur hante notre pays : et si l'Europe était le tombeau de notre identité ? La question court les tréteaux politiques autant que les conversations privées. Mieux, elle nous contraint à rouvrir le livre de notre généalogie nationale.

La nation française s'est construite par le haut et par le bas. Elle est d'abord le résultat d'une architecture étatique qui s'est dessinée sur la volonté des Capétiens et de leurs successeurs. Aucune nécessité ne conduisait au départ à la formation de la France. Ni frontières naturelles, contrairement à la légende, ni langue commune, ni spécificité religieuse. La France a été d'abord l'édification d'un État centralisé, par les guerres de conquête, les stratégies matrimoniales des familles régnantes, et une certaine dose de contingence plus heureuse que malheureuse. Ce fut un assemblage de peuples distincts, aux coutumes et aux dialectes particuliers même si les langues romanes dominaient, aux mœurs variées, aux tendances religieuses parfois conflictuelles (vaudois, cathares, protestants, juifs...), qui durent accepter la loi catholique imposée par le bras séculier de l'État.

La France s'est aussi construite par le bas, c'est-à-dire par ce qu'on appela sous la Révolution la volonté générale. Être français impliquait qu'on le voulût. Et quand Renan eut à donner un siècle plus tard une définition de la nation, il n'en fit pas une question de race, ni une question de langue (comme en Allemagne), il dit que la nation était, outre un lot de souvenirs communs, « un plébiscite de tous les jours ».

Il n'empêche que le travail d'unification a surtout été fait par le haut. La volonté d'être une nation s'exprimait fort bien par les lettrés, les députés, les élites; encore fallait-il qu'elle pénétrât dans la conscience populaire. De ce point de vue, le rôle de la Troisième République a été prépondérant. L'école de Jules Ferry, établie dans les années 1880 sur la triple base de la gratuité, de l'obligation et de la laïcité, s'employa à combler le vide laissé par la ruine de la royauté et le déclin de l'Église catholique. Elle prit à tâche de diffuser la langue nationale dans le dernier des hameaux. Les instituteurs imposèrent le français dans l'esprit optimiste du progrès : gare à qui lâchait en classe un mot de breton ou d'occitan ! Les parents eux-mêmes étaient solidaires des maîtres d'école : savoir le français, c'était un atout indispensable pour leurs enfants. Le bilinguisme était ainsi généralisé dans nos provinces comme aujourd'hui en de nombreux États africains.

Il y avait plus à faire encore que l'unification de la langue. Nul mieux, peut-être, que Paul Bert n'a défini la mission de l'école républicaine comme foyer d'apprentissage national :

« On a dit souvent, écrit-il en 1882 dans son livre *De l'éducation civique* : il faut une religion pour un peuple ! Je laisse de côté ce qu'il y a de scepticisme railleur au fond de cette formule; je la prends dans son sens élevé et je dis, moi aussi : il faut des sentiments élevés, une pensée unique, il faut une foi commune pour un peuple, sans quoi il ne serait qu'une agrégation d'hommes juxtaposés par des intérêts communs. Mais cette pensée unique et cette foi commune, il n'est pas nécessaire qu'il aille les chercher dans des dogmes qui, du reste, chaque jour, s'évanouissent, ne pouvant supporter l'éclat de la raison. Il faut qu'il les trouve en lui-même, dans le sentiment de sa dignité, de sa force, de sa grandeur, dans ses gloires, dans ses espérances, dans son ferme propos d'être prêt à périr plutôt que de cesser de vivre libre et d'être honoré.

« C'est cette religion de la Patrie, c'est ce culte et cet amour à la fois ardent et raisonné, dont nous voulons pénétrer le cœur et l'esprit de l'enfant, dont nous voulons l'imprégner jusqu'aux moelles ; c'est ce que fera l'Enseignement civique. »

Ce discours est évidemment démodé, non seulement par le style, mais par certaines formules qui fleurent un je ne sais quoi de totalitaire (l'idée d'une « pensée unique » nous est désormais odieuse), mais les fondateurs de la Troisième République, adversaires résolus du bonapartisme, avaient beau proclamer leur idéal de liberté, ils entendaient aussi créer ou recréer une conscience collective, un sentiment général d'appartenance commune, et cela même avait à leurs yeux d'anticléricaux une dimension religieuse.

Quelles que fussent les velléités décentralisatrices qu'ils avaient exprimées sous le Second Empire, une fois au pouvoir ils n'en continuèrent pas moins, à leur façon, de cimenter la nation française du haut de l'État centralisé.

Cette tradition étatique eut notamment pour résultat de conceptualiser au-dessus des Français de chair et d'os une personne abstraite mais néanmoins vivante : la France. C'est un fait que la France ne fut pas une simple association d'intérêts communs, une réunion d'individus parlant la même langue, mais une entité supérieure, transcendante, pour laquelle, les combattants de la Grande Guerre en firent la démonstration, on était prêt à « périr », selon l'expression de Paul Bert. Le 2 août 1914 fut un précipité de cette foi partagée, même si l'enthousiasme patriotique des Français a été revu à la baisse par les historiens. Mais autant le genre officiel « Morts au champ d'honneur » est dérisoire au regard du massacre, autant il serait vain de nier le sentiment profond de patriotisme que partagèrent ces jeunes hommes arrachés à leur vie quotidienne, à leurs familles, à leurs amours : leur correspondance adressée du front à leurs proches en porte témoignage.

Le bilan de l'affrontement européen mit en doute le bien-fondé d'un sentiment national qui avait nourri l'esprit de sacrifice jusqu'à l'horreur. Les anciens combattants devinrent des pacifistes. Cependant la guerre avait été une nouvelle étape du renforcement de l'État centralisé, qui avait eu à tenir en main toutes les conditions de la victoire finale, au matériel et au spirituel. La grande dépression des années 1930, la Seconde Guerre mondiale, la remise en état du pays, la planification, la création de l'École nationale d'administration, la véritable naissance d'un État providence : les responsabilités du « haut » ont pesé toujours plus lourd.

La France continua d'autant plus à planer au-dessus des Français que l'armée nationale avait été vaincue en 1940. Le gaullisme, première et seconde manière, compensa les lacunes et les faiblesses du pays par une amplification du discours national et un certain nombre d'actes symboliques qui affirmaient que la France restait au premier rang des grandes puissances. De Gaulle avait sans doute trop de pénétration historique pour croire vraiment aux possibilités matérielles d'un retour de notre État-nation au premier rang. Il parla volontairement au-dessus de nos moyens, donnant d'abord au monde l'illusion que nous avions été à part entière dans le camp des vainqueurs en 1945; ensuite, après la décolonisation de 1962, que nous étions en passe de redevenir le guide d'une Europe et d'un tiers monde indépendants. Peut-être ce quichottisme eut-il une fonction bénéfique, et notamment de mieux faire passer la pilule de la décolonisation. Tout cela ne paraît plus de saison aujourd'hui.

Aussi bien l'État centralisé, bureaucratique et gestionnaire, que le sentiment national se trouvent désormais affrontés à une évolution historique qui les conteste. La mondialisation des problèmes économiques et financiers, impliquant la dépendance de chaque État vis-à-vis d'un système monétaire et d'un marché international, interdit à la France de faire cavalier seul. Les actions d'un gouvernement sont aujourd'hui sous une telle contrainte extérieure que tout « projet de société » indépendant – et notamment l'ancien rêve socialiste – n'est plus qu'une vue de l'esprit. Nous ne pouvons plus faire chambre à part sinon pour mourir.

En même temps, la volonté d'être une nation est affectée par la construction d'une Europe politique. Le problème soulevé par la nouvelle immigration est ressenti avec d'autant plus d'inquiétude que notre faculté traditionnelle d'intégration qui transformait en Français les enfants des travailleurs étrangers semble affaiblie par la perte de substance nationale que produit l'internationalisation des modes de vie, des façons de penser et de sentir, de s'habiller et de se nourrir. Plus il y a de McDonald's chez nous, et moins nous ferons croire aux vertus de notre steack-frites. La spécificité de nos coutumes et de nos mœurs tend à s'amoindrir. L'être-français, menacé dans sa langue par le sabir atlantique, dans ses institutions par l'Europe, dans ses fromages par les normes de Bruxelles, dans sa mémoire historique par le déclin de l'école, de l'Église et du parti communiste, est-il promis dès lors à la folklorisation au même titre que la bourrée auvergnate ?

L'hypothèse n'est pas absurde. Si la construction politique de l'Europe a bien lieu, notre État centralisé perdra nombre de ses attributs séculaires. Il lui faudra renoncer à une diplomatie indépendante, aux principes d'une défense proprement nationale. La régionalisation même, qui devrait bénéficier davantage encore de l'affaiblissement du centre, aggravera les dangers des forces centrifuges. Imaginons le retour aux anciennes entités historiques – en Corse, par exemple, mais pourquoi pas entre l'Ile-de-France et ses satellites : entre la petite patrie et l'Europe, l'œuvre intermédiaire de l'État-nation risque de pâtir. Dans la mesure où le haut ne tient plus la trame, le bas va-t-il découdre la tapisserie France ?

Si l'on veut éviter pareil démembrement tout en acceptant le processus lent mais irréversible de l'européanisation, il faudra réaffirmer de quelque façon notre volonté de rester français. Pour cela, il ne suffira pas de remporter une finale de Coupe Davis ou d'entretenir les cérémonies mondaines de l'Académie. Nous devrons tôt ou tard exprimer cette volonté si elle existe, en préciser le contenu, et nous donner des outils politiques pour la mettre en application. Nous voici, comme à tant d'autres époques de notre histoire, parvenus à un carrefour sans que nous sachions quelle route prendre, tant les exigences auxquelles nous sommes soumis sont contradictoires.

Les nations elles-mêmes sont mortelles, dirions-nous en plagiant Paul Valéry. La nôtre, pleine de charmes et de fatigues, n'a aucun contrat d'assurance sur l'éternité. Mais elle n'est pas soumise au seul hasard; elle survivra au gré de notre volonté. Le grand problème pour nous est que, contrairement aux Allemands ou aux Polonais, nous n'avons jamais été une nation en dehors d'un État : saurons-nous apprendre à en rester une dans un avenir qui remet en cause celui-ci dans ses formes traditionnelles ? Moins tenue par le haut, la nation se survivra-t-elle par le bas ?

Survivre, c'est s'adapter. Cela doit-il se faire au prix de notre identité ? Ce livre est parti de ces interrogations et d'une inquiétude, celle que la France passe par pertes et profits.

2

La France n'est pas une géographie

La France n'est pas une géographie ; c'est une histoire. Entendons par là qu'il n'est pas de nécessité française, pas de déterminisme physique, et si notre pré carré est *grosso modo* hexagonal, ce n'est qu'un aboutissement, non un cadre initial.

La France est une construction des hommes, et d'abord des familles régnantes. C'est l'esprit de conquête, servi par la peine et le sacrifice de la piétaille ; c'est la volonté de puissance, appuyée sur des stratégies matrimoniales réalistes ; c'est le désir de gloire, prétextant parfois l'idéal religieux, bref c'est le droit du plus fort et du plus avisé qui a présidé au découpage du sol français. Celui-ci a varié sensiblement dans le temps, jusqu'en 1945, si l'on songe aux trois départements de l'Est – l'Alsace et la Lorraine du Nord – pris par les Allemands en 1871. « Provinces perdues » pendant près de cinquante ans, provinces recouvrées par la victoire de 1918 ; provinces de nouveau annexées par la défaite de 1940, provinces de nouveau reprises après la Libération. Et que dire de la France d'outre-mer ? des départements algériens ? S'il faut d'abord s'en tenir à ce point de vue territorial, la « France éternelle » n'est qu'une licence poétique.

Les « frontières naturelles » ne sont pas dans la nature mais dans la géopolitique : elles sont un but de guerre. La Révolution en avait fait un principe, ce qui n'empêcha pas ses troupes de les déborder. S'il avait fallu appliquer cette théorie de façon rigoureuse, les Français auraient dû camper sur toute la rive gauche du Rhin. Je ne dis pas que nos aïeux n'y ont pas songé ; le fait est qu'ils n'y sont pas parvenus de façon durable. De là ce flou, au nord-est de notre pays : en quoi les Wallons seraient-ils moins français que les Corses ? La réponse est simple : c'est l'histoire qui a fait des Wallons une partie intégrante du peuple belge, c'est l'histoire qui a fait des Corses une partie intégrante du peuple français.

L'idée de frontières naturelles ne coïncide donc pas avec la figure de l'Hexagone. Du reste, le Rhône est tout aussi « naturel » que le Rhin ou les Alpes, de sorte que la Savoie, le Dauphiné et la Provence n'étaient pas voués de toute éternité à être français. La configuration actuelle du territoire est relativement récente. En 1715, à la mort de Louis XIV, lequel passa pourtant une partie de son long règne à faire la guerre pour agrandir ses possessions (il avait ainsi repris aux Espagnols la Franche-Comté et l'Artois, il s'était fait reconnaître les évêchés de Metz, Toul et Verdun, il s'était emparé de l'Alsace...), il manquait encore quelques provinces à l'appel. Il a fallu attendre 1766 pour que la Lorraine fût rattachée à la France ; quant à la Savoie, Nice et sa région, c'est sous Napoléon III, en 1860, qu'elles tombèrent dans le patrimoine national.

La géographie, ce n'est pas seulement des lignes tracées pour séparer des pays – des lignes sans cesse gommées, redessinées, avancées ou reculées au cours des siècles. C'est aussi l'ensemble des conditions géologiques ou climatiques qui ont façonné une terre, un lieu de vie. Mais la France justement n'est pas un lieu de vie singulier, homogène, uniforme : la multiplicité des climats, la variété des terroirs, l'hétérogénéité des populations, l'extrême diversité des cultures qui s'y sont installées ou développées, toutes ces forces centrifuges eussent très bien pu faire vivre des États ou des parties d'État rebelles à tout drapeau commun. Le XXe siècle, du reste, a vu renaître un rêve breton, un indépendantisme corse, un mirage occitan, un nationalisme basque... Sommes-nous menacés par le retour aux frontières intérieures ? La France n'est peut-être qu'un moment de l'histoire. Un moment qui dure depuis plus d'un millénaire, mais qu'est-ce que mille ans du point de vue de Sirius ?

Restons-en à cette évidence : la France a été incertaine, mais elle est. Composite en géologie, elle l'est tout autant du point de vue humain. Il suffit de feuilleter un annuaire des abonnés au téléphone, ou de pianoter aujourd'hui sur notre Minitel : les patronymes les plus variés se répondent les uns aux autres. Certes, la France romane pèse très lourd sur notre anthroponymie. La langue d'oïl et la langue d'oc, issues du latin, se taillent la part du lion : les Loubet, les Delprat, les Viguier, dans le Midi, les Voyer, les Sueur, les Roy, ou les Dupré dans le Nord... Mais la France n'est pas seulement un pays de Gaulois romanisés à la suite des conquêtes romaines. Elle est riche de multiples peuples, d'origine celtique, germanique, scandinave, basque, pour s'en tenir aux commencements, aux grandes invasions.

Voici l'exemple de mon père, Gaston Winock, né d'une famille de maraîchers à Saint-Omer, dans le Pas-de-Calais. Venu s'installer dans la région parisienne, il considérait comme un affront la suspicion dont son patronyme était l'objet de la part des Dupont et des Martin. On le prenait d'ordinaire pour un fils de Polonais. Les ignares ! Ces Dupont ne savaient même pas que la Flandre avait été (en partie) rattachée à la France sous Louis XIV – et pour être précis, que Saint-Omer avait fait allégeance au Roi-Soleil lors de son entrée dans la ville, en 1677 ! Ce n'était pas d'hier ! Mon père aurait dû confesser qu'avant cela Saint-Omer avait été un temps bourguignon et espagnol. Mais il pouvait s'en consoler en songeant qu'au traité de Verdun de 843, l'ouest de l'Escaut faisait partie de la *Francia occidentalis* attribuée à Charles le Chauve, et que la terre de ses aïeux était ainsi « française » dès l'origine, lorsque la mort de Louis le Pieux eut entraîné la division de l'Empire carolingien !

L'histoire de notre patronyme paternel est représentatif de la complexité française. Ce nom de Winock, d'origine irlandaise, a fini par se fixer dans le nord de la France. Un moine, Winock, Guennoc, Vinoc ou Winnoc (dont parle Grégoire de Tours), avait débarqué d'Irlande au VIIe siècle et participé avec d'autres Irlandais à l'évangélisation de la Bretagne. De là, il avait gagné la région de Dunkerque, construisant avec d'autres le monastère de Wormhoudt où il mourut vers 715 ; son corps fut transporté à Bergues, où fut fondé en son honneur un autre monastère, qui, à moitié détruit au temps de la Révolution, porte encore son nom, le moine ayant été canonisé. Dans les dictionnaires d'hagiographie, on découvre que ce saint-là est le patron des meuniers et qu'on le fête le 6 novembre. Tous les ans, à cette date, nous nous employons à célébrer comme il se doit la mémoire de ce brave cénobite entre frères, sœurs, neveux, nièces, et leurs descendances. Il est probable que ma famille paternelle n'est pas plus d'origine celtique que monacale. Dans le Nord comme partout ailleurs, bien des patronymes qui se sont fixés à la fin du Moyen Âge étaient à l'origine des noms de baptême empruntés aux saints locaux ou régionaux. Celui de ma famille paternelle s'est flamandisé avec l'ajout du k, comme les Debock, les Berck, ou les Sommerlinck.

Ma mère, elle, dont le père était originaire du Morvan, s'appelait Dussaule. Le voisinage d'un arbre près de la maison habitée a donné bien d'autres patronymes : les Châtaignier, qui deviennent Castagnier, les Duchêne, les Delorme, aussi bien que les

Lafayette qui évoque un bois de hêtres... Avec Dussaule, je me retrouve en France romane. Mais j'ai eu un beau-père Werner, nom germanique, prénommé Ernest, originaire de Boulay, en Moselle. Dans d'autres familles, on rencontre des Iturbe ou des Lissagaray qui ont épousé des Lefebvre ou des Bertrand ; des Duff, qui veut dire « noir » en breton, qui ont convolé avec des Bouvier ; des Koenig d'Alsace qui ont associé leur vie à des Ribière du Midi ou à des Ribeyre d'Auvergne. Les Corses, français depuis le XVIIIe siècle, ont des patronymes toscans : chez eux, les Moreau sont des Moro.

A ces noms issus de territoires précis, mêlés au cours des âges, il faut ajouter les noms de toutes les familles issues des immigrations anciennes et récentes. Les Juifs, qui n'avaient pas de noms de famille sous l'Ancien Régime (à part certains noms héréditaires), furent tenus en 1808 d'en choisir un. Certains légalisèrent un surnom personnel, un sobriquet transmis plus ou moins de père en fils – surnoms hébreux comme Cahen ou Cohen, ancien nom de caste comme Lévy, noms bibliques comme Salomon ou Abraham, noms d'animaux comme Wolf (le loup) ou Hirsch (le cerf), ou noms de plantes (Blum, qui veut dire fleur, Rosenthal, vallée de roses...), ou encore noms de ville ou de pays où la famille situait ses origines : Worms ou Lisbonne. L'immigration contemporaine a ajouté aux patronymes indigènes des noms aux consonances de toute sorte. Immense brassage, énorme chaudron humain que la France, bigarrée, multiple, irréductible à quelques souches originelles.

Ces belles diversités patronymiques, doublées de variations géologiques et climatiques, compliquées d'histoires longtemps séparées, ont composé des milieux, des genres de vie, des coutumes selon un extraordinaire émiettement. La carte culinaire du pays en est une des expressions les plus savoureuses.

Il y a les pays de cuisine à l'huile et ceux de cuisine au beurre. Il y a les régions de cidre ou de bière et les régions de vin. Ici le blé, et ailleurs la châtaigne. Ici le fromage de chèvre, et là le fromage de vache. Encore aujourd'hui, on se guiderait au palais à travers les spécialités locales, anoblies par les guides touristiques. Il n'est point de province sans ses rognons de veau aux échalotes grillées, son flan de cresson aux cuisses de grenouilles, ses rougets de roche et caillettes d'herbes, son foie gras ou son omelette aux truffes, son andouillette ou sa blanquette de veau à l'ancienne... La France des papilles gourmandes ne confond jamais le bordeaux et le bourgogne, le beaujolais et le côtes-du-rhône, le champagne et la clairette de Die : vingt kilomètres en voiture, et vous changez de délectation comme de paysage.

Au début des années 1960, je m'étais aventuré dans un premier poste de professeur de lycée dans la ville de Montpellier, où je restai deux ans. A mes yeux de Septentrional invétéré, tout parut différent. L'ensoleillement généreux du Languedoc rend les gens amènes et gais. C'était un plaisir de faire son marché place de la Préfecture et d'entendre l'accent chaleureux des marchands. Cependant, vers midi, il n'était pas rare que notre fruitier ordinaire eût déjà quitté son étal : ayant bien vendu depuis la première heure, il n'attendait pas la dernière pour partir à la pêche. Quand j'achetais des objets pour meubler mon ménage, j'attendais pendant plusieurs semaines la facture. Rien ne presse, mon bon monsieur. Ce plaisir de vivre m'était gâté, il est vrai, par les retards des livraisons, les rendez-vous qui n'étaient pas respectés ; on n'avait pas là-bas la même notion du temps. Il fallait seulement s'accoutumer à un nouveau style de vie. Un de mes collègues du lycée me dit un jour qu'il avait lu « quatre fois » Balzac. Celui-ci ayant écrit plus d'une centaine de romans, ce n'était pas mal. Je m'aperçus qu'il était loin du compte et je fus tenté de le prendre pour un menteur. Erreur ! Lire quatre fois Balzac n'était chez ce Méridional qu'une façon de parler. Hyperbolique, soit ! mais non mensongère. Cela voulait dire qu'il avait lu deux fois *Les Illusions perdues* en plus des cinq ou six romans de *La Comédie humaine* qui ornaient sa bibliothèque.

J'étais toujours en France, certes, mais dans une autre France. Les nouveaux amis que je me faisais n'étaient pas du terroir ; eux aussi étaient des émigrés de l'intérieur. Je dînais chez un inspecteur d'Académie qui était normand ; je devins familier d'un couple de collègues qui venaient de Calais... Comme si, loin de mes bases, j'avais à construire un nouveau cousinage, une nouvelle parenté avec des gens du nord de la Loire. Jusque-là je n'avais eu de mon pays qu'une notion abstraite, scolaire, livresque, parisienne – celle d'un cul de plomb. Migrant intérieur, je découvrais dans le département de l'Hérault que la France était plurielle. Au point de me demander par quels arcanes tous ces peuples si différents étaient passés pour n'en faire plus qu'un.

3

La France est une idée

Paul Claudel, dans *Les Conversations dans le Loir-et-Cher*, fait dire à l'un de ses personnages mis en verve par une panne d'auto :

« Voyez le paradoxe ! Ce sont cependant ces Français, résidu de quarante peuplades hétéroclites et de trois ou quatre races disparates (car, qu'y a-t-il de commun, je vous prie, entre un Flamand et un Basque, un Corse, un Alsacien, pour ne pas dire un Kabyle et un Breton ?) qui, incessamment pressés, comprimés, remués et malaxés dans ce fond de chausse qu'est notre pays au fin bout de la péninsule européenne, ont cependant fait d'eux-mêmes ce que le monde voyait pour la première fois : une nation, un corps où l'esprit et la volonté pénétraient et dominaient la matière, quelque chose de si incorporé et de si fondu que notre République a pu prendre pour synonyme le magnifique titre de *Une et Indivisible.* »

Pour nous, Français, nous n'imaginons pas la nation sans conscience nationale. Nous avons, à ce sujet, une vieille querelle avec nos voisins allemands. Pour leurs penseurs – tout au moins ceux du XIXe siècle –, la nation pouvait se définir objectivement, à partir d'un certain nombre de critères, ethniques et linguistiques. Après la défaite de 1871 et l'annexion de l'Alsace-Lorraine par le Reich de Guillaume II, Renan écrivait aux Allemands : « Notre politique, c'est la politique du droit des nations ; la vôtre, c'est la politique des races[1]. » La langue mère, qui a transmis à travers les siècles, une culture, voilà le principal : on naît allemand, on ne le devient pas. Le pangermanisme s'appuyait sur ce critère linguistique pour prétendre à la formation d'une Mittel-Europa germanique, où trouvaient naturellement leur place les terres françaises qu'on appelle l'Alsace-Lorraine.

La question s'était posée avant la guerre de 1870. Lorsque la Révolution française avait émancipé les terres paysannes des droits seigneuriaux, il y avait eu des plaintes de la part d'une noblesse allemande qui se targuait d'un droit éminent de propriété sur des tenures d'Alsace. L'affaire avait été portée devant l'Assemblée nationale, le 28 octobre 1790. Merlin de Douai avait résumé, non sans éclat, la philosophie nouvelle des Français :

« Il a été un temps où les rois, habiles à profiter du titre de pasteurs des peuples, disposaient en vrais propriétaires de ce qu'ils appelaient leur troupeau. [...] Mais aujourd'hui que les rois sont généralement reconnus pour n'être que les délégués et les mandataires des nations dont ils avaient jusqu'à présent passé pour les propriétaires et les maîtres, qu'importent au peuple d'Alsace, qu'importent au peuple français les conventions, qui, dans les temps du despotisme, ont eu pour objet d'unir le premier au second ? Le peuple alsacien s'est uni au peuple français, parce qu'il l'a voulu. »

Le principe du droit des peuples à disposer d'eux-mêmes était ainsi proclamé. Pendant des siècles, on n'avait jamais demandé leur avis aux Alsaciens, pas plus qu'aux habitants de la Gascogne ou de la Franche-Comté : ils étaient devenus français en vertu du droit du plus fort. Mais, justement, désormais la Révolution prêchait à l'univers ce nouvel Évangile : nous appartenons à telle ou telle communauté historique en fonction de notre adhésion. Nous choisis-

1. E. Renan, *Nouvelle Lettre à M. Strauss*, 15 septembre 1871.

sons d'être français. Le 14-Juillet, fête nationale, commémore ainsi la fête à grand spectacle que la France révolutionnaire se donna au Champ-de-Mars, le 14 juillet 1790, et qu'on appelle la Fête de la Fédération, « le mariage de la France avec la France » comme dit Michelet : de tous les départements, des délégués vinrent à Paris déclarer avec solennité leur adhésion à la nation française. Il n'y avait plus alors ni Bretons, ni Provençaux, ni Bourguignons, mais un seul peuple, formant une seule Nation.

Dans la formation de la conscience nationale en France, deux idées qui peuvent être par ailleurs dissociées sont ici confondues : un sentiment d'appartenance à une même communauté politique et un sentiment démocratique de souveraineté collective. Lorsque, le 20 septembre 1792, le territoire envahi par les troupes prussiennes, l'Argonne franchie, les soldats français remportèrent la victoire sous le moulin de Valmy au cri de « Vive la Nation ! », ce mot avait bien deux sens complémentaires. Il voulait dire : « Vive la France ! » mais aussi : « Vivent les peuples émancipés du despotisme ! » Le baptême du feu de la nation française avait lieu au moment où le roi Louis XVI attendait son jugement dans la prison du Temple, et à la veille de l'abolition officielle de la royauté par les députés de la Convention.

On me dira que la nation française, c'est-à-dire la conscience d'appartenir à une même collectivité, ayant les mêmes principes et les mêmes intérêts, n'avait pas attendu 1790 ou 1792 pour voir le jour. Cela n'est pas douteux. Michelet datait de la guerre de Cent Ans et de l'épopée glorieuse de Jeanne d'Arc la naissance de la Patrie. Autrement dit, dès la fin du Moyen Âge, les habitants du royaume de France n'étaient pas seulement attachés à leur clocher, à la petite patrie où ils étaient nés, et au-delà de laquelle ils n'avaient que de rares occasions, pour la plupart, de s'aventurer, mais concevaient fort bien, ne fût-ce qu'en raison même d'un ennemi, d'un envahisseur, d'un occupant étranger, un lien plus vaste qui les rattachait à leurs semblables sur une plus grande échelle. Dans les siècles qui suivirent, ce sentiment n'a pu que se renforcer au gré d'une plus grande mobilité physique et d'une meilleure connaissance des choses politiques. Toutefois, cette conscience nationale était inséparable de l'attachement de chacun à la personne royale.

Un célèbre voyageur, l'agronome anglais Arthur Young, bon observateur de la société française, note ceci, au cours de son premier voyage en mai 1787 : « Beaucoup de voyageurs, même de ces derniers temps, parlent largement de l'intérêt remarquable que prennent les Français à ce qui concerne personnellement leur roi, montrant par là, disent-ils, non seulement de la curiosité, mais aussi leur amour. » De fait, les cahiers de doléances, rédigés en vue de la réunion des états généraux en mai 1789, témoignent très souvent, et du respect, et de l'affection des Français pour leur monarque. Ces cahiers ne sont nullement un programme de révolution. La monarchie et la religion catholique – nous y reviendrons – avaient associé leurs œuvres dans ce lent travail d'unification des esprits. Deux instruments y avaient concouru, une foi commune et un appareil d'État précocement centralisé qui faisait entendre les volontés du roi jusqu'à la dernière paroisse.

Il ne faudrait pas, cependant, exagérer la docilité des habitants de cette partie du globe qui allait devenir la France. La formation des Français en nation ne résulte pas de la seule volonté de leurs chefs mais d'une volonté de *tous*. Le pouvoir centralisé devenu au fil des siècles – l'expression est peut-être exagérée mais non sans raisons – l' « absolutisme », incarné dans une monarchie héréditaire de droit divin, a été contesté au moment même où son principal interprète, Louis XIV, recevait l'hommage d'une armée de courtisans poudrés. Ce pouvoir sans partage était remis en cause par un esprit critique appelé à saper ses fondements. Les premières charges portées contre l'absolutisme ont été le fait des défenseurs de l'aristocratie, ceux qui ne supportaient pas que le roi eût encagé les chefs historiques de la noblesse en brisant leurs privilèges au profit d'un État, d'une bureaucratie et de la « vile bourgeoisie » qui la composait. Un Fénelon, un Boulainvilliers, un Montesquieu, ont posé les règles d'une monarchie limitée, où les grandes familles eussent été en mesure d'équilibrer les excès du pouvoir royal : l'Angleterre était leur modèle.

Une autre critique eut plus d'avenir, qui défendait contre l'État absolu ou la revendication des nobles la souveraineté de la nation. Celle-ci passait par le problème politique central, celui de la fiscalité : qui décide des impôts ? qui les paie ? Les cahiers de doléances répondent clairement, comme à Craon : « Les paroissiens et communauté de La Chapelle-Craonnaise demandent que les députés aux états généraux y sollicitent le rétablissement des droits imprescriptibles de la nation ; en conséquence que nul impôt ne puisse être établi sans le consentement des états généraux assemblés. » On précisait plus loin que ces états devaient être convoqués « de cinq ans en cinq ans, sans pouvoir être retardés ni séparés par quelque autorité que ce soit [2] ».

La Révolution opère la rupture entre la conscience nationale et l'assujettissement au pouvoir royal, entre la nation et le roi. La nation existe désormais indépendamment du roi, avant d'affirmer son existence contre le roi. Dans le cas français, le principe de la souveraineté populaire est concomitant de l'esprit national. C'est même le double message des armées révolutionnaires, récupéré plus tard par Napoléon :

2. *1789. Les Français ont la parole. Cahiers des États généraux* présentés par Pierre Goubert et Michel Denis, Julliard, 1964, p. 29.

Peuples, soyez vous-mêmes, en vous libérant des tyrans !

La nation française est d'abord, chronologiquement, le fruit d'un long travail de centralisation politique. Au début était l'État. Tout est parti de lui. Un État qui a émergé du morcellement féodal grâce à la ténacité d'une dynastie royale, celle des Capétiens. C'est à partir de leurs maigres possessions d'Ile-de-France que, de père en fils, ils ont su rassembler peu à peu ce qui allait devenir la France : par le fer et par le sang, par la conquête et les alliances matrimoniales. A leur sceptre ont été soumis des indigènes qui parlaient des langues et avaient des coutumes variées. Par le truchement de l'impôt, contre lequel ils eurent si souvent à se révolter, ils comprirent qu'ils étaient, au-delà du seigneur local, dans la dépendance d'un monarque. Le Roi très-chrétien, voilà le premier fédérateur de toutes ces « races diverses », comme on disait jadis. On l'aime, on le déteste, on le redoute, mais quel qu'il soit, il existe de plus en plus dans la tête et le cœur des Français. Il est à lui seul l'incarnation de la nation, la France qui s'est faite chair.

La nation n'est pas née sous la Révolution, mais c'est alors qu'elle prend tout son sens, quand la conscience qu'elle a d'elle-même s'émancipe de la sujétion royale. Dans un double mouvement d'affirmation, celle de l'autonomie individuelle – consacrée par la proclamation des droits de l'homme – et celle de l'autonomie nationale, mille ans de centralisation progressive étaient confirmés dans la République une et indivisible.

Peu à peu, les paysans du Massif armoricain, les pêcheurs de la mer du Nord, les forestiers du Jura, les viticulteurs du Midi, tous sont entrés dans un lent mouvement d'unification, parfois brusquement accéléré par la guerre. Non plus la guerre des seigneurs ou la guerre des rois, guerre saisonnière et plus ou moins lointaine, mais la guerre d'invasion : 1815, 1870, 1914... Face à l'ennemi surgi de l'Est, les Français ont eu le sentiment renforcé d'être une nation. Pour Julien Benda, c'est la déclaration de guerre du 2 août 1914 qui fait date : « Ce jour-là, et ce jour-là seulement, je vois la totalité des Français, nobles et roturiers, hommes d'armes et marchands, hommes des villes et hommes des campagnes, démocrates et absolutistes, capitalistes et ouvriers, communier dans l'unique sentiment de leur appartenance à un même groupe ; ce jour-là, et ce jour-là seulement, je vois se dresser, pour défendre la France menacée, les habitants de cette terre sans exception... [3] »

A cette époque, un autre facteur d'unification avait joué : les Français parlaient le français. Le travail de diffusion de la langue dominante confié à l'école obligatoire fut épaulé plus tard par les médias de masse. Aujourd'hui, malgré une forte immigration récente, dans 95 % des familles c'est en français qu'on s'adresse habituellement aux enfants. Selon une enquête de l'INED, l'arabe qui est la première langue étrangère parlée en France concerne moins de 2 % des familles et est délaissé par la moitié des parents en une génération. Depuis la loi Deixonne de 1951, élargie par une circulaire Savary de 1982, l'enseignement des langues régionales est autorisé dans le second cycle, mais les volontaires sont très peu nombreux. Le multilinguisme originel de la France a été largement absorbé par le français.

Au long travail de centralisation, d'administration, d'unification de l'État, s'est ajoutée une idée transcendantale de la France, due aux clercs d'Église, aux artistes, aux poètes, aux pionniers de tous les progrès, et aux combattants qui sont morts pour elle. « Une certaine idée de la France », qui n'est sans doute pas la même pour tous les Français, mais une idée pure

3. J. Benda, *Esquisse d'une Histoire des Français dans leur volonté d'être une nation*, Gallimard, 1932, p. 101.

régnant au-dessus du commun des mortels. Le général de Gaulle, qui s'en explique dès les premières lignes de ses *Mémoires de guerre*, écrit ainsi que, s'il advenait à la France, qui « n'est réellement elle-même qu'au premier rang », de tomber dans la médiocrité, cette « anomalie [ne pouvait être] imputable [qu']aux fautes des Français, non au génie de la patrie ». Car la France n'est pas la somme arithmétique des Français, même en y incluant ceux qui sont morts, c'est une entité supérieure.

Les Français ne s'aiment pas entre eux, mais ils aiment la France. Ils n'ont souvent qu'une médiocre considération pour leurs voisins, ils se dénigrent, ils se livrent des guerres cruelles, mais tout le mal qu'ils peuvent penser les uns des autres ne les empêche pas de vénérer cette substance platonicienne appelée « France », comme si elle était une personne à la fois vivante et immatérielle. Quand un Premier ministre dit : « la France », il veut sans doute parler de son gouvernement, mais il se réfère aussi, ne fût-ce que pour mieux justifier son action, à une essence ineffable dont la Providence aurait gratifié à titre exceptionnel notre destinée collective. Il ne faut donc jamais confondre la France, qui est d'ordre ontologique, et les Français, qui n'en sont qu'une détermination particulière et souvent décevante. C'est pour nous un grand sujet de consolation qu'au milieu des pires turpitudes causées par nos compatriotes l'Être français demeure indéfectible.

4

La fille aînée de l'Église est-elle une fille perdue ?

Historiquement, la France est un pays catholique, mais ses habitants le sont-ils encore [1] ? Entre 1952 et 1988, soixante-treize sondages d'opinion révèlent une constante : quatre Français sur cinq se déclarent « catholiques ». Quand on scrute, on s'aperçoit vite que les pratiquants sont peu nombreux : 14 % des catholiques déclarés, soit 11 % seulement des Français, participent à la messe au moins une fois par semaine ; ils ne sont pas davantage à prier tous les jours. Cette faiblesse de la pratique s'accompagne d'un scepticisme croissant : l'existence de Dieu n'apparaît « certaine » qu'à moins d'un tiers des individus interrogés.

Ainsi une immense majorité se dit catholique, tout en émettant les doutes les plus sérieux sur l'existence de Dieu. La France est devenue une nation catholique d'incroyants, ou d'incertains, d'agnostiques comme on dit savamment. L'athéisme y est moins proclamé que jadis, au temps des grandes luttes idéologiques ; on assiste plutôt à un glissement vers la « non-croyance ». Les pratiquants eux-mêmes prennent le catalogue des dogmes comme une carte de restaurant, adhérant à ceux-ci, rejetant ceux-là, selon des convictions qu'ils se forgent eux-mêmes. Signalons notamment une décote de l'Enfer, dans lequel ne croient plus que 23 % de catholiques. De

1. Voir Guy Michelat, Julien Potel, Jacques Sutter, Jacques Maître, *Les Français sont-ils encore catholiques ?*, Cerf, 1991.

sorte qu'on peut se demander si le plus remarquable dans ces réponses est que les Français doutent si massivement de l'existence de Dieu, ou au contraire qu'ils soient encore quatre sur cinq à se déclarer « catholiques » ?

La contradiction n'est peut-être qu'apparente. Si vous avez dans votre enfance suivi les leçons du catéchisme, si vous avez fait votre communion solennelle (et jadis, elle était très solennelle, je suis encore d'une génération où les petites filles y participaient en robe blanche et voile blanc, les garçons portant le brassard immaculé), si vous avez reçu la bénédiction nuptiale, si vous vous retrouvez sous les voûtes d'une église assez régulièrement pour un mariage ou un enterrement (72 % de nos compatriotes souhaitent pour eux-mêmes un enterrement religieux), vous avez le sentiment d'appartenir à un groupe qui vous distingue de vos amis ou de vos voisins protestants, juifs, ou musulmans. Quand bien même vous n'avez plus de foi religieuse, si on vous fait remplir une notice officielle sur votre compte, à la question sur votre religion, il y a une bonne chance que vous répondiez « catholique » plutôt que « sans religion ». Quelque affaiblissement qu'aient subi le niveau et la qualité du catholicisme en France, notre pays reste marqué en profondeur par quinze siècles de religion romaine. Ce qui pousse par exemple l'héroïne du *Démon de midi* de Paul Bourget à déclarer, bien qu'elle ait cessé de croire en Dieu : « L'Église est une nécessité française. J'aime l'Église parce que je suis française. »

Un enfant reste en nous, qui vivait dans le monde d'avant le « désenchantement », selon le mot de Max Weber. Nous avons beau faire l'esprit fort, il est des images, des odeurs, des gestes, qui sont autant de souvenirs inaliénables. Comment oublierais-je d'avoir, à cinq ou six ans, découvert mon père faisant sa prière du soir agenouillé au pied de son lit ? Tant qu'il me restera une mémoire, je me souviendrai du dimanche des Rameaux, de l'interminable lecture de l'Évangile à la grand-messe, de la bénédiction des buis que vendaient des marchands occasionnels au porche de l'église, et tous ces gens qui revenaient chez eux avec la branche dont ils orneraient le crucifix fixé au mur de leur chambre. Je respire encore le parfum des roses dont les pétales emplissaient d'arômes nos petits paniers de semeurs lors des processions de la Fête-Dieu... J'en passe : tous ces tableaux et tous ces emblèmes d'une enfance catholique, on les retrouve dans l'immense répertoire de Charles Trénet, bourré d'abbés à bicyclette et d'enfants des patronages.

Sans doute faisais-je déjà partie d'une minorité, celle des familles catholiques pratiquantes. La plupart de mes camarades de catéchisme suivaient la tradition paternelle : après leur première communion, ils laissaient la religion aux femmes et aux enfants. Du moins les familles tenaient-elles à ce rite de passage. Même dans la commune de banlieue parisienne où nous habitions, acquise depuis 1935 à une municipalité communiste, rares étaient les écoliers à ne pas faire leur « communion ». Je les revois, et je me revois moi-même, au lendemain du grand jour, venir faire choisir, parfois même en arborant le brassard de communiant, une image-souvenir par notre instituteur, M. A., un excellent maître, laïque au-dessus de tout soupçon, membre du parti communiste, et qui se prêtait gentiment au protocole de cette inoffensive visite cléricale. Le directeur de notre école primaire, un socialiste du Sud-Ouest, avait beau traquer d'ordinaire les médailles aux cous et tout ce qui sentait l'eau bénite, il ne lui venait pas à l'idée d'interdire ces gestes annuels d'un folklore qu'il fallait bien tolérer, tout comme jadis Jean Jaurès, le chef le plus en vue du mouvement socialiste, avait laissé sa femme éduquer leur petite Madeleine dans la religion catholique. L'année de la communion de Madeleine, Jaurès, qui ne manquait pas d'ennemis à gauche, en entendit de toutes les couleurs. Et Maurice Barrès, son adversaire à la Chambre des députés, pouvait ironiser à loisir : ce grand chef, qui pouvait persuader sept mille hommes à la Bourse du Travail, n'était même pas fichu de se faire entendre par sa femme [2] !

La culture catholique – c'est-à-dire un ensemble de croyances, de rites et de pratiques – a été une première réalité structurante de l'identité française. Nos écrivains nationalistes, au tournant du XIXe et du XXe siècle, en quête de critères propres à définir l'essence de la nation française, n'ont rien trouvé d'autre que la religion. Un Français, nous disent-ils en chœur, les Paul Bourget, les Maurice Barrès, les Charles Maurras, c'est d'abord un catholique ! Eux ne l'étaient pas forcément. Le cas de Maurras, l'animateur de l'Action française, le théoricien du nationalisme intégral, est le plus significatif. Baptisé, devenu agnostique, il se méfiait du prophétisme chrétien, des « quatre Juifs obscurs » comme il appelait les évangélistes, et il qualifiait de « turbulentes écritures orientales » les Livres saints. Cela ne l'empêchait nullement de faire l'apologie du catholicisme romain. Celui-ci a eu, selon Maurras, la grande sagesse d'« organiser » l'idée de Dieu, grâce au « cortège savant des conciles, des papes et de tous les grands hommes de l'élite moderne ». L'Église était un modèle d'ordre intellectuel et moral. Une orthodoxie, une discipline, une hiérarchie. Tout le contraire de la démocratie, fille du protestantisme. Maurras et Barrès ont instrumentalisé le catholicisme aux fins d'une politique nationaliste qui ne pouvait prétendre à une identité raciale des Français. La race

2. Barrès, dans *Mes Cahiers*, raconte comment Jaurès est pris à partie à propos de cette communion : « Le contradicteur, une brute, continuait. “ Mais qu'auriez-vous fait, vous ? dit Briand. – Je l'aurais étranglée. – Ah ! je comprends, dit Briand, vous l'auriez étranglée, et vous lui auriez fait un enterrement civil ”. » (Plon, 1994, p. 314).

française faisant défaut, ils firent de la religion catholique le ciment social. Du même coup, la définition de la nation, telle que l'avait définie Renan, était sensiblement corrigée.

« La vie publique, disait Maurras, doit reposer, pour la plus grande partie, sur le respect et sur le culte des habitudes insensibles, d'autant plus fortes et précieuses qu'elles sont moins senties. Il est presque impie de les amener à la conscience. Le grand malheur de notre temps est qu'il faille que le citoyen ait une opinion délibérée sur l'État. »

Dans ce domaine, Barrès en rajoutait. S'il affirmait ne pouvoir respirer seulement que « dans cette atmosphère catholique », c'était pour exalter l'héritage, l'enracinement, « l'action terrienne », la reproduction des gestes ancestraux, « le prolongement et la continuité de nos pères et mères ». Jules Soury, biologiste professant à l'École pratique des hautes études, auteur notamment d'une *Campagne nationaliste* au temps de l'affaire Dreyfus, se déclarait, quant à lui, de manière provocante un « clérical athée ».

Cette revendication d'une tradition religieuse séculaire était aussi un discours de guerre. A l'heure où la démocratie parlementaire légiférait au nom de la laïcité, ses adversaires lui opposaient « la vraie France », nécessairement catholique. Un catholicisme d'exclusion. Les premiers visés étaient les protestants, bête noire de Maurras.

La France, comme les autres États européens, aurait très bien pu devenir protestante. Elle a donné à la religion réformée l'un de ses principaux initiateurs, Jean Calvin. Ce sont eux, les protestants, qui traduisirent pour la première fois la Bible en français, en 1535. Mais la France était déjà une monarchie centralisée, alliée depuis les origines au catholicisme, qui n'admettait pas le pluralisme religieux. Les progrès de la Réforme se heurtèrent donc au pouvoir d'État, autant qu'au fanatisme du parti catholique organisé. Après les guerres de Religion qui ravagèrent le XVIe siècle, Henri IV, lui-même ancien adepte de la religion réformée passé au catholicisme par politique, avait offert un certain nombre de gages à la minorité composée de ses ex-coreligionnaires par l'édit de Nantes, en 1598. Mais ce compromis ne fut que d'un temps. Cet État dans l'État n'était pas tolérable pour un pouvoir royal devenant absolu. En 1685, Louis XIV s'avisa, après avoir dirigé une campagne de conversions forcées, de révoquer cet édit célèbre, provoquant ainsi un exil massif de lettrés, d'artisans, de commerçants et d'agriculteurs vers la Suisse, l'Angleterre, le Brandebourg ou les Pays-Bas. Les autres, ceux qui restèrent au pays, durent feindre la conversion ou maintenir secrète leur foi, notamment dans les Cévennes, où les camisards restèrent des rebelles et où le protestantisme transmit ses convictions à travers l'Église du Désert. La monarchie catholique avait cru éradiquer le protestantisme ; elle l'affaiblit gravement, de manière décisive même, mais ne le tua pas. En 1787, un édit de tolérance signé de Louis XVI autorisa de nouveau, sous certaines conditions, la religion réformée.

Les protestants ne furent donc jamais qu'une minorité dans notre pays, une minorité persécutée, mais ils ont sécrété une élite qui ne manqua pas d'influence. On le vit dans le cours des événements révolutionnaires, dans l'essor du libéralisme politique et économique, dans la mise en place de la Troisième République. Maurras flétrissait en eux le poison qu'ils représentaient pour le corps social. Ils avaient en effet répandu la doctrine du libre examen. Cela voulait dire que les protestants, ayant l'accès direct aux Livres saints, se faisaient les prêtres de leur propre religion. Ils introduisaient le venin de la conscience individuelle contre l'obéissance ancestrale qui était la règle catholique. D'où résultent l'esprit critique, l'individualisme, et finalement la remise en cause des autorités. Les « idées suisses » – Maurras faisait allusion aussi bien à Rousseau qu'à Calvin devenu tuteur de la cité genevoise – étaient ainsi à l'origine de nos malheurs.

Barrès, qui professait un égal rejet du protestantisme, non pour des raisons religieuses (« nul esprit confessionnel ne m'anime ; je ne débats point de savoir où est la bonne religion »), écrivait, au moment de l'affaire Dreyfus : « Je suis de tradition lorraine par tous mes instincts ; c'est, en outre, la discipline que ma raison accepte. Ce que j'ai d'un autre sang me fortifie dans ma répugnance au protestantisme (éducation séculaire différente de la mienne) et au judaïsme (race opposée à la mienne). »

Car les Juifs comme les protestants furent présentés par les maîtres de notre nationalisme d'extrême droite comme autant d'étrangers à notre tradition, à nos mœurs, à notre disposition d'esprit. De cette vindicte, les Juifs eurent plus à souffrir que les protestants. Ceux-ci se définissaient par une religion, qu'ils étaient toujours libres d'abandonner. Les Juifs, au contraire, même quand ils avaient renoncé aux croyances de leurs pères, restaient juifs aux yeux des antisémites qui les définissaient, à la manière de Barrès, par leur « race », c'est-à-dire par leurs origines familiales. C'est un chapitre douloureux de notre histoire, sur lequel je reviendrai plus loin, car la malédiction lancée contre les Juifs par nos nationalistes ne s'achève pas, hélas ! avec les conclusions de l'affaire Dreyfus.

Pour le moment, insistons sur ce fait historique, prééminent : la France est majoritairement – d'autres diraient : « essentiellement » – catholique. C'est même au XXe siècle l'unique grande puissance catholique, après que le siècle d'or espagnol fut passé, après l'écroulement des Habsbourg d'Autriche. Les grands États qui occupent le premier rang, depuis la guerre de 1914, ce furent les États-Unis et la Grande-

Bretagne, protestants; ce fut la Russie, passée de la religion orthodoxe à une autre religion d'État, le marxisme-léninisme; ce fut de nouveau l'Allemagne, en majorité protestante; dans une certaine mesure, ce fut la Chine, confucianiste puis communiste. La France seule, toute républicaine et laïque qu'elle fût devenue, restait marquée par son passé catholique. Il s'ensuit un certain nombre de conséquences, qu'il n'est pas toujours aisé de préciser.

Les mœurs françaises y ont gagné. Nous avons échappé aux obsessions puritaines, qui font encore des ravages en terre protestante. *La Lettre écarlate* de Hawthorne, qui raconte l'histoire d'une femme adultère condamnée à porter sur sa poitrine sa vie durant l'A majuscule, la « lettre écarlate », n'est guère pensable en France. Un certain bonheur de vivre ressortit sans doute à cette culture catholique, qui a dédramatisé le péché, grâce au sacrement de pénitence. Moins hantés par le sexe et par la faute, les Français ne se sont jamais fait les inquisiteurs de leurs dirigeants en raison de leurs mœurs. Les campagnes de presse menées en Angleterre et aux États-Unis contre des ministres en raison de leurs liaisons sentimentales extra-conjugales paraissent inouïes chez nous. Sans doute existe-t-il un catholicisme janséniste qui peut s'apparenter à la conscience exigeante ou troublée du puritanisme anglo-saxon, mais il ne concerne que des minorités.

Le féminisme lui-même paraît une invention protestante. Quand je dis : « féminisme », j'entends non pas l'aspiration des femmes à leur autonomie, mais ce qu'il faut bien appeler la guerre des sexes qui sévit dans la société américaine, ou la séparation des sexes en Angleterre. Sans nier les méfaits de ce qu'on appelle à Washington ou à San Francisco le « harcèlement sexuel », je constate qu'en France les lois de la séduction n'ont pas été abolies par le mouvement de libération des femmes ni par la peur du viol. Dans nos universités, un professeur de sexe masculin peut encore recevoir une étudiante dans son bureau sans être assisté d'un témoin et sans être anxieux du procès qui pourrait lui être intenté s'il ferme la porte.

Au fond, nous sommes un peuple d'esthètes jusque dans les statues qui ornent nos églises. La Contre-Réforme catholique, menée bon train par les jésuites, a encouragé une expression populaire, souriante et polychrome, de l'art sacré. Si les Français ne se sont jamais abandonnés aux délices, aux volutes et aux exubérances du baroque, c'est moins en raison d'une sévérité religieuse que d'un esprit classique, plus ou moins pénétré de cartésianisme. Il reste que chez nous, le « génie du christianisme » a coloré les vignettes des communiants, sursaturé d'or la Vierge Marie, encouragé les processions ostentatoires, fait la fortune des plâtriers de Saint-Sulpice, et ne s'est jamais passé de la myrrhe et de l'encens.

Dans la polémique qui opposa Pascal aux casuistes de l'ordre de saint Ignace, les Français ont admiré l'écrivain, mais ils ont donné raison aux jésuites, Voltaire en tête. La spiritualité pessimiste des adeptes de Jansen n'a jamais dominé l'esprit religieux français, mieux accordé à l'idée de pardon. L'Enfer, c'est pour les autres.

A l'inverse, la tradition catholique n'a guère œuvré en faveur de la citoyenneté responsable et de la démocratie. C'est même contre elle que les idées révolutionnaires ont fini par s'imposer. En France, l'impératif moral est faiblement intériorisé ; la loi vient d'en-haut ; l'interdit et le permis sont édictés de l'extérieur. Dire que le citoyen de culture catholique se sent moins culpabilisé que le citoyen de culture protestante est une autre manière de dire qu'il se sent moins responsable. Obéir à la loi, c'est pour lui obéir à un autre qu'il respecte plus ou moins, mais non pas obéir à soi-même. La peur du gendarme tient lieu de morale civique.

Il en résulte encore aujourd'hui des attitudes répréhensibles – aux causes variées, certes, mais où les mœurs catholiques ou post-catholiques ont leur poids –, telles que l'absence de culpabilité dans les affaires de corruption, dans l'escroquerie fiscale, dans l'agressivité naturelle des gens. Les Français sont volontiers arrogants, resquilleurs, en état d'infraction permanent sur la route comme sur les trottoirs, aussi peu portés que possible à se conduire en fonction du respect des autres – ce que nous reproche à juste titre le visiteur américain. Si Dieu est français – selon la formule de l'écrivain allemand Sieburg –, il n'est certainement pas évangélique.

5

Un vieux couple, le Trône et l'Autel

Dans son film *Jeanne la Pucelle*, Jacques Rivette a reproduit en images somptueuses le sacre de Charles VII dans la cathédrale de Reims. On y saisit mieux que dans les livres cette espèce de consanguinité qui a lié le catholicisme à la royauté française. Il faut insister sur cette histoire pour mieux comprendre la rupture de sceaux qu'a été la Révolution, et finalement notre originalité.

L'alliance du sceptre et de la crosse a été signée avant même qu'il existât vraiment un royaume de France, puisqu'il faut remonter au moins à Clovis. Lorsque ce chef barbare s'est emparé du pouvoir en Gaule à la fin du Ve siècle, il trouva judicieux de se faire baptiser, en 498 ou 499, dans le baptistère de la cathédrale de Reims par l'évêque Remi. La légende, rapportée par le poète du XIIIe siècle Richier [1], veut que ce jour-là, le préposé à la sainte huile n'ayant pu atteindre les fonts baptismaux, une colombe blanche descendue du Ciel apporta dans son bec une fiole remplie du saint chrême bientôt utilisé pour oindre le nouveau baptisé. En même temps que Clovis, trois mille de ses hommes étaient à leur tour faits chrétiens. Un miracle – le miracle de la sainte ampoule – avait scellé l'alliance entre Dieu et le roi des Francs. Remi prédisait un avenir glorieux à Clovis et à sa

1. Richier, *La Vie de saint Remi*, Londres, 1912. Cité et commenté par Ernst Kantorowicz in *Les Deux Corps du Roi*, Gallimard, 1989.

postérité ; en échange, la race royale issue de Clovis devrait respecter la religion chrétienne.

Lorsque les Mérovingiens sont remplacés au VIIIe siècle par les Carolingiens, Pépin le Bref, fondateur de la nouvelle dynastie, entend faire passer la pilule de son usurpation en l'accompagnant d'un geste religieux. Il est le premier des rois de France à recevoir, à l'instar des chefs hébreux, l'onction de la main des prêtres. La légende rapportait que le baptême de Clovis s'était doublé d'un sacre ; le rite est ancré.

Et comment ont agi ses successeurs, jusqu'à Charles X, en 1825 ? Ils ont répété la même cérémonie, ils se sont fait sacrer par un prélat consécrateur, et si possible à Reims. Ce sacre de Reims, Marc Bloch l'a désigné comme un des grands moments de la vie royale : un Français, fût-il républicain-né, y est toujours sensible. Sa liturgie en a été fixée sous Saint Louis. La fusion du religieux et du politique était poussée au plus haut degré. Le sacre confère au nouveau roi un pouvoir thaumaturgique, celui de guérir les « écrouelles » (l'adénite tuberculeuse), et il élève le roi français thaumaturge au-dessus des autres rois chrétiens. Dans l'étymologie même de *Francia*, on vit au Moyen Âge la supériorité du royaume de France, le pays des hommes libres (*Franci*). La France était considérée comme le pays d'un « nouveau peuple élu » – une *Francia Deo sacra*, un *regnum benedictum a Deo*.

Si la France est restée jusqu'au XXe siècle une grande puissance catholique, c'est en raison de cette liaison congénitale entre sa royauté et l'Église. Les deux parties y ont trouvé leur intérêt. La religion catholique conférait au roi de France une légitimité sacrée, d'origine divine. Inversement, le roi français était le protecteur désigné de la cause catholique. L'histoire des Croisades, qui s'étend sur près de deux siècles, est dans une bonne mesure une histoire française. En 1870, Napoléon III, malgré sa sympathie pour la cause nationale italienne, défend la Rome pontificale jusqu'à l'éclatement de la guerre franco-prussienne. Le pape, de son côté, a nettement pris parti contre la Révolution, et les fidèles de Louis XVI les plus indifférents en matière religieuse ont retrouvé en cette occasion dramatique les bienfaits de la foi.

Bien sûr, ce mariage entre l'Église et la royauté française n'a pas été sans ombre. Les querelles de ménage n'ont pas manqué, de Philippe Auguste à Louis XIV. Un gallicanisme s'est forgé, un quant-à-soi bien affirmé face à Rome, mais qui n'eut pas la radicalité de l'anglicanisme. Malgré tous les conflits, l'union a tenu bon. Ce ne fut pas le cas en Angleterre. L'Allemagne, qui ne réalisa son unité qu'en 1871, resta partagée entre catholiques et protestants. La Russie, quant à elle, avait une religion d'État séparée de Rome depuis le XIe siècle. Les autres États catholiques, l'Espagne, la Maison d'Autriche, rivales de la France, ont connu un déclin plus ou moins rapide.

De cette longue histoire, nous gardons forcément des marques, aussi bien dans nos traditions religieuses que dans notre conception du pouvoir. L'unité de la foi catholique a été préservée au long des siècles à l'aide d'un pouvoir séculier toujours prêt à brandir le glaive contre les hérétiques, les derniers en date étant les protestants. A la conception de notre République « une et indivisible », l'héritage catholique, religion quasi monopolistique, a largement contribué. Les Jacobins, apôtres du peuple unifié et de la volonté générale, avaient tous été formés dans les collèges catholiques. La tolérance, telle que Locke l'avait prêchée en Angleterre dès 1689, la liberté offerte aux croyants de prier à leur façon, de se rassembler pour prier en Églises concurrentes, tout cela n'avait pas plus l'heur de plaire aux nouveaux maîtres de la France qu'aux anciens. Nos démocrates n'étaient pas des libéraux.

Le succès du communisme en France au XXe siècle doit bien avoir quelque rapport avec notre tradition catholique. Une vérité qui vient d'en haut, une orthodoxie, une discipline, le culte des saints révolutionnaires orné d'iconophilie, le goût des grands enterrements solennels, le mépris de la politique politicienne, l'horreur du libéralisme, le sens du péché et de la rédemption, la communion des militants... N'insistons pas sur cette comparaison qui ne date pas d'hier. A part l'Allemagne, qui n'est pas unifiée sur le plan religieux, les grandes puissances protestantes, Grande-Bretagne et États-Unis, n'ont guère offert de prise à la diffusion du communisme.

Cette prégnance d'une idéologie dominante visant au monopole, appuyée pendant des siècles sur un État centralisé, explique largement pourquoi la France a été si longtemps rétive – et le demeure largement – aux courants de pensée libéraux. Cette unité de foi armée, comme on parle du béton armé, a tendu à étouffer la mise en place d'une société ouverte et concurrentielle. Le régime de Vichy, « divine surprise », a redonné à la hiérarchie ecclésiastique l'occasion d'un zèle revivifié pour un pouvoir politique qui remettait l'Église à sa place honorée en même temps que le crucifix dans les salles de classe. Pétain fut le « Bon Dieu » d'une certaine France catholique. Comme le disait le bulletin paroissial de l'église Saint-Joseph de Pau :

Il a enterré la République
Régime qui est né dans l'assassinat
qui a vécu en semant la haine
en persécutant la Religion
en trahissant la Patrie
Il a supprimé la Franc-maçonnerie
Secte antipatriotique et antireligieuse

agissant dans les ténèbres contre les meilleurs
Français
Il a rétabli la liberté d'enseignement
enlevée aux Religieux par les Francs-Maçons
Il a rendu aux Religieux les droits des Français
Pour nous catholiques,
il y en a là plus qu'il n'en faut
pour que debout et à pleins poumons
nous clamions
Vive le Maréchal[2] !

Même ceux qu'on appelle les « catholiques de gauche », nombreux et influents surtout après la Seconde Guerre mondiale, récusaient le libéralisme. Lorsqu'un jeune philosophe chrétien, Emmanuel Mounier, décidé à combattre les collusions de l'Église avec ce qu'il nomme « le désordre établi », s'avise de fonder une revue avec quelques amis, cette revue *Esprit* qui existe encore plus de soixante ans après sa fondation en 1932, que dit ce jeune prophète ? « Nous avons le libéralisme, tous les libéralismes en horreur. » Il y avait eu pourtant un libéralisme catholique depuis les débuts du XIXe siècle, qui avait tenté de concilier l'enseignement traditionnel de l'Église romaine avec un monde moderne, industriel et pluraliste. Mais ces libéraux n'ont jamais été qu'une succession de minorités prêchant dans le désert.

Les liens légendaires entre Dieu et la France, dont le culte de Jeanne d'Arc est une des expressions les plus élevées, ont établi l'idée d'élection. Nul peuple, hormis le peuple juif, n'a été aussi persuadé d'être élu, que le peuple français, ou du moins que ceux qui parlaient en son nom. Le poilu de la Grande Guerre était, de ce point de vue, dans la filiation du croisé qui se battait aux côtés de Godefroy de Bouillon.

2. Cité par Jacques Duquesne, *Les Catholiques français sous l'Occupation,* Grasset, 1966, p. 60-61.

C'est à un chef de gouvernement anticlérical qu'il est revenu de l'affirmer. Le 11 novembre 1918, Georges Clemenceau déclare à la Chambre des députés :

« En cette heure terrible, grande et magnifique, mon devoir est accompli. [...] Au nom du peuple français, au nom de la République française, j'envoie le salut de la France unie et indivisible à l'Alsace et à la Lorraine retrouvées.

« Et puis, honneur à nos grands morts qui nous ont fait cette victoire. [...] Quant aux vivants, que nous accueillerons quand ils passeront sur nos boulevards, vers l'Arc de triomphe, qu'ils soient salués d'avance ! Nous les attendons pour la grande œuvre de reconstruction sociale. Grâce à eux, *la France hier soldat de Dieu, aujourd'hui soldat de l'humanité, sera toujours le soldat de l'idéal.* »

Si les Français se sont senti un devoir de mission au lendemain de la Révolution, l'interpénétration de la religion catholique et de l'État les y avait préparés. Débarrassés du tuteur religieux, les Français n'en restaient pas moins missionnaires. Quand le mouvement socialiste s'est peu à peu développé, ses militants eurent beau adhérer aux idées et aux mouvements internationalistes et pacifistes, une fois la guerre venue, au surlendemain de l'assassinat de Jaurès, ils se rallièrent quasi unanimes à la politique de défense nationale. Ils avaient dit : grève générale contre la guerre ; ils disaient désormais : « aux armes, citoyens », comme en 1792. Parce que ces militants étaient pénétrés de l'idée que la France, même « capitaliste », restait le sanctuaire de la Révolution, le guide de l'humanité, l'espoir du genre humain. Sauver la République, pour sauver l'espoir d'une société sans classe, c'était le devoir de tous les révolutionnaires.

La notion de « sol sacré » remontait au Moyen Âge :

« Dieu l'entourait [la France] d'un amour particulier ; le Christ lui accordait le privilège d'une prééminence spéciale ; là résidait le Saint-Esprit ; et, pour son sol sacré, cela valait la peine et c'était même doux de faire le sacrifice suprême. Défendre et protéger le sol de France avait donc, par conséquent, des connotations semi-religieuses tout comme la défense et la protection du sol sacré de la Terre sainte elle-même [3]. »

La sécularisation de l'idée d'élection ou sa transposition de la religion catholique à une religion séculière n'a touché qu'une partie des esprits français. D'autres sont restés farouchement fidèles à une conception de la société et du pouvoir politique sous tutelle catholique.

Au moment même où, à la fin du XIXe siècle et au début du XXe, le catholicisme était battu en brèche, non seulement par le pouvoir politique, mais plus encore peut-être par une intelligentsia positiviste et scientiste reléguant la foi au degré d'un primitivisme de la pensée humaine, des écrivains, souvent frais convertis, ont fait entendre, parfois en des formules grandioses, une puissante nostalgie d'un ordre ancien, accordé à l'enseignement traditionnel qui présidait à l'union du trône et de l'autel. Louis Veuillot, sous le Second Empire et au début de la Troisième République, n'a cessé de rappeler, dans son journal *L'Univers*, qu'il ne fallait pas séparer « la parole suprême et souveraine du Pontife » et « la puissance sociale ». Barbey d'Aurevilly s'est employé à pourfendre un monde moderne, « le mufle moderne », disait-il, au nom de la Tradition. Ses disciples, un Huysmans, un Léon Bloy, ont exprimé dans une langue hyperbolique leur profond dégoût de la démocratie, leur fidélité désespérée à une chrétienté médiévale. La tentation a été persistante, chez maint écrivain catholique, de fuir le monde devenu ce qu'il était, de se réfugier dans la méditation et

3. E. Kantorowicz, *op. cit.*, p. 175.

l'oraison, en attendant le Jugement dernier ou le règne du Saint-Esprit. La nécessaire impureté des causes terrestres accable de ses banalités les vociférateurs de l'Absolu en quête d'extase : « Tout est inutile maintenant, écrit Léon Bloy en 1910, excepté l'acceptation du martyre [...] je sais qu'il n'y a pas de réforme possible. »

L'intransigeance catholique, vaincue par la Révolution et la modernité, a ses lettres de noblesse. On en trouve l'écho chez un Claudel, un Bernanos, un Maritain – le Maritain de *L'Antimoderne*. Elle n'est pas l'expression de quelque illuminé isolé, mais appartient à notre culture française. Face au catholicisme libéral, faisant son chemin vaille que vaille, longtemps encouragée par l'intransigeance même des papes, il a existé chez nous une violence catholique, moins nourrie de politique que de fidélité à une société cimentée par l'idéal chrétien du Moyen Âge. Tout cela est passé de mode, évidemment, mais on s'expliquerait mal l'intégrisme d'aujourd'hui, plus vivace en France qu'ailleurs, sans ce patrimoine littéraire, ces fulminations de l'autre siècle, ce prophétisme à rebours de quelques grands écrivains français, soutenus par un bas clergé abonné aux outrances des feuilles imprimées qui ont entretenu, longtemps après la bataille gagnée par les laïques, leur refus de composer avec un monde sans Dieu.

Il n'est pas aisé d'apprécier aujourd'hui à sa juste mesure notre héritage catholique, car celui-ci est multiforme. L'intégrisme est l'expression résiduelle d'une chrétienté qui n'en finit pas de mourir ; d'un monde aujourd'hui obsolète, mais qui a marqué jusqu'aux mentalités les plus détachées du catholicisme. Nostalgie d'un monde uni, d'un peuple-un, d'une communauté de pensée. Métamorphose de l'idée d'élection, sécularisée, laïcisée, mais néanmoins vivante. Dieu abandonné, la France n'en restait pas moins « une religion », comme disait Michelet. « En elle, écrivait-il, se perpétue, sous forme diverse, l'idéal moral du monde [...] le saint de la France, quel qu'il soit, est celui de toutes les nations, il est adopté, béni et pleuré du genre humain. »

Il y a eu ainsi une prétention française, qui n'est pas morte, à vouloir confondre son histoire avec celle de l'humanité. La France catholique en a été la première expression, à travers les Croisades. Elle se glorifiait de ses saints, de ses martyrs, de sa fidélité à Rome. La France révolutionnaire lui a pris des mains le relais. Il faut qu'elle soit là où les hommes souffrent, où ils sont victimes de l'injustice et de l'oppression. Cela paraît souvent odieux aux autres peuples, parce que, derrière les effusions du cœur, se dissimulent toujours les intérêts d'une grande puissance, colonisatrice et impérialiste. Mais cette propension à sauver le monde n'est pas un simple machiavélisme. La figure de Saint Louis, mort à Tunis, au cours de la dernière Croisade, illustre à sa façon un désintéressement religieux qui ne fait aucun doute. Et quand la religion chrétienne devient religion des droits de l'homme, les Français continuent la croisade. Celle-ci a changé de contenu, mais elle prend toujours sa source dans un idéal universaliste que le catholicisme a transmis à la Révolution. Péguy, retrouvant la foi de son enfance, prête au Créateur, dans *Le Mystère des saints innocents*, cette méditation suggestive : « C'est embêtant, dit Dieu. Quand il n'y aura plus ces Français, il y a des choses que je fais, il n'y aura plus personne pour les comprendre. »

6

Centralisation et administration, les deux mamelles de la France

Bien des Français trichent avec notre arbre généalogique. L'erreur d'un Maurras est d'avoir consigné la France dans l'avant-1789. Après cela, rideau ! – un rideau qui a l'aspect d'un linceul. La sagesse d'un Barrès – et Dieu sait si la sagesse n'est pas sa vertu cardinale ! – est de s'être refusé à ce tri chronologique. Contrairement à son ami et rival en nationalisme, l'auteur des *Déracinés* ne voulait pas enfermer la France et son histoire « dans le système monarchiste ».

Tout ne commence pas en 1789, là où le chef de l'Action française voulait que tout finît. La centralisation française a d'abord été une affaire royale. A travers plusieurs siècles, les rois ont pris à tâche d'accroître leur pouvoir, d'abord contre les prétentions de l'Église qui entendait le leur disputer, et surtout contre les grands seigneurs féodaux disposant d'armes, de terres, de tribunaux, de vassaux, et de morgue plus qu'il n'en faut. Petit à petit, le roi leur a contesté puis arraché leurs prérogatives, leur laissant des privilèges fiscaux et symboliques pour qu'ils continuent à faire le fier en cessant d'être des rivaux dangereux.

Philippe Auguste, dès le début du XIIIe siècle, a été un des pionniers de la centralisation. Cet homme de guerre est représentatif de ces Capétiens fondateurs et conquérants. D'abord un beau mariage, en 1180, avec Isabelle de Hainaut. Dans la corbeille de noces :

l'Artois. Après cela, la guerre! Contre les Anglais, qui détiennent une bonne partie du territoire du futur Hexagone. Batailles, alliances, ruses multiples – qui n'empêchent nullement Philippe de faire son bon devoir de chrétien, en allant participer à la prise de Saint-Jean-d'Acre. De retour de croisade, il reprend les armes contre les Plantagenêts, d'abord contre Henri II, puis contre Jean sans Terre. Celui-ci avait de redoutables alliés: Otton IV de Brunswick, Renaud comte de Boulogne, Ferrand de Portugal comte de Flandre. C'est à tout ce beau monde que Philippe Auguste inflige la sévère défaite de Bouvines (près de Lille), en 1214. Résultat de ces randonnées et coups d'épée: la Normandie, le Maine, l'Anjou, la Touraine, la Saintonge, et puis l'Auvergne, l'Amiénois, le Vermandois, le Valois.

Pour mieux maîtriser le gouvernement de ces territoires conquis, Philippe crée les baillis et les sénéchaux – les premiers pour le Nord et l'Est, les seconds pour l'Ouest et le Midi. Ils représentaient le pouvoir royal à la tête de chacune des circonscriptions qui furent découpées, bailliages et sénéchaussées. Ces gens-là étaient déjà des hauts fonctionnaires; ils avaient beaucoup de pouvoirs – notamment fiscaux et militaires –, mais ils étaient révocables et amovibles. Jusqu'à la fin du Moyen Âge, ils ont œuvré dans le sens de l'unité française sous la surveillance royale.

Cette centralisation s'appelait Paris. Philippe Auguste y était né; devenu souverain, il s'employa à l'agrandir, à l'embellir, et à le fortifier : le Louvre, qui fut d'abord une forteresse, et la Tour de Nesle, la nouvelle enceinte, en témoignent. C'est encore lui qui dota l'Université de Paris de ses statuts, en 1215. La ville de Paris, capitale du royaume depuis Clovis, prenait un essor décisif au moment où l'on était en train de construire Notre-Dame. Cœur et tête à la fois du royaume capétien, Paris était promis au plus grand développement.

Évidemment, cette centralisation n'est pas allée sans résistance de l'aristocratie féodale. Il fallut aux rois, pour l'imposer, de la constance, de la vaillance et de la ruse. Le système féodal, qui s'était installé dans les ruines de l'Empire carolingien, a longtemps eu de beaux restes. Le roi de France dut maintes fois affronter la rébellion des grands. Les périodes de régence – celle de Marie de Médicis, celle d'Anne d'Autriche... – étaient particulièrement propices aux soulèvements nobiliaires. Cette noblesse frondeuse, Louis XIV a voulu la mater définitivement. La force ne suffisait pas, il la seconda par la séduction. Le « Roi-Soleil », comme on le baptisa, eut le don d'attirer auprès de lui la fine fleur de la noblesse française, qui lui fit sa Cour. La construction du château de Versailles fut motivée par cette volonté de rassembler autour du roi une aristocratie que celui-ci entendait désarmer. Non seulement il fut prodigue envers elle de pensions avantageuses, mais il lui fit valoir que rien n'était plus digne de sa destinée que de souscrire aux règles strictes d'une étiquette compliquée à souhait. Assister au lever du roi, au coucher du roi, mériter un regard de Sa Majesté déambulant devant ses courtisans, la servitude devint la règle d'une caste naguère insoumise. Versailles porta la pompe et l'obséquiosité au niveau d'un devoir d'État. La Bruyère : « Qui considérera que le visage du prince fait toute la félicité du courtisan, qu'il s'occupe et se remplit pendant toute sa vie de le voir et d'en être vu, comprendra un peu comment Dieu peut faire toute la gloire et tout le bonheur des saints. »

Le roi domestiquait la noblesse, il renforçait aussi la centralisation. C'est lui, Louis XIV, qui accrut le rôle de l'intendant, commissaire personnel du Roi datant du XVIe siècle, parangon d'une administration dépendant directement du prince. L'intendant, comme dit Lavisse, ce fut le roi en province, son délégué actif, son œil vigilant, son exécuteur discipliné.

A travers sa fonction s'exprimait un pouvoir devenu absolu, régentant autant qu'il était possible la vie du pays.

Majesté, magnanimité, magnificence, ces mots que je reprends de Bossuet, théoricien de la monarchie absolue, ne subsistent-elles pas dans la pompe présidentielle de notre Cinquième République ? Qui se souvient des conférences de presse du général de Gaulle, sous les lambris de l'Élysée, garde à l'esprit le spectacle de la hauteur étatique. Mais, encore après lui, l'installation d'un nouveau président à l'Élysée garde l'allure, sous le masque républicain, d'une cérémonie sacrée : tapis rouge, musiques solennelles, grand-croix de la Légion d'honneur conférée comme une couronne, rien ne manque, pas même le bon peuple venant applaudir le nouveau titulaire de notre monarchie élective sur les Champs-Élysées. Croit-on qu'un président « socialiste » a changé le décorum, simplifié ses poses, diminué le nombre de ses auxiliaires lors de ses déplacements ? Point. François Mitterrand, adversaire du pouvoir personnel jusqu'à ce qu'il eût accédé personnellement au pouvoir, s'est installé dans le palais présidentiel comme un héritier de la Couronne. Entouré par des courtisans qui rappellent ceux de Versailles, il a perpétué des mœurs rien moins que démocratiques.

Les bains de foule, autre pratique initiée par le général de Gaulle, accompagnent chacune des sorties du chef de l'État. On assiste alors à un concours de mains tendues vers Lui, comme si, à le toucher, à l'effleurer, chacun devait tirer des effets thérapeutiques. Nos présidents de la République, quand ils sont au faîte de leur popularité, sont restés des thaumaturges.

Cette proximité entre le peuple et son chef, pratiquée déjà à Versailles, reste pourtant largement illusoire. C'est la distance plutôt qui souligne la nature sacrée du premier magistrat de l'État. Le moindre de ses déplacements est officiellement protégé par une armada de policiers, d'un concert de sirènes, d'une escouade de motards impérieux, qui rejettent le bas peuple de part et d'autre du cortège royal.

Par mimétisme, nos ministres jouissent d'analogues pratiques dues à leur rang. N'importe lequel d'entre eux circule en majesté, même si les « Safrane » ont remplacé les carrosses de jadis : « Poussez-vous de là, marauds, place ! place ! je passe... » Miroirs ouvragés, dorures multiples, tapisseries des Gobelins, mobilier Louis-XV, la République démocratique s'est installée sans vergogne dans le luxe et l'apparat. Quand on a décidé de transférer le ministère des Finances, installé dans une aile du palais du Louvre, dans les nouveaux bâtiments, certes fonctionnels mais sans grâce, de Bercy, on a vu notre nouveau ministre – Édouard Balladur – faire la moue, mettre un terme à cette expropriation et se réinstaller dans les fauteuils du Louvre, seule place digne à ses yeux de ses travaux de grand argentier.

Cette majesté étatique fait tache d'encre sur l'ensemble de la fonction publique. Alain se plaignait dans ses *Propos* de la morgue des bureaux et des guichets : le citoyen doit toujours se battre contre la suffisance des représentants, même les plus modestes, de l'État.

De longue date, les provinces françaises ont vu leur autonomie confisquée. Si je reviens à l'histoire du pays de mon père, les États d'Artois, que vois-je ? Louis XIV, qui avait fait son entrée dans Saint-Omer le 30 avril 1677, feignit de respecter ses traditions administratives. L'Artois garda, après son annexion, un régime fiscal privilégié : ni la taille ni la gabelle ne lui furent imposées. Mais on vit bien vite arriver à Saint-Omer un subdélégué de l'intendant, qui prit en main les règlements de police et les statuts des métiers, choses naguère réservées aux échevins. Ce subdélégué s'assura le contrôle des finances municipales. Un gouverneur nommé eut la responsabilité des pouvoirs militaires. Le ministère public fut confié à un procureur du roi. A partir de 1682, l'intendant eut à charge de désigner le mayeur, en attendant 1733, date à laquelle il prit sous son bonnet le droit de nommer tous les échevins, dont les pouvoirs devinrent du reste de plus en plus limités. Cet exemple local nous donne une idée du rouleau compresseur que fut la centralisation royale.

Dans cette œuvre, le roi s'est appuyé sur la classe montante des bourgeois. Déjà Louis XI, pour lutter contre la noblesse, s'était entouré de gens « de peu » comme on disait dans la bonne société. Ces gens de la ville, de l'artisanat et du commerce, furent la base sociale de la construction de la monarchie absolue. Saint-Simon, chroniqueur réactionnaire et râleur de la Cour louis-quatorzienne, nous a laissé le mot célèbre : « Un règne de vile bourgeoisie ». Il fallait donc s'y attendre : la protestation anti-absolutiste ne viendrait pas d'une révolution « bourgeoise », mais encore et toujours d'une aristocratie qui se piquait désormais de libéralisme. Un libéralisme réactionnaire, parce que ces nobles contestaient l'absolutisme dans la nostalgie de leurs anciens privilèges, comme le faisait Fénelon à la fin du règne de Louis XIV. La nouvelle régence qui suivit la mort de celui-ci vit un nouveau sursaut des grands – à commencer par ces parlementaires dont la fonction avait été réduite par Louis XIV au rôle d'enregistrement des décrets royaux, et qui cassèrent le testament du Roi-Soleil.

Tocqueville, analyste de l'Ancien Régime, avait observé en son temps que la centralisation allait de pair avec l'abaissement de l'aristocratie. C'est à elle qu'était dévolu de servir de corps intermédiaire entre le pouvoir central et le roi. Plus on l'affaiblissait, plus la centralisation se renforçait. Montesquieu, qui était de la noblesse de robe, a été un des meilleurs censeurs de la monarchie absolue, du pouvoir incontrôlé, défendant la « faculté d'empêcher », c'est-à-dire un équilibre entre les différents pouvoirs, en France confondus dans les mains du roi. Mais ce libéralisme aristocratique, qui avait fait évoluer la monarchie anglaise vers une monarchie limitée, modérée, et enfin parlementaire, a été freiné dans son essor : Louis XV et Louis XVI ont rétabli la monarchie absolue, mise en question sous la Régence, et il ne fallut pas moins qu'une révolution, se déclarant universelle, pour en finir avec l'absolutisme. Encore une fois, du reste, la formidable machine qui se mit en place en 1789 et qui aboutit à la mise à mort du roi, avait été mise en branle par une révolte nobiliaire.

La Révolution s'avisa de démocratiser l'appareil étatique, mais, au bout de dix ans, elle achevait sa carrière sous un coup d'État qui devait laisser place à un régime bonapartiste, d'abord consulaire puis impérial, lequel acheva de bétonner la centralisation française. La nouvelle circonscription régionale inventée par l'Assemblée constituante de 1789, le département, fut désormais sous la coupe d'un préfet, dépendant directement du pouvoir central et ayant sous ses ordres des sous-préfets dans les arrondissements. La pyramide était achevée. Chaptal, ministre de l'Intérieur, déclare au Corps législatif, en 1800 : « Le préfet, essentiellement occupé de l'exécution, transmet les ordres au sous-préfet ; celui-ci aux maires des villes, bourgs et villages ; de manière que la chaîne d'exécution descend sans interruption du ministre à l'administré, et transmet la loi et les ordres du gouvernement jusqu'aux dernières ramifications de l'ordre social avec la rapidité du fluide électrique [1]. »

L'image est saisissante. La Révolution avait voulu remettre le pouvoir politique et administratif sur ses pieds, c'est-à-dire sous la souveraineté populaire.

1. Cité par Christophe Charle, in *Les Hauts Fonctionnaires en France au XIXe siècle*, Gallimard, 1980, p. 80.

L'Empire, au nom de celle-ci, rétablit le centralisme antidémocratique : tout va de haut en bas.

La Troisième, la Quatrième, la Cinquième République ont négligé de supprimer l'administration préfectorale. Même la loi de décentralisation, due à Gaston Defferre, votée en 1982, laisse en place ces délégués du pouvoir central dans les départements : Bonaparte toujours vivant.

Un Conseil d'État, une Cour des comptes, une Université dirigée par un grand maître, une Église mise aux ordres par les Articles organiques, additifs au Concordat, une armée dévouée à l'Empereur, tout cela avec la bénédiction des notables ravis de voir l'ordre rétabli et leurs affaires encouragées : la France administrative moderne était construite.

Pierre angulaire : le haut fonctionnaire. A la fin de l'Ancien Régime, Sébastien Mercier notait : « Quelle ineptie ridicule dans l'esprit de certains Administrateurs que de croire que sans eux la Société ne serait qu'une multitude confuse sans ordre et sans liaison ! » Cette conviction n'a cessé de se renforcer depuis deux siècles. Le prestige de la haute fonction publique est chez nous exceptionnel. La république parlementaire fit de son mieux pour préserver la primauté du pouvoir politique sur le pouvoir administratif. Depuis la Cinquième République, celui-ci a de plus en plus tendu à la technocratie. Que pèse un député face à un inspecteur des Finances, et le ministre lui-même doit, plus qu'il ne le souhaiterait, en rabattre devant le haut fonctionnaire. Homme de l'ombre, qui ne tient son mandat d'aucune élection, celui-ci exécute. A travers la mobilité des régimes trop fragiles qui se succèdent, il tend à incarner l'État plus solidement que le corps politique. Bénéficiaire du népotisme sous la monarchie censitaire du premier XIXe siècle, il est de plus en plus issu des concours. Le Premier et le Second Empire, défiants envers les corps intermédiaires et les assemblées élues, élèvent les hauts fonctionnaires au rang d'une caste. A l'aristocratie d'Ancien Régime succède une aristocratie de fonction, une aristocratie d'État, souvent aussi héréditaire que l'ancienne.

La création de l'École nationale d'administration – l'ENA – en 1944 achève de donner aux fonctionnaires leurs lettres de noblesse. Plus que tout autre État moderne, la France dispose d'une haute fonction publique formée, instruite, moulée par une école qui donne à ses élèves et anciens élèves, outre le prestige de leurs origines méritocratiques, un esprit de corps affirmé. Sans doute les nouvelles générations de diplômés n'ont-elles plus le même sens du service de l'État, perceptible aux lendemains de la Libération. Le pantouflage, c'est-à-dire le passage dans les affaires privées, est devenu courant et soulève peu de protestations. Néanmoins, la Cinquième République doit se défendre en permanence contre l'accusation d'« énarchie », tant son personnel – les hommes politiques, mais aussi les membres des cabinets ministériels, les hauts fonctionnaires, inspecteurs des Finances, diplomates, membres des grands corps, etc. – est issu dans une large mesure de cette matrice fertile qui a compté pour beaucoup dans la formation d'une classe politico-administrative, quelles que soient d'ailleurs les étiquettes partisanes. A croire qu'au second tour de l'élection présidentielle il n'y aurait plus en lice désormais que des anciens condisciples de la célèbre école – une autre version de « la République des camarades ».

Cette construction étatique, qui n'a pas d'équivalent dans le monde, cette centralisation organisée par plusieurs régimes successifs, ont leur bon côté, car elles ont servi à unifier la nation. Inversement, elles font tout remonter vers Paris. Il existe dans notre pays un sentiment double vis-à-vis de la machine centralisée : une plainte incessante et une demande non moins continue d'État.

Très tôt, le roi centralisateur s'est heurté à la mauvaise humeur de ses contribuables. Le fisc, arme de la guerre, arme de l'administration, arme de la gloire du roi, a été insupportable aux populations qui n'ont cessé d'ajouter rébellion à rébellion, révolte à révolte, parfois avec la dernière violence, faisant subir aux agents du roi les plus cruels sévices. Les Croquants sont un des symboles historiques de cette opposition à un pouvoir central lointain et insatiable. Leur révolte n'en finit pas au cours des siècles, et jusqu'au nôtre comme en témoigne le mouvement de Pierre Poujade au cœur des années 1950.

Le paisible habitant du VIIe arrondissement de Paris, où se trouvent concentrés la plupart des ministères, à commencer par l'hôtel Matignon où siège le Premier ministre, rencontre à longueur d'année, en allant faire ses provisions boulevard Raspail ou rue du Bac, des manifestants de tout poil décidés à approcher de la rue de Varenne ou de la rue de Grenelle, pour défendre leur cause : fonctionnaires mal aimés, retraités amers, invalides furieux, infirmières héroïques, femmes battues, pères mortifiés, cheminots menacés de travailler plus, mineurs menacés de travailler moins, lycéens qui veulent devenir étudiants, étudiants qui veulent des bourses, pharmaciens qui se plaignent de la Sécurité sociale, anciens combattants de la guerre d'Algérie qui exigent une retraite, écologistes qui veulent sauver les derniers ours des Pyrénées, toutes les associations, toutes les corporations, tous les militants des grandes et des petites causes, se retrouvent un jour ou l'autre sur le pavé de Paris, derrière leurs pancartes, entre Sèvres-Babylone et la place des Invalides : le pouvoir est là, dans un étroit mais prestigieux périmètre défendu par les CRS. Le siège est souvent bon enfant, on se contente de chansonner le ministre en question. Parfois, les coups pleuvent, le sang coule, la rue est vidée à coups de matraque.

La centralisation et la bonne administration du pays ont pour contrepartie l'éloignement du pouvoir et l'irresponsabilité des citoyens. Les Français n'aiment pas cet État confit dans la solennité, ces fonctionnaires au beau parler qui fleurent la classe supérieure, cette bureaucratie inhumaine qui multiplie les barrières entre le citoyen et le gouvernement – ce qui ne les empêche pas de rêver que leurs enfants soient reçus à l'ENA. Ambivalence de tout instant : la méfiance de la fonction publique et le désir d'en être. Les Français n'aiment pas l'État, mais ils lui demandent tout. La sécurité, la lutte contre le chômage, l'instruction, la bonne santé de l'économie, la santé tout court, et peut-être même le bonheur. L'histoire a appris aux Français que chez eux tout passe par l'État.

7

Prestige de la révolution, échec de la Révolution

« Le monde est à refaire », proclame après tant d'autres Raoul Vaneigem dans son *Traité du savoir-vivre à l'usage des jeunes générations*, en 1967. Un an après éclate la crise de Mai 1968. « Nous avons tant aimé la Révolution », dira plus tard le titre d'un film qui retraçait l'histoire de celle qui n'avait pas eu lieu. 1789 et la suite : 1830, 1848, 1871, font partie du patrimoine. La France n'est pas seulement la fille aînée de l'Église ; elle est aussi la mère de la Révolution. Il y a en chacun de nous un insurgé qui sommeille – ou son double, un Versaillais. Au XXe siècle encore, la révolution n'a cessé de faire rêver : les socialistes, les communistes, les surréalistes, les trotskistes, les gauchistes, les situationnistes, les maoïstes, tous la veulent à leur manière.

Les Français s'imaginent l'avoir inventée. Pourtant les Anglais ont été plus précoces, ayant fait deux révolutions avant eux. Une première fois, au milieu du XVIIe siècle, sous la direction d'Oliver Cromwell, qui se porta à la tête d'une république puritaine après avoir fait trancher la tête du roi Charles Ier. L'épisode, pour nous Français, vaut surtout par la Préface au drame qu'en tira Victor Hugo, et sur laquelle dissertaient jadis les lycéens. Ladite république n'a pas survécu à son fondateur. Une seconde fois, en 1688, lorsque l'absolutisme des Stuarts fut définitivement liquidé par les libéraux. Le roi prit la fuite, mais il n'y eut pas un seul mort.

Les Américains ont précédé les Français avec leur guerre d'Indépendance qui fut aussi une révolution, sur laquelle ont été fondés les États-Unis. Pourtant, il ne viendrait à l'esprit de personne que les Américains et les Anglais sont des révolutionnaires. La « Glorieuse Révolution » de 1688 a clos le cycle révolutionnaire des Anglais. Depuis cette date, le Royaume-Uni a connu bien des conflits intérieurs, mais ses institutions ont évolué dans un sens démocratique sans que fût remise en cause la couronne royale ni la religion. Les Américains, eux, ont fait une révolution une fois pour toutes, gardant jusqu'à nos jours une Constitution dont les amendements successifs n'ont pas altéré le fondement sacré.

La France, depuis 1791, a produit une bonne quinzaine de constitutions. La Révolution chez nous, loin d'ouvrir un cycle de stabilité, a donné carrière au désir jamais assouvi de refaire, de reconstruire, de refonder, au nom des principes de liberté et d'égalité. Vingt-cinq ans après l'établissement de la Cinquième République, il arrive que des éditorialistes en réclament une sixième. On pourrait s'aviser qu'une Constitution est toujours amendable; que son texte même autorise sa réforme, soit par le Parlement réuni en Congrès, soit par référendum. Non! Rien n'est si beau qu'une table rase. On efface tout et on recommence. Article 1er...

Affaire de tempérament? Les Français seraient doués pour les barricades comme les Anglais pour le cricket et les Américains pour la tondeuse à gazon. Il y aurait ainsi des rapports affectifs entre les Français – certains d'entre eux – et cette rupture de temps où se précipitent tous les désirs de l'imaginaire : le « tout est possible » clamé par le socialiste de gauche Marceau Pivert, lors des grandes grèves de 1936, résumerait cet appétit inapaisé dont on doit une autre expression à Rimbaud : « changer la vie ».

Sur cette psychologie particulière, Merleau-Ponty

écrivait, dans *Les Aventures de la dialectique* (1955) : « On suppose une certaine frontière après quoi l'humanité cesse enfin d'être un tumulte insensé et revient à l'immobilité de la nature. Cette idée d'une purification absolue de l'histoire, d'un régime sans inertie, sans hasard et sans risques, est le reflet inversé de notre angoisse et de notre solitude. Il y a un esprit " révolutionnaire " qui n'est qu'une manière de déguiser des états d'âme. »

Au vrai, si les Français ont tant fait de révolutions, c'est qu'ils ont raté la première, en 1789, événement inaugural de notre histoire moderne. Nos ancêtres, en mettant à bas l'absolutisme, furent dans l'incapacité de trouver à l'instar des Anglais et des Américains le cadre constitutionnel stable à l'intérieur duquel notre histoire aurait pu se dérouler, avec ombres et lumières. Le chantier ouvert en 1789 n'a jamais été vraiment refermé.

On en connaît la finalité politique : l'abolition de l'absolutisme royal et son remplacement par une monarchie limitée, tempérée, constitutionnelle. L'établissement durable de celle-ci se révéla impossible. Les Anglais, eux, avaient su troquer une dynastie usée contre une autre afin d'établir la monarchie parlementaire, mais non les Français qui s'imaginèrent à leurs dépens qu'ils pourraient abaisser les pouvoirs royaux avec la bénédiction du principal intéressé et de sa petite famille. Les Constituants voulurent garder Louis, tout en lui ôtant les marques traditionnelles de son autorité sacrée. Ancien roi de France, il n'était plus que « roi des Français », le premier fonctionnaire du nouvel État. Son pouvoir – exécutif – était subordonné au pouvoir – législatif – d'une assemblée confondue avec la volonté générale. Pareil système, loin de réaliser un équilibre entre les pouvoirs, instituait au contraire une hiérarchie à l'avantage des représentants du peuple souverain.

Louis XVI, qui ne pouvait accepter pareil abaissement de sa charge, feignit d'en admettre le principe, après une tentative de fuite à l'étranger qui s'arrêta comme chacun sait à Varennes. Il prêta serment sur la Constitution, avec une pieuse restriction mentale, misant tous ses espoirs sur une guerre étrangère au terme de laquelle la Révolution vaincue lui rendrait ses anciennes prérogatives. La guerre eut lieu. D'autant que la majorité des députés la voulaient aussi, ne fût-ce que pour démasquer le roi. Mais avant que la guerre ne prît fin, Louis XVI fut accusé de trahison, condamné et exécuté.

A partir de là, la France est en quête d'un nouveau régime. Plus secrètement, les Français étaient aussi en quête d'un nouveau père. La démocratie qu'on leur offrait n'avait plus de tête ; celle-ci était tombée dans un panier de son. Une grande partie d'entre eux ne pouvaient se résigner au pouvoir des frères querelleurs, anonyme et d'autant plus lointain. La suite démontra le besoin ressenti par beaucoup de Français d'un pouvoir incarné. A défaut de roi, ils se créèrent des idoles, des héros de pacotille, des maîtres saisonniers. Il fallut attendre la Cinquième République du général de Gaulle pour que cette demande d'incarnation fût satisfaite.

Cela nous a pris beaucoup de temps, et nous ne sommes pas sûrs aujourd'hui d'avoir enfin trouvé la règle acceptée par tous de notre vie politique. Dans les périodes d'harmonie entre le président de la République et la majorité parlementaire, nous accusons le système d'être monolithique. L'Élysée règne et gouverne. Dans les phases de cohabitation, nous imputons au système l'impuissance gouvernementale, l'immobilisme et l'incohérence. Alors, les réformateurs brandissent des projets, comme de réduire le septennat au quinquennat. Vienne le quinquennat, qu'arrive-t-il ? Au départ, président et Assemblée sont élus pour une même durée, mais l'Assemblée peut être dissoute, le président peut démissionner ou mourir, rien ne garantit d'avance l'homogénéité du pouvoir présidentiel et du pouvoir parlementaire, d'autant que les électeurs peuvent fort bien choisir un président en fonction de sa personnalité et une majorité en raison de leurs intérêts, ce qui ne produit pas forcément l'unité d'action. Au demeurant, tout laisse supposer que nous tenons un des régimes les moins mauvais depuis 1789. Encore faudrait-il qu'un équilibre soit enfin réalisé entre les représentants du peuple souverain et l'élu de la nation à la charge suprême. C'est bien là où le bât blesse.

Au milieu de ces interrogations, le troisième pouvoir, le judiciaire, fait mine de s'affirmer. Du Conseil constitutionnel aux « petits juges », les magistrats se redressent, contestent le pouvoir politique, s'arrogent l'arbitrage de la moralité publique. On applaudirait volontiers leur indépendance, à condition qu'ils ne veuillent pas substituer leur magistrature au pouvoir légitime des élus de la nation, ce qui n'est pas toujours évident.

Depuis 1958, nous avons progressé, c'est certain. Les institutions devraient permettre à un gouvernement de gouverner autant qu'aux juges de juger. La faiblesse réside surtout, à mon avis, dans la participation des citoyens. Ceux-ci ne sont pas toujours à même de faire entendre leur voix, sinon à coups d'élections qui les mobilisent sans les consulter réellement, et à coups de manifestations sans lendemain. Les sondages d'opinion remplacent la démocratie vivante, avec tout ce qu'ils contiennent d'à-peu-près et de caricature. Les chargés de pouvoir se guident à leurs variations et à leurs humeurs capricieuses. Gouvernement d'opinion, gouvernement velléitaire !

La démocratie annoncée par 1789 reste une idée neuve. Sans doute n'est-elle pas réalisable dans la plénitude de ses exigences. Nous ne serons jamais que dans l'approximation de la souveraineté populaire. Du moins faudrait-il nous donner les moyens de la rendre un peu plus conforme à ses idéaux.

8

De la Révolution à la République laïque

La Révolution, malgré son échec constitutionnel, a tranché dans notre histoire comme un coup de sabre. La rupture la plus chargée de sens qu'elle ait produite était de l'ordre du religieux et de la métaphysique. L'alliance séculaire du trône et de l'autel avait appris aux Français que l'autorité du pouvoir politique venait de Dieu. Sa légitimité avait sa source à l'extérieur de la société. La Révolution fut d'abord ce renversement du rapport d'autorité : le pouvoir de droit divin était remplacé par un pouvoir issu de la souveraineté nationale. La Déclaration des droits de l'homme et du citoyen a beau faire référence dans son préambule à un « Être suprême », c'est pour mieux évacuer la transcendance divine de ses dix-sept articles qui la composent. « Le principe de toute souveraineté, lit-on à l'article 3, réside essentiellement dans la Nation. »

La Révolution à l'origine n'est pas athéiste. Dans son article 10, la Déclaration des droits de l'homme affirme explicitement que « nul ne doit être inquiété pour ses opinions, même religieuses, pourvu que leur manifestation ne trouble pas l'ordre public établi par la loi ».

L'affirmation de cette liberté n'était pas conforme, cependant, à l'enseignement de l'Église catholique. Aux yeux du magistère romain, il n'y avait qu'une vérité, il n'était pas admis qu'on fût libre de s'y soustraire. Dès lors, le schisme devenait inévitable entre la France révolutionnaire et l'Église romaine.

Bien des historiens ont pensé le contraire, en défendant l'idée qu'un compromis était possible. En apparence, oui, car la rupture a été entamée par un conflit très temporel, consécutif à la nationalisation des biens de l'Église. Les Constituants, pour renflouer les caisses de l'État menacé de faillite sous le règne de Louis XVI, avaient décidé de puiser dans l'immense richesse de l'Église en France. En nationalisant ses propriétés, ils furent conduits à réorganiser l'administration ecclésiastique : ce fut la Constitution civile du clergé de juillet 1790. Ils ne demandèrent pas l'avis du pape. Pie VI attendit huit mois pour faire entendre sa condamnation. On peut donc dire qu'il y a eu maladresse de part et d'autre. L'Assemblée constituante aurait pu négocier, fût-ce en secret, un compromis avec Rome ; le pape aurait pu éviter les atermoiements qui rendirent le conflit irréversible. La question du serment constitutionnel, exigé par l'Assemblée nationale de tous les prêtres, consomma le schisme, opposa prêtres « jureurs » et prêtres « réfractaires », et divisa la France. Tout cela n'avait pas été bien malin, et l'on aurait pu s'épargner une guerre de religion.

Le raisonnement est douteux. Le conflit entre la Révolution et l'Église romaine n'était pas accessoire. Il était dans l'essence même de l'enseignement catholique autant que dans l'essence de la philosophie révolutionnaire. Quand Pie VI livra sa sentence, en mars 1791, il déclara que la Constitution civile du clergé avait « pour but et pour effet la destruction de la religion catholique », dans la mesure où le pontife romain perdait, d'après ce texte, sa primauté de juridiction sur toute l'Église. En même temps, et nous voici au cœur du problème, le pape condamnait la Déclaration des droits de l'homme, laquelle accordait à chacun la liberté de conscience, la liberté religieuse,

« cette licence de pensée, d'écrire et même de faire imprimer impunément en matière de religion tout ce que peut suggérer l'imagination la plus déréglée... ».

Le catholicisme de cette époque ne pouvait admettre les principes du libéralisme. Rome ne cessa de réaffirmer sa doctrine antilibérale jusqu'au cœur du XXe siècle. Les successeurs de Pie VI se relayèrent dans la dénonciation. Grégoire XVI, en 1832, flétrit « cette maxime absurde et erronée, ou plutôt ce délire : qu'on doit procurer et garantir à chacun *la liberté de conscience*. On prépare la voie à cette erreur, la plus pernicieuse de toutes, par la liberté d'opinion, pleine et sans bornes... ».

L'Église n'admettait pas la liberté, au nom de l'inclination au mal de la nature humaine. Dieu avait établi le pouvoir des princes, le devoir des hommes était de s'y soumettre. En 1864, au lendemain de l'encyclique *Quanta cura* due à Pie IX, qu'accompagnait le *Syllabus*, liste des quatre-vingts erreurs modernes les plus courantes (au rang desquelles figure en bonne place l'idée selon laquelle le pontife romain pourrait « se réconcilier » ou même « transiger » avec « le progrès, le libéralisme et la civilisation moderne »), Louis Veuillot, un des maîtres à penser du clergé français, écrit tout de go : « Le pouvoir non chrétien, n'eût-il aucune autre religion, c'est le mal, c'est le diable, c'est la théocratie à l'envers. » Et lorsque, bien plus tard, un jeune ingénieur catholique, Marc Sangnier, rêve de réconcilier la religion catholique et l'idéal démocratique en fondant le Sillon, Pie X lui fait savoir que « le souffle de la Révolution a passé par là », avant de condamner cette première expérience de démocratie chrétienne. Il faudra attendre le concile de Vatican II, achevé en 1965, pour que le pluralisme politique et la liberté religieuse soient véritablement reconnus par une Église qui faisait son *aggiornamento*.

Entre les deux guerres, on avait vu un philosophe

chrétien comme Jacques Maritain publier un ouvrage au titre significatif : *L'Antimoderne*. C'est qu'une bonne part du catholicisme et l'Église officielle rêvaient encore d'un nouveau Moyen Âge, quand l'ordre temporel était directement inspiré par l'ordre spirituel – du moins voulait-on y croire. Nostalgie d'une époque où la société était pénétrée par le sentiment religieux, organisée selon les préceptes de l'Église autour de ses clochers. Un de ses disciples émancipés, Emmanuel Mounier, pria ses coreligionnaires d'ouvrir les yeux dans un livre au titre au moins aussi évocateur que celui de Maritain : *Feu la chrétienté*.

Il y a donc eu dans notre pays, pendant longtemps, des gens qui se sont opposés à la prétention révolutionnaire d'émanciper la société politique de la tutelle religieuse. A leurs yeux, l'homme n'était pas autonome et l'État ne pouvait pas être neutre. La France était chrétienne, et la religion n'était pas, ne pouvait pas être, une simple affaire privée. L'Église réfuta la démocratie et ses libertés qui mettaient en doute la Vérité, l'unique Vérité dont elle était gardienne.

La démocratie ne put s'installer en France – sous la forme républicaine – que dans l'hostilité à l'enseignement romain. Spontanément la hiérarchie ecclésiastique se rangeait du côté des partisans monarchistes, à la rigueur bonapartistes, comme on le vit dans les vingt premières années de la Troisième République, au temps où du haut de la chaire un Mgr Pie tançait avec éclat la république de Gambetta. On crut que les choses s'arrangeraient au moment où Léon XIII recommanda aux catholiques français le ralliement aux institutions républicaines. L'affaire Dreyfus, à la fin du XIXe siècle, montra les limites de ce ralliement, le plus gros des journaux catholiques prenant fait et cause pour les nationalistes occupés à renverser la république parlementaire. Au cours des années 1930, on avait cru à une évolution qu'avait entamée la période de la Grande Guerre et de l'Union sacrée. Mais la défaite de 1940 et l'instauration du régime de Vichy montrèrent à quel point les mentalités n'avaient pas fondamentalement changé dans la hiérarchie épiscopale. Jusqu'à la Libération, en 1944, et alors que tant de militants catholiques avaient rallié la France libre et la Résistance, les évêques et les archevêques, à peu d'exceptions près, sont restés fidèles à Pétain. Le régime paternaliste de celui-ci, antidémocratique, antisémite, respectueux de la religion, leur parut comme une revanche historique de 1789. On vit encore, en 1989, au moment des cérémonies du bicentenaire de la Révolution, un cardinal Lustiger, archevêque de Paris, ranimer la fracture originelle entre l'Église et la Révolution tout droit issue de la philosophie exécrée des Lumières.

Ce divorce entre la religion traditionnelle des Français et la démocratie à laquelle la majorité de ceux-ci avait adhéré – ce fut longtemps, disons-le pour prendre en compte l'ampleur du conflit, une faible majorité – a entretenu l'instabilité constitutionnelle du pays. En même temps, il structurait le champ politique autour de deux pôles : une droite conservatrice et réactionnaire faisant droit aux injonctions de l'Église ; une gauche libérale et/ou démocratique refusant le pouvoir tutélaire de celle-ci. Une guerre endémique en est résultée entre les « cléricaux » et les « anticléricaux ». La solution imposée par les seconds aux premiers fut la laïcité. Les républicains, vainqueurs définitifs après 1877, accélérèrent la sécularisation de la société et la laïcisation de l'État. Ils mirent en place un système scolaire gratuit, obligatoire et laïque, d'où l'enseignement religieux était exclu – celui-ci étant donné en dehors de l'école. Ils établirent la liberté de la presse et les autres libertés honnies par le pontife romain. Ils rétablirent le divorce. Enfin, après les affrontements de l'affaire Dreyfus, ils votèrent la loi de Séparation des Églises et de l'État.

En comparaison des pays protestants, la France républicaine avait élaboré une doctrine et une législation originales. Aux États-Unis, par exemple, il existait une séparation des églises et de l'État, mais le sentiment religieux continuait et continue encore d'imprégner la vie publique : prières, cérémonies, lectures de la Bible ont droit de république. En France, la religion a été confinée par le législateur dans la sphère privée. Il s'en est suivi des tensions continues entre les deux France pendant longtemps. Car l'État républicain n'a pas été d'une stricte neutralité. « La République, écrit Albert Thibaudet, qui eut contre elle, pendant toute une génération, l'Église, fut comme obligée, par la lutte anticléricale, de se former une conception du monde moral, de fonder et d'enseigner un spirituel d'État, antitraditionaliste par position. »

Certes, nous n'en sommes plus là. Le déclin même du catholicisme a favorisé la conciliation, atténué les antagonismes et permis l'émancipation progressive des croyants eux-mêmes vis-à-vis de l'héritage d'intransigeance de leurs pères. Il reste que, de temps à autre, un évêque ou un archevêque entend dire son fait au législateur, sans se contenter de prêcher dans sa cathédrale. Les Français en prennent et en laissent; ils en laissent plus qu'ils n'en prennent. Reste que notre système politique a été formé par ce grand affrontement central, dont la dualité droite/gauche, la laïcité, les querelles autour de l'école, sont autant de produits originaux.

La laïcité, entrée dans la loi depuis la Troisième République, s'impose comme la solution à nos divergences idéologiques. Elle fut conçue par beaucoup comme une épreuve de force contre l'Église catholique, quand celle-ci restait attachée à l'idéal d'une chrétienté où tout – la vie politique comme la vie privée – devait dépendre d'elle. Désormais, la guerre des métaphysiques ayant laissé place à la coexistence, la laïcité s'affirme comme un principe de neutralité et comme une règle de tolérance. Elle commande cependant la privatisation des convictions religieuses, leur subordination à l'idéal républicain, c'est-à-dire à la discrétion obligée pour toute profession de foi. La tendance de chaque monothéisme est de régenter la société selon ses impératifs propres. Dans une société pluraliste, il importe d'en neutraliser les effets. La querelle des foulards islamiques dans les écoles, mal comprise de certains partisans bien intentionnés de la « tolérance », est en tout point capitale. Refuser l'exhibition religieuse en l'occurrence, c'est réaffirmer les principes de liberté contre toute théocratie ; d'égalité des sexes contre la minoration de la femme ; de fraternité républicaine entre ceux qui croient au Ciel et ceux qui n'y croient pas. Les religions monothéistes sont des religions jalouses et exclusives. La laïcité d'aujourd'hui consiste à leur permettre d'exister et de coexister en dépit de leur jalousie et de leur exclusivisme.

9

La passion égalitaire

La Révolution ne fut pas seulement la révolution de la liberté; elle fut aussi celle de l'égalité. La célèbre nuit du 4 août 1789 marque le retournement d'une société. Jusqu'à cette date, la naissance faisait tout – ou presque tout. Il suffisait de naître à quelque trois cent mille individus pour disposer du privilège, selon la formule de Sieyès, d'en humilier vingt-cinq millions cinq cent mille autres. La Déclaration des droits de l'homme et du citoyen a ainsi proclamé par son article 1 : « Les hommes naissent et demeurent libres et égaux en droits. Les distinctions sociales ne peuvent être fondées que sur l'utilité commune. » Ce fut une victoire de la Révolution, définitive celle-là puisque aucun des divers régimes qui se sont succédé en France n'a remis en cause – au moins en théorie – le principe sacro-saint de l'égalité civile.

La critique sociale – marxiste notamment – a souvent déprécié cet acquis de la démocratie, en le réduisant à un principe « formel », sous prétexte que l'inégalité économique perpétuait dans la réalité le système des privilèges. C'était sous-estimer la profondeur du changement. Depuis des siècles, on pourrait dire depuis les origines de la France, chaque habitant du pays était, comme presque partout ailleurs, marqué de manière indélébile par le statut de ses parents. La nouvelle règle qui faisait de chacun l'égal de chacun portait en elle le bouleversement de la hiérarchie sociale. La fin des trois ordres constitués offrait désormais les mêmes droits au rejeton du cultivateur et à l'héritier du ci-devant marquis. Même quand les fortunes sont restées inégales, les Français ont adopté très vite, dans leur langage et dans leur esprit, cette mentalité égalitaire.

Pour le comprendre, nul n'est mieux placé que le voyageur qui, vers 1900, découvre Paris, après avoir vécu en Allemagne, en Angleterre, ou en Autriche. Stefan Zweig, qui est dans ce cas, raconte dans *Le Monde d'hier* son étonnement en découvrant l'égalité qui règne alors à Paris dans les mœurs. La morgue, le mépris de l'inférieur, les attributs de l'esprit de caste, tout cela si visible à Londres, à Vienne ou à Berlin, l'auteur s'enchante d'en constater l'inexistence à Paris. Il narre notamment comment dans un restaurant des plus huppés de la capitale débarque une famille de paysans en fête. Les garçons, le maître d'hôtel, loin d'afficher leur dédain pour les rustauds, comme cela se ferait en d'autres pays, leur donnent du « Monsieur » et du « Madame » : « Il les servait avec la même politesse et la même attention que les ministres ou les excellences... » Et Zweig, en notant d'autres scènes analogues, d'expliquer qu'à Paris on avait « l'héritage de la Révolution dans le sang ».

Cet amour de l'égalité peut devenir une passion. Les Français, disait Tocqueville, « veulent l'égalité dans la liberté et, s'ils ne peuvent l'obtenir, ils la veulent encore dans l'esclavage ». Les deux principes, en les poussant à la limite, deviennent contradictoires : tôt ou tard, les champions de l'égalité la plus complète en arrivent au mot de Lénine : « La liberté ? Pour quoi faire ? » Notre pays qui passe pour une terre de liberté n'a jamais connu en politique de grands mouvements libéraux. En revanche, il a été et demeure sans doute la patrie des thèses et des proclamations égalitaires, où tous les révolutionnaires du monde peuvent puiser à pleines mains.

Dès avant la Révolution, des philosophes s'étaient

mis en tête que le malheur des hommes venait d'une cause unique, c'était l'intérêt particulier, autrement dit la propriété. Morelly écrivait ainsi dans son *Code de la nature* : « Toute idée de propriété sagement écartée par ses pères ; toute rivalité prévenue ou bannie de l'usage des biens communs, aurait-il été possible que l'homme eût pensé à ravir, ou par force, ou par ruse, ce qui ne lui eût jamais été disputé ? » Pour remédier aux vices de la société, Morelly préconisait un système communiste inspiré de la caserne (« quartiers égaux, de même figure, et régulièrement divisés par rue », « édifices uniformes », etc.). On ne compte pas le nombre de constructions mirifiques, symétriques, égalitaires jusqu'au détail, qui constituent le fond répétitif de la littérature utopique dont la France du XVIIIe siècle fut prodigue. Combien de *Basiliade*, combien d'*Isles flottantes*, combien de philadelphies, paradis légendaires, terres de félicité, où l'humanité se réconcilie avec elle-même sur le décret d'abolition de la propriété ! Il suffit d'évoquer l'un de nos écrivains les plus charmants, Restif de la Bretonne, pour prendre la mesure du genre. Dans son *Anthropographe*, il imagine un plan de réforme reprenant en bouquet tous les éléments de la littérature utopique depuis Thomas More : communauté des biens, repas pris en commun, provisions entreposées dans des greniers publics, habits identiques pour tous, etc. C'était encore du rêve, mais vint le jour où les circonstances – en l'occurrence ce fut la Révolution – permirent une première tentative de révolution communiste : la Conjuration des Égaux de Gracchus Babeuf, en 1796.

L'Assemblée constituante avait instauré l'égalité civile ; elle n'avait pas aboli l'inégalité des conditions matérielles. Pour le faire, à supposer qu'elle le voulût, elle eût été obligée d'organiser un système de Terreur permanente, pour raboter, polir, uniformiser la société. Babeuf s'était avisé, comme le projetait d'ailleurs la Déclaration des droits de juin 1793, d'établir le « bonheur commun ». En bon disciple de Morelly, il revenait au moyen nécessaire : « supprimer la propriété particulière ». Et alors, il n'y aurait plus de bornes, de haies, de murs, de serrures aux portes, de disputes, de procès, de vols, d'assassinats, de crimes. Car l'homme, rendu à sa bonté naturelle, en finirait avec « l'envie, la jalousie, l'insatiabilité, l'orgueil, la tromperie, la duplicité, enfin tous les vices ». Babeuf publia un Manifeste des Égaux et tenta de s'emparer du pouvoir avec ses affidés. L'idée était de faire confiance « au mouvement spontané des masses », naturellement « guidées » par lui, le tribun du peuple. Le fiasco fut complet, mais l'exemple et les principes babouvistes n'ont cessé d'être honorés. C'est ainsi que les Éditions sociales (du parti communiste) faisaient figurer dans leur collection des « Classiques du Peuple » les *Textes choisis* de Babeuf (1965, 1976). Sans doute parce qu'il avait conçu avant la lettre la dictature du prolétariat – « une dictature révolutionnaire provisoire », nous dit son éditeur, « un moyen nécessaire de coercition et d'éducation des masses pour préparer l'établissement de la communauté socialiste ».

L'égalitarisme fut le propre des sans-culottes, qui se désignaient ainsi sous la Révolution jacobine parce qu'ils portaient le pantalon et non la culotte de soie des nobles et des riches. Le tutoiement obligatoire prenait le même sens ; les sans-culottes voulurent l'imposer à tous, le *vous* étant considéré comme un « reste de féodalité », entretenant « la morgue des pervers et l'adulation ». Les sans-culottes n'étaient pas communistes, ne voulant pas l'abolition de la propriété – mais seulement sa limitation. Ce qu'ils réclamaient, c'était « l'égalité des jouissances », le partage des biens, la disparition de la richesse et de la pauvreté sous le régime de l'égalité. L'idéal de la sans-culotterie était une société de petits propriétaires libres, associés contre les « gros ». J'en reparlerai, car c'est un courant très fort qui traverse notre histoire. Je voudrais pour le moment montrer à quel point le terrain était préparé chez nous pour un accueil favorable à la révolution bolchevique, et notamment en raison d'une passion égalitariste qui accréditait l'idéal communiste.

La Commune de Paris, née en mars 1871 de la révolte contre l'Assemblée nationale – composée d'une majorité de monarchistes – et la politique de Monsieur Thiers, est un moment charnière du point de vue des idées issues de la Révolution. Le meilleur de ses historiens, Jacques Rougerie, a montré que dans le discours polyphonique des communards(dans les journaux, dans les clubs, à l'assemblée de l'Hôtel de Ville), la plus grande partie restait attachée à la tradition sans-culotte, républicaine et patriote, faisant du « prêtre » son ennemi principal, et aussi l'épicier, le propriétaire, le sergent de ville. Des voix minoritaires, cependant, commencent à entonner un nouveau refrain, celui de la lutte des classes :

« Dès le commencement, l'humanité fut partagée en deux classes luttant sans cesse, et sans cesse se transformant sans changer d'essence et de nature. D'un côté les exploiteurs, de l'autre les exploités. Ici les esclaves, là les despotes. Ici les serfs, là les seigneurs. Ici les salariés, là les patrons. Ici les prolétaires, là les capitalistes. La série de l'exploitation est terminée. Elle se résout dans le *travailleur*, qui absorbera les deux antagonismes en les détruisant, opérera la délivrance universelle [1]... »

Au premier conflit central qui opposa, en France, les partisans de la République libérale aux défenseurs de la prépondérance de l'Église, s'ajouta donc un autre affrontement, celui du travail et du capital. Cet antagonisme sera vécu dans les autres sociétés industrielles avec plus ou moins de violence. Il don-

1. Cité par Jacques Rougerie, in *Paris libre 1871*, Seuil, 1971, p. 241.

nera vie et carrière aux idées socialistes, comme en France. Il s'apaisera peu à peu grâce aux ressources du compromis. Alain Bergounioux et Bernard Manin ont associé le mot « compromis » à l'histoire de la social-démocratie [2]. En France, le compromis ne fut jamais que de fait. La théorie des organisations socialistes et communistes a été et continue d'être largement la lutte de classes.

Parmi les causes de cette radicalité, qui s'exprime régulièrement par la grève, la manifestation, et l'inaptitude à la négociation, il me semble que figurent au premier rang l'héritage culturel de la Révolution et la passion de l'égalité dont elle était porteuse. Deux siècles de mentalité révolutionnaire ne s'effacent pas du jour au lendemain. Ils ont créé des réflexes, confirmé des conduites. Le dernier théâtre mimétique de la Révolution s'est produit en 1968. Sorte de scène finale, parodique, « révolution introuvable », où chacun cherchait son rôle. On avait eu les barricades, les discours enflammés des orateurs, les parades de rue, les meetings de masse, les confettis de l'histoire... Certains, qui y ont un peu trop cru, ne s'en sont jamais remis. Mais avec le recul, on mesure la dimension dérisoire de ce *sit-in* national, dont les images filmées restent comme des photos de jeunesse dans un album familial. Ce fut peut-être, en ces journées de mai, l'enterrement de la Révolution.

Plus profondément, la culture révolutionnaire a laissé des traces. Je mettrais volontiers à son compte la médiocrité de nos relations sociales. L'entreprise, même publique, est restée le lieu d'un affrontement entre des intérêts considérés comme naturellement antagoniques. Il est entendu dans l'esprit des salariés français, et s'ils venaient à en douter les syndicats sauraient le leur rappeler, que patrons et ouvriers,

2. Alain Bergounioux et Bernard Manin, *La Social-démocratie ou le compromis*, PUF, 1979.

que patrons et employés, ne sont pas là pour s'entendre. Un directeur de société est toujours suspect de s'enrichir avec la peine, la sueur et le sang de ses salariés. La presse de la CGT mérite le détour à ce sujet. Le patronat reste l'ennemi, la lutte des classes est la norme, l'exploitation n'a cessé d'être la règle du système capitaliste.

Plus forte que FO aux intonations corporatistes et que la CFDT aux contours incertains, la CGT, syndicat majoritaire en France, liée au parti communiste depuis la scission de 1947-1948, n'a jamais abandonné les perspectives de la guerre sociale, quitte à ruiner à long terme les perspectives de telle branche industrielle. L'influence communiste a été largement précédée par celle du syndicalisme révolutionnaire, idéologie de la première Confédération générale du travail, fondée en 1895, et renforcée au début du siècle par la Fédération des bourses du travail. En un sens, la culture cégétiste était aux antipodes du communisme, bannissant l'organisation de parti, sa hiérarchie, son culte du chef. Plus proche de l'idéologie anarchiste, la CGT partageait néanmoins avec l'idéal communiste la conception d'une rupture révolutionnaire avec la société capitaliste. Mais, contrairement au socialisme de parti ou au léninisme, le syndicalisme d'action directe s'imaginait le basculement d'une société dans une autre par le truchement de la grève générale, grand mythe qui hanta les militants et mobilisa leur rêve d'un monde d'hommes fiers et libres.

La révolution léniniste a peu à peu fait disparaître la tradition syndicaliste révolutionnaire. Du moins en tant qu'organisation, car l'héritage de la violence sociale reste vivant dans mainte fédération de la CGT passée sous direction communiste avec la guerre froide. Les « partenaires sociaux » n'existent que dans les discours d'un ministre ou sous la plume d'un journaliste. Nous ne sommes pas des partenaires, mais des combattants, toujours en lutte. Et quand il s'agit d'une entreprise nationalisée, l'organisation syndicale s'en prend à « l'État-patron », le mot « patron » ou « patronat » étant à peu près aussi repoussant que le mot « capitalisme » ou « capitaliste ». Il suffit d'entendre, à chaque élection présidentielle, les professions de foi de l'éternelle candidate trotskiste Arlette Laguillier, pour prendre la mesure, en quelques minutes, des traces si profondes laissées par notre histoire sociale jusqu'à nous.

Sans doute l'inaptitude des acteurs sociaux à la négociation et au compromis n'a-t-elle pas pour seule cause l'idéologie « classe contre classe » des communistes et de la CGT. Celle-ci ne contribue pas, c'est le moins qu'on puisse dire, à « l'esprit d'entreprise », à la solidarité au sein d'une activité productive, à la compréhension des mécanismes de la concurrence.

On me dira : « Bon. C'est d'accord, nous ne sommes que des capitalistes de deuxième zone, des industriels de pétième ordre, des salariés indisciplinés... Mais n'est-ce pas aussi notre richesse humaine ? » De fait, on peut toujours retourner nos manques en vertus. Nous sommes donc des rebelles, des insoumis, des réfractaires aux logiques de la production moderne. A défaut d'esprit révolutionnaire, évaporé dans les miasmes de l'histoire, nous gardons, chevillés en nous, l'esprit de révolte, la capacité de rebâtir l'éternelle barricade, l'amour des grandes gueules et des coups de sang. A la fin de ce siècle, en France, les routiers barrent les autoroutes, les employés d'Air France bloquent les pistes d'atterrissage, les agriculteurs incendient des préfectures, de simples individus mécontents du tracé du futur train à grande vitesse envahissent les rails de la SNCF, tandis que les employés de celle-ci battent tous les records en heures de grève...

On peut cependant tenir la grévomanie moins pour un signe de santé florissante que pour une maladie endémique. Les observateurs étrangers le constatent, unanimes : chez nous, on fait d'abord la grève, après quoi on négocie. Ce n'est pas que les syndicats français soient très forts, puisque nous sommes pourvus au contraire du taux de syndicalisation le plus faible d'Europe, avec 15 % des salariés. Handicap auquel s'ajoute la division, jusqu'à la caricature : le personnel de la RATP a le bonheur de disposer de onze syndicats, et Air France fait mieux encore : quatorze ! On imagine les belles « tables rondes » ! Plus le syndicalisme est faible, moins il se sent légitime, et plus il redoute le désaveu de « la base ». La surenchère en est le fruit, le tout ou rien l'attitude courante : Wagram ou Waterloo.

Longtemps, et peut-être encore aujourd'hui, nous avons connu le mépris des syndicalistes français à l'endroit du syndicalisme allemand. De l'autre côté du Rhin, pas de grève ! N'était-ce pas minable ? La puissance même des organisations syndicales allemandes leur donne la possibilité de négocier d'égal à égal avec le patronat et avec l'État. C'est aussi l'abandon du maximalisme, du jusqu'au-boutisme, du vocabulaire guerrier, qui favorise l'esprit de négociation et de compromis, finalement profitable aux salariés autant qu'à la société globale.

En France, tout le monde parle de dialogue et personne ne s'y prête. Le gouvernement trop souvent reste en état d'apesanteur, flottant au-dessus de la société, sans véritablement traduire ses vœux, dans l'incapacité même d'expliquer son action, d'assurer la pédagogie de sa politique – et c'est aussi vrai de la gauche que de la droite. La société, elle, reste atomisée entre deux révoltes, deux émeutes, deux incendies, sans représentation durable, sans porte-parole affranchi des œillères corporatistes.

La Révolution ne portait pas en elle l'organisation de la société civile ; elle poussait au contraire à l'isolement des individus, censés être unis, face à l'État.

En même temps, elle a créé un imaginaire insurrectionnel, à travers lequel depuis deux siècles les Français ne cessent de projeter leurs désirs. Ont-ils l'air de se résigner à la tristesse de l'existence, à la fadeur des saisons et des travaux, à la « mélancolie démocratique » ? Ne vous y fiez pas. Que l'occasion se présente, une étincelle, un pétard, un feu mal éteint, et le vieux sang ne fait qu'un tour.

De Gaulle disait qu'en France il fallait des révolutions pour parvenir à faire des réformes. On peut retourner la proposition : c'est par l'insuffisance de notre culture réformiste que nous vient toujours à la bouche le mot de révolution. Entre la demande sociale maximaliste du style « guerre de classes » et le conservatisme ordinaire de ceux qui nous gouvernent, il n'est guère de place pour la réforme en profondeur. Combien de projets ont été rédigés sur la refonte de notre système fiscal, avant d'aller au feu ! D'un côté, on veut « tout » ; de l'autre, la moindre concession semble grosse de tous les désordres. Turgot échoue, et les piques se lèvent.

10
57 millions de petits propriétaires

La passion de l'égalité si perceptible en France ne s'est pas exercée exclusivement dans le désir d'abolir la propriété et de mettre en commun les outils de travail, les récoltes, les repas plus ou moins frugaux, voire les femmes selon certains. Ce ne fut jamais que la tendance la plus avancée de l'égalitarisme. Dans le fond, le Français est avant toute chose un propriétaire. La Révolution, du reste, n'a jamais voulu, dans ses assemblées successives, contrarier ce penchant séculaire, mais plutôt le conforter. « Le paysan libre sur sa terre libre », l'idéal de 1789, a évolué, mais reste vivant.

Souvent, le premier contact du visiteur étranger avec la société française prend le visage d'un chauffeur de taxi, au sortir de l'aéroport ou de la gare. Le voyageur s'étonne. D'abord, à cause de la voiture elle-même, que rien – ou presque – ne distingue des véhicules particuliers : pas de couleur repérable, pas de marque dominante, mais au contraire un malin plaisir, de la part du chauffeur, à personnaliser son outil de travail, comme un prolongement sur pneus de son pavillon et de son jardinet – chien souvent compris. L'homme au volant, de surcroît, s'il a bien voulu prendre en charge le client (ce qui n'est jamais tout à fait assuré), a des idées bien arrêtées, qu'il expose sans se faire prier, sur sa profession (sans avenir), le gouvernement (contesté) et l'état du monde (catastrophique). Ce quant-à-soi anarcho-corporatiste plonge le récent débarqué dans une extase ethnologique.

Évidemment, on ne saurait en rien généraliser : il y a taxi et taxi ; artisans et salariés ; Français de souche et immigrés de la dernière lune. Mais il faut se rendre à l'évidence : à l'étranger, les histoires (vécues) de taxis parisiens ont la même cote qu'en France les histoires belges. Le taxi est un caractère qui eût charmé La Bruyère. Un caractère social, un type social qui suggère à notre visiteur une certaine idée de la France. Cette scène de genre traduit ce qu'il reste d'une réalité socio-économique qui a ses corollaires psychologiques et politiques.

Au milieu du XIXe siècle, les « patrons » représentent plus de 45 % de la population active (recensement de 1851) ; au moment du Front populaire, en 1936, ceux qui détiennent terre ou autres moyens de production dépassent encore 39 %. C'est seulement après la Seconde Guerre mondiale qu'on assiste à l'accroissement rapide de la proportion des salariés au détriment des indépendants, agriculteurs et autres. Dans les dernières années du siècle, ils comptent pour 85 %, les « trente glorieuses » ayant laminé, non sans dégâts, la petite propriété productive, qu'elle soit agricole, industrielle ou commerciale.

Cette petite (ou moyenne) propriété a des origines très anciennes. Il faut remonter jusqu'au Moyen Âge pour constater, dans la société féodale, l'existence de la propriété paysanne libre – l'alleu – et la permanence d'un droit héréditaire sur les tenures paysannes : le propriétaire éminent, le seigneur, laissait à l'exploitant la possibilité d'aliéner la terre. Au cours des siècles, les droits des tenanciers ont été consolidés, voire renforcés, au point qu'à la veille de la Révolution, ces paysans travaillant sur la terre de leurs aïeux estimaient injustes les droits seigneuriaux et demandaient l'abolition de toutes les charges et servitudes qui n'avaient plus de raison d'être.

La Révolution, contrairement à ce que l'on croit parfois, n'a donc pas été à l'origine de la diffusion de la propriété foncière dans la paysannerie. En fait, la plupart des terres des nobles et du clergé ont été achetées par des gens qui en possédaient déjà. Cependant, la Révolution a consacré le propriétaire libre : « Le paysan, écrit Groethuysen, est libre sur son champ ; il y est son propriétaire maître. Dans la conscience de lui-même qu'a le propriétaire libre, la conscience du droit revêt une forme concrète et bien définie ; les idées de liberté et d'égalité acquièrent un sens immédiat, vivant [1]. »

Le nombre de propriétaires fonciers, déjà considérable à la veille de la Révolution (on l'estime à 4 700 000 dans un pays de 27 à 28 millions d'habitants), n'a fait que s'accroître tout au long du XIXe siècle, tandis qu'en Angleterre il ne cessait de s'abaisser. Le nouveau régime successoral établi par le Code civil pousse à ce morcellement, dont s'inquiètent des auteurs comme Le Play, mais aussi, à la fin du siècle, des républicains comme Paul Deschanel, déclarant : « Il est avéré que le Code civil, cette machine à hacher le sol, ne cesse de transformer la grande propriété en moyenne, et la moyenne en petite. C'est la petite qui dévore la grande. » On compte alors plus de huit millions de propriétaires fonciers, et l'enquête de 1909 met en évidence la part prépondérante de la petite et moyenne propriété agricole, ce que confirme encore l'enquête de 1929.

Cette réalité massive de la petite propriété tranche avec la structure agraire de nombreux autres pays : l'Allemagne des junkers au-delà de l'Elbe, les *latifundia* de l'Italie du Sud, la Hongrie, et surtout la Grande-Bretagne où, avant 1914, la moitié du territoire est détenue par un peu plus de deux mille per-

1. Bernard Groethuysen, *Philosophie de la Révolution française*, Gallimard, 1982, p. 237.

sonnes, tandis qu'une centaine de landlords règnent sur un sixième des terres.

Cette structure a des implications économiques. Elle est à la fois cause et effet de ce qu'on a appelé le « retard industriel » de la France sur l'Angleterre et bientôt sur l'Allemagne ; elle est d'abord cause de la médiocre productivité agricole. Arthur Young, déjà cité, jugeait le nombre des petites propriétés « trop élevé », pensait que « des lois expresses devraient restreindre le morcellement » et que « les faveurs accordées aux petits propriétaires dans la répartition de l'impôt foncier sont ruineuses pour l'agriculture et devraient être abrogées, comme contraires au droit public. »

Si l'on saute cent cinquante ans, le constat que le géographe Pierre George établissait sur l'agriculture française de l'entre-deux-guerres est en continuité avec le jugement d'Arthur Young : « Techniquement et économiquement, il ne fait pas de doute que c'est la petite et la moyenne exploitations qui donnent le ton. » Dimensions de terres cultivées trop faibles, médiocrité des revenus, retards techniques, économie de subsistance : « L'agriculture française est une des plus arriérées de l'Europe occidentale, ne devançant guère que l'agriculture espagnole. »

Cette structure agraire archaïque a largement contribué, qu'on s'en réjouisse ou qu'on s'en plaigne, à retarder la création d'un véritable prolétariat industriel. Au moins jusqu'à la fin du XIXe siècle, une bonne partie des ouvriers ont gardé des liens souvent étroits avec leur milieu rural d'origine : les aller et retour terre-usine (-atelier, ou – mine) ont été quotidiens, saisonniers ou périodiques et ont entretenu jusque dans la ville manufacturière les mentalités paysannes. Les grandes organisations de classe qui se mettent alors en place – le travaillisme en Angleterre, la social-démocratie en Allemagne – ne dépasseront guère en France le stade embryonnaire ou se localiseront dans quelques départements industriels. Lorsque le prolétariat moderne, typique des banlieues du XXe siècle, s'est développé, surtout après la Première Guerre mondiale, ce sera le parti communiste, né entre-temps, qui réussira – imparfaitement – à l'encadrer. Ce prolétariat moderne, du reste, a été composé en grande partie d'ouvriers immigrés.

L'ouvrier français est resté dans une large mesure réfractaire à sa définition de classe, tout au contraire de l'ouvrier britannique. Ici, on se défendait par l'organisation collective; là, on a longtemps rêvé et l'on rêve encore de quitter le « turbin » pour s'établir à son compte. Un roman de Roger Vailland, qui s'exerçait alors au réalisme socialiste, décrivait, en 1955, les illusions d'un ancien agriculteur qui multipliait les heures supplémentaires à l'usine pour acquérir les *325 000 francs* – titre de l'ouvrage – nécessaires à l'acquisition d'une station-service. Pour l'écrivain communiste, il fallait sanctionner cette utopie individualiste, ce qui le conduisait, impitoyable, à faire sectionner les doigts de son héros par la machine. Malgré ce *Marx ex machina*, le passage du salariat au travail indépendant n'a jamais cessé d'être un espoir pour beaucoup et de devenir pour certains un projet finalement réalisé. Échapper à la condition de salarié par l'établissement d'un artisanat, d'un commerce, voire d'une exploitation agricole, demeure un idéal. Le salut individuel leur paraît plus tangible que le salut collectif. Être maître chez soi, vieux cri du paysan, durable aspiration du prolétaire!

La sur-représentation des « patrons » dans l'histoire de la population active française ne manque pas d'implications politiques. L'un des aspects à considérer est la nature des relations établies entre le travail indépendant et un État très tôt centralisé. Celui-ci a provoqué, sous les habits successifs de ses collecteurs d'impôts, un rejet endémique. L'État, par définition, c'est le fisc; l'ennemi par excellence; celui qui, précisément, attente à la volonté d'indépendance du travailleur libre. La cause majeure des révoltes populaires qui rythment la vie des provinces au XVIIe siècle réside là. Dans son *Histoire des Croquants*, Yves-Marie Bercé relate les soulèvements de l'Angoumois, de la Saintonge et de la Guyenne contre la gabelle, forçant le roi à en exempter toute l'Aquitaine au milieu du XVIe siècle. Il nous montre la répétition au siècle suivant de ces révoltes printanières – celles des Pitauds, des Croquants, des Tard Avisés –, faisant l'unanimité locale contre le pouvoir central, toujours plus exigeant, en défendant les privilèges du lieu contre les prétentions de Paris qui veut uniformiser et rationaliser son système fiscal – et l'alourdir. Les paysans prennent d'abord les armes; ensuite les villes, qu'ils menacent d'incendie... jusqu'au moment où il leur faut rentrer chez eux pour la moisson. Débarrassé de son seigneur, le paysan a rencontré l'État et les dents longues de ses percepteurs.

La Révolution, qui achève d'émanciper le tenancier de la tutelle nobiliaire et ecclésiastique, consolide le statut du travailleur indépendant mais, simultanément, fait peser sur lui une menace étatiste qui s'est alourdie de l'idéologie jacobine. La résistance à la conscription universelle relaie la révolte antifiscale : dans toute la France – et pas seulement dans l'Ouest –, on assiste à cet affrontement entre les paysans et le Léviathan moderne. Les corps intermédiaires encore vivants sous l'Ancien Régime ont été dissous. Pour longtemps, émiettement socio-économique et centralisation renforcée de l'État vont composer une réalité typiquement française : « L'étranger, le nouveau venu, écrit encore Yves-Marie Bercé, c'est l'État moderne, bureaucratique et centralisateur. » Plus que l'impôt même, c'est la distance créé entre le pouvoir gouvernant, édictant, imposant, et le sujet (ou le citoyen) qui sécrète la mentalité subversive. Quand l'ordre provient d'au-delà de la paroisse, d'au-delà des monts, d'au-delà de la province, il apparaît intolérable. Et que dire, aujourd'hui, s'il vient de Bruxelles ! Les « eurocrates » entretiennent par leurs décrets, incompris ou réfutés, l'habitude des révoltes populaires qui font trembler les hôtels préfectoraux quand elles ne provoquent pas de vrais ravages, comme ce fut le cas à Rennes, en février 1994, lorsque l'ancien Parlement de la capitale bretonne fut incendié à la suite d'une émeute des marins-pêcheurs.

On comprend mieux ainsi, à partir de l'établissement du suffrage universel (1848), les différents types de relation existant entre la petite propriété et le pouvoir central : qu'ils reposent sur l'harmonie – le bonapartisme et le radicalisme – ou sur la reprise de la fronde séculaire – le poujadisme.

De propos délibéré, Louis Napoléon Bonaparte a voulu instaurer son pouvoir plébiscitaire sur la classe la plus nombreuse, la petite et moyenne paysannerie. Pour Marx, « les Bonaparte sont la dynastie des paysans, c'est-à-dire de la masse du peuple français. L'élu des paysans, ce n'était pas le Bonaparte qui se soumettait au Parlement bourgeois, mais le Bonaparte qui dispersera ce Parlement ». Marx faisait valoir la situation de ces paysans « parcellaires », pauvres, isolés les uns des autres, « incapables de défendre leurs intérêts de classe en leur propre nom » et qui, du coup, doivent être « représentés ». Cette base de classe du bonapartisme, analysée par Marx dans *Le Dix-huit Brumaire de Louis Bonaparte*, resta ferme jusqu'à la fin de l'Empire : alors que les grandes villes entraient progressivement dans l'opposition, les campagnes, en 1870, continuaient à plébisciter Napoléon III. Un État puissant, incarné dans un nom légendaire, protégeant le petit paysan contre « l'usurier des villes », « le capital bourgeois », le retour de la féodalité, permettait la réconciliation de l'humble exploitation paysanne avec le gouvernement, moyennant une conjoncture économique favorable (hausse des prix pendant presque toute la durée du Second Empire). L'Empereur, comme le notait de son côté Proudhon, dans *La Capacité politique des classes ouvrières*, « à tort ou à raison, est resté pour le paysan le symbole du droit allodial, rendu triomphant par la Révolution et la vente des biens nationaux. Dans le roi, au contraire, protecteur de la bourgeoisie ou prince de la gentilhommerie, il n'a jamais vu que l'emblème du fief, qui reparaît à son œil soupçonneux en la personne du bourgeois capitaliste ».

Vu l'importance quantitative de la paysannerie indépendante, la Troisième République naissante s'est lancée à sa conquête : le « suffrage universel des campagnes » tenait entre ses mains « les destinées de la patrie » (Gambetta); c'est, disait Jules Ferry, « pour la République », « une assise en granit que ce suffrage universel des paysans ». Pour le radicalisme, qui s'imposa plus tard comme la philosophie même de la Troisième République, l'ensemble des travailleurs indépendants – paysans, artisans, commerçants – devait constituer la base du régime et un modèle d'autonomie individuelle auquel travailleurs salariés pouvaient soumettre leurs espoirs. En 1898, Léon Bourgeois en exposait la théorie : « La propriété individuelle est, comme la liberté elle-même, un droit inhérent à la personne humaine : la propriété individuelle n'est pas seulement la conséquence de la liberté, elle en est aussi la garantie; ce caractère du droit de propriété est donc absolu. »

Léon Bourgeois complétait l'année suivante, dans *Solidarité*, son apologie de la propriété par un appel à la solidarité, à la défense fédérative des petits contre les usurpations des gros : « Qu'est-ce que les *trusts* américains, par exemple, sinon l'abus monstrueux de la liberté de quelques-uns ? »

Comme les socialistes, les radicaux entendaient travailler à la disparition du salariat, mais par le truchement de l'accession à la propriété, avec pour corollaire le principe d'association. L'État devait y contribuer par la loi, contre les tendances concentrationnistes : protection de la propriété fondée sur le travail, rachat des grands monopoles et contrôle de la haute finance, justice fiscale et impôt sur le revenu. Cette intervention de la puissance publique a eu aussi pour effet de maintenir des structures sous-productives : subventions en faveur de cultures attardées, contingentements, protection du petit commerce face aux grands magasins et autres formes de distribution moderne... La loi de finances du 23 février 1933 renforçait encore la tendance. Lié à la défense des classes moyennes traditionnelles, le radicalisme n'a pas résisté au déclin, retardé mais néanmoins progressif, de celles-ci.

La Quatrième République et les mutations économiques qu'elle a connues, la dépopulation des campagnes au profit des grandes villes, ont fini par détrôner les travailleurs indépendants de leur rôle d'arbitres, au fur et à mesure de la généralisation du salariat. Petits paysans, artisans, petits commerçants ont payé les « dégâts du progrès ». Dès lors, un troisième type de relation entre la petite propriété et l'État a pris corps, type conflictuel cette fois, et non sans analogie avec les situations anciennes : le poujadisme. A l'origine soulèvement de zones rurales menacées de dépeuplement, les protestataires de l'Union de défense des commerçants et artisans (UDCA) ont mêlé leurs attaques contre la concentration commerciale et leur résistance à la pression fiscale. Comme sous l'Ancien Régime, la révolte poujadiste a été une révolte des provinces contre l'État parisien et lointain, contre ses suppôts à face de contrôleurs et de polyvalents.

Pierre Poujade a exprimé, avec une éloquence populaire, toute la philosophie du travailleur indépendant, attaché à sa liberté individuelle, menacé également par les « gros » et l'État spoliateur : « Nous défendrons la structure traditionnelle de l'économie française », proclamait le congrès poujadiste de juillet 1955, ce que traduisaient en termes moins châtiés les coups de gueule de « Pierrot ». Le mouvement en appelait aux grands mythes révolutionnaires, à Valmy, aux états généraux, au Comité de salut public, à la fraternité républicaine, à l'égalitarisme jacobin. Mais, sur une position défensive, le poujadisme dérapait dans la mythologie anti-industrialiste, xénophobe, antiparlementaire – voire antisémite. Sursaut des petits, des obscurs, des sans-grades, mi-conscients de leur condamnation par un avenir promis à la croissance industrielle, aux écoles d'ingénieurs et de commerce, à la concentration urbaine – tout ce monde acquis aux « gros » : « les trusts, la grande industrie, la haute finance, le grand capitalisme ». Tout au long de son existence, *Fraternité française*, organe du poujadisme, exalte dans le combat des non-salariés la défense des « hommes libres ». Parfois en des termes identiques à ceux des radicaux de jadis : « L'artisanat, la petite industrie : c'est la promotion ouvrière. »

D'autres organisations de défense professionnelle ont suivi, comme le CID-UNATI. Il ne s'agissait plus que d'un groupe de pression, mais celui-ci a pu se flatter de faire voter en 1973 la loi Royer. Celui-ci, maire de Tours et ministre, avait alors repris cette idée de promotion ouvrière : « C'est une chose que de dénoncer l'aliénation des travailleurs et c'en est une autre que de leur offrir un moyen d'assurer leur libération. » On décidait donc de freiner l'extension des « grandes surfaces » par des mesures appropriées.

Le rouleau compresseur de l'évolution économique a fait de l'idéal de la propriété indépendante un « paradigme perdu ». Au demeurant, le principe de liberté qu'elle a représenté – et vanté notamment par Alain, un radical-né – a profondément marqué le tempérament français. Le rêve agit encore sur chacun, ne fût-ce que dans le goût répandu de la vie pavillonnaire, du jardin potager, de l'atelier de bricolage, voire de la caravane (qui stationne sous les peupliers bien plus qu'elle ne roule), ou dans le refus des taxis de s'habiller de la même couleur.

Je me souviens comment, au début des années 1960, alors en poste à Montpellier, j'avais été accueilli par un de mes collègues de lycée dans sa petite villa toute neuve qu'il venait d'acquérir dans un lotissement sur les bords du Lez : « Tu vois, me dit-il, ici c'est peut-être moins bien, moins grand, moins beau que la maison que nous louions jusqu'à présent. Mais ici je suis chez moi, et j'ai du plomb pour qui s'aviserait de venir m'emmerder. » Cette allusion au fusil de chasse, chez ce fin lettré installé dans ses murs, je me demandais de quel atavisme culturel elle était venue... Quiconque parcourt la France rencontre à ses dépens, sinon la gueule du fusil, du moins celle du chien de garde. Jacques Lacarrière, qui a coupé le pays par les chemins de traverse, a encore la tête qui résonne des aboiements des cerbères, qui ne forment qu'une longue chaîne vociférante, de Dunkerque à Perpignan[2].

Au discours de la rentabilité économique, de la performance, du progrès technique, de l'amélioration générale des conditions et de la sécurité sociales, une sorte d'éternel radical-poujadisme répondra : sens de la mesure, liberté individuelle, solidarité des petits contre les gros, travail et épargne, résistance à l'étatisme, refus des grands ensembles concentrationnaires, indépendance et dignité. C'est bien mais c'est souvent illusoire.

Le culte de la propriété est à la mesure de sa diffusion. Celle-ci explique le poids du conservatisme au pays des révolutions. Les possédants, les vrais, les dorés sur tranche, ont toujours pu compter dans

2. J. Lacarrière, *Chemin faisant*, Fayard, 1977.

notre histoire sur l'appui des petits propriétaires contre les réformateurs sociaux. Les démagogues ont souvent voulu mobiliser les « petits » contre les « gros », mais la solidarité des uns et des autres a entretenu cette inaptitude à l'esprit de réforme à laquelle nous avons fait allusion. Notre législation sur les successions en est une des illustrations : en France, l'héritier est choyé bien mieux que dans l'Amérique capitaliste.

La propriété n'est pas forcément « odieuse », comme le prétendait Gracchus Babeuf ; elle peut même contribuer à la liberté, mais le goût excessif qu'en ont les Français a trop souvent désarmé notre législateur. On aimerait parfois que nos compatriotes répètent après la Juliette de Shakespeare : « Oui, plus je donne, plus je possède. »

11

Toujours des bourgeois gentilshommes

Les Français ont beau avoir l'esprit égalitaire, la notion de *rang* demeure vive chez beaucoup. La société démocratique a fait de grands bonds en avant depuis le siècle dernier, il n'empêche que nous n'avons pas encore les mœurs « américaines ». Quand un correspondant m'écrit des États-Unis, sa lettre se termine par la formule passe-partout en Oregon aussi bien que dans la Nouvelle-Angleterre : « *Sincerely yours* ». « Sincèrement » quoi, je vous le demande. Mais qu'importe ! les Américains ont toujours eu le chic pour ne pas s'embarrasser des formes de la société aristocratique, qu'ils n'ont jamais connue.

Au lieu de cela, comme tous mes compatriotes, à la fin de chaque lettre je suis amené à m'interroger. Dois-je écrire : « Veuillez, Monsieur, recevoir l'expression de mes sentiments distingués » ? Mes sentiments ne devraient-ils pas être, en l'occurrence, « respectueux » ? Dois-je dire : « recevez » ou « agréez » ? Faut-il que je parle de ma « considération », et celle-ci doit-elle s'affirmer « haute » ou seulement « distinguée » ? Et les « compliments » ? Et les « sentiments empressés » ? Il faut se casser la tête sur l'adjectif « dévoués », tremper dix fois sa plume en s'adressant à une femme, à un colonel, à un archevêque. Tout cela a été codé, il ne faut pas s'y perdre, et le professeur démocrate que je crois être est toujours étonné quand un de ses élèves lui adresse ses « pensées cordiales ».

Dans toutes les familles de la bourgeoisie, de la moyenne et de la petite, un manuel de savoir-vivre a permis, pendant longtemps, de se tirer d'embarras. Ce genre d'ouvrage a fait notamment la fortune de la soi-disant baronne Staffe, qui n'a cessé d'enseigner à la fin du siècle dernier et au début du XXe les « usages du monde » et autres « règles du savoir-vivre ». Comment placer des convives à table, comment parler aux dames ou aux domestiques, comment choisir le parrain et la marraine d'un nouveau-né, comment faire des présentations, quelles sont les élégances du langage, comment user de la carte de visite, comment rédiger des faire-part, comment se tenir dans toutes les circonstances prévues et imprévues de la vie en société, bref comment être un vrai *gentleman*, voilà ce qu'on apprend dans ces manuels de civilité quand on n'a pas eu le privilège d'assimiler les usages dans sa propre famille. Car il est entendu qu'un bourgeois, grand, moyen ou petit, doit s'efforcer de devenir, ou à tout le moins apparaître comme, un gentilhomme.

Les Français du peuple miment les bourgeois, et les bourgeois imitent les aristocrates. Ceux-ci, dans notre histoire, n'ont pas toujours été raffinés ; ils ont été eux-mêmes à l'école : celle de la Cour. Les révolutions se succèdent, les protestations d'égalité s'entassent, il n'empêche : l'exemple vient d'en haut, et les ferveurs républicaines n'y font rien, on veut tenir son rang, savoir mettre les petits plats dans les grands, et, si l'on a quelque chance de retrouver un aïeul présentable, on se passionne pour la généalogie familiale.

La noblesse historique représente une micro-société, 3 600 familles environ, soit 400 000 Français au maximum, auxquels il convient d'ajouter 15 000 noms de faux nobles, et des dizaines de millions de roturiers qui singent plus ou moins les bonnes manières de l'aristocratie. Il est vrai que depuis les années 1960, les modèles de comportement viennent de plus en plus des couches juvéniles, dont le langage peu châtié, le *blue-jean* et les façons de vivre ont imposé peu à peu dans notre pays comme ailleurs le genre *cool*, le tutoiement facile, ce qu'on a appelé un temps la « cohabitation juvénile » – expression devenue obsolète par le vieillissement de ses adeptes –, le mélange des classes sociales, notamment par l'accès du grand nombre aux études secondaires et bientôt supérieures. On peut cependant juger superficiel le brassage social. En grattant un peu le vernis de l'uniformité démocratique, on retrouve bien vite les constantes de la *distinction*. Et comme tout le monde ne peut pas appartenir au gratin qui exige naissance, richesse et relations, chacun se fait son petit blason au mépris de ce qui s'agite en dessous.

Le grand sociologue allemand Norbert Elias a insisté sur l'influence exercée par la société de Cour sur la société française. Comparant la France et l'Allemagne, il nous montre que nos voisins d'outre-Rhin ont eu très tôt des classes moyennes qui n'ont que rarement adopté des modèles comportementaux de la Cour – celle-ci n'était pas unique dans l'ancienne Allemagne, où l'aristocratie était dispersée –, au lieu qu'en France la bourgeoisie montante (voir Molière) n'a eu de cesse de prendre les bonnes manières de la noblesse telles qu'elles se sont précisées dans l'environnement immédiat du roi. Les bourgeois allemands avaient ainsi leur quant-à-soi, fait de morale mais aussi d'une certaine grossièreté, tandis que les bourgeois français ont pris l'habitude d'utiliser la savonnette à vilains pour paraître respectables autrement que par la fortune ou même la culture : ils parlaient, eux, de civilisation.

Il est remarquable que dans le pays de la Révolution la noblesse puisse encore garder un caractère officiel. Les titres peuvent figurer sur les actes de l'état civil, la carte d'identité ou le passeport, et le ministère républicain de la Justice fait toujours payer un droit de sceau (aujourd'hui de deux mille francs) : la République enregistre ainsi les résidus de la société d'ordres qu'on imagine d'ordinaire abolie.

Que ne ferait-on pas, chez certains parvenus, pour donner l'illusion d'avoir un *nom* ! Même si la particule n'est pas indispensable à la noblesse, elle en demeure aux yeux du grand nombre le signe tangible. « C'est un *de* », entend-on dire parfois. Avoir un *de* a été et reste un rêve autrement enviable que la Légion d'honneur pour une part de ceux que la naissance a négligé de pourvoir en *branche*. Certains se sont attribué une particule sans la moindre démarche. D'autres ont réclamé une rectification d'état civil ou introduit une demande d'investiture en Conseil d'État. Le cas le plus connu de cette pratique officielle est celui des Giscard, devenus Giscard d'Estaing. Évidemment, les nobles véritables, qui se réclament au minimum du Premier Empire, et au mieux des Croisades, se gaussent de ces anoblis de la République. *Le Second Ordre*, publication anonyme datant de 1947, et qui dresse la liste officielle de la noblesse authentique, a été complété par un *Dictionnaire des vanités* qui répertorie les faux nobles. Contre ceux-ci, les nobles pur crin ont fondé en 1932 une Association de la Noblesse française, à laquelle adhèrent un peu moins des deux tiers des familles nobles : il faut savoir se défendre [1] !

Le *Bottin mondain* fascine encore bien des Français, au moins autant que le *Who's who*, mais d'une autre manière. Celui-ci est le répertoire plus ou moins approximatif de l'élite contemporaine – un catalogue de la réussite provisoire. Y figurent les noms des personnes qui se sont fait connaître généralement par leurs œuvres. Celui-là, au contraire, énumère les grandes familles de l'aristocratie et de la

1. Voir Éric Mension-Rigau, *Aristocrates et grands bourgeois*, Plon, 1994.

grande bourgeoisie (environ deux cent mille noms) : c'est un dictionnaire des héritiers. Le mot ne doit pas être pris en mauvaise part, tant la noblesse accorde de respect, et de vénération même, à ce qui vient du passé : le nom, la terre, la tradition. Du point de vue moral, il n'y a aucune fierté à ressentir d'être fils ou fille de tel ou tel. C'est là seulement se donner la peine de naître, comme disait Beaumarchais, et l'exploit est trop commun pour qu'on en tire avantage. Mais l'homme, et moins encore le Français, n'est pas un animal moral. Ces aristocrates, qui se proclament en général fidèles chrétiens, n'ont que mépris pour l'égalitarisme évangélique. Ils sont catholiques, c'est-à-dire membres d'une Église qui n'a jamais méprisé la hiérarchie, les rangs et les honneurs. Ils ont le sentiment de remplir une mission de civilisation, de maintenir le bon goût, un certain raffinement dans les usages, l'esprit de famille nombreuse, le dédain affiché de l'argent, bref un certain nombre de valeurs et de pratiques qui, pour être parfois désuètes ou risibles, n'en sont pas moins respectables. Si nous devons à la noblesse ce qu'il nous reste de politesse, nous lui en savons gré. En revanche, l'esprit de distinction dont nous lui sommes tributaires n'est pas toujours en harmonie avec la générosité dont elle se flatte.

La notion du rang existe, de haut en bas, à tous les étages de la société française. Le principe d'égalité, dont on est si épris dans ce pays, a surtout pour avantage de se protéger contre ceux qui se croient « plus haut » ; il ne va pas jusqu'à entraîner chacun à se considérer de la même espèce que ceux qui sont « plus bas ». Depuis l'automne 1978, un hebdomadaire, *Le Figaro magazine*, a bâti son succès sur ses articles et ses reportages prêchant ouvertement l'inégalité. Dans son premier éditorial, Louis Pauwels déclarait tout à trac : « Ce n'est pas respecter les hommes que les réduire à des égaux. Ce n'est pas respecter un peuple que le réduire à une masse. » Sous le noble prétexte de la diversité humaine à préserver, le nouveau magazine prêchait la croisade contre les tendances contemporaines à l'« égalisation des chances », autrement dit contre la société démocratique.

Il n'est nullement besoin d'écouter Zarathoustra pour se convaincre de l'inégalité (de naissance, de condition, de force physique, de talent, etc.) entre les individus. Cette constatation ne rend pas absurde le postulat d'égalité, lequel n'est pas une chimère abstraite, mais un principe dynamique au nom duquel il est devenu possible de réduire les inégalités les plus insupportables. Poser en revanche et une fois pour toutes que l'homme est inégal à l'homme, c'est rendre licites tous les privilèges et en favoriser de nouveaux.

Sans doute l'égalité n'est-elle pas une valeur innocente. Comme Mme Roland le disait de la liberté, que de crimes a-t-on commis en son nom ! Car, c'est en son nom aussi qu'on a pu exclure, torturer, mettre à mort. Mais autant il importe de dénoncer les perversions de l'égalitarisme, autant il serait fou de s'abandonner à l'idéologie « inégalitariste » qui fonde, la science aidant, en attendant la loi, la justification de tous les comportements de domination. Que les États démocratiques ne soient pas démocrates est une évidence, ils restent néanmoins démocratiques en ce sens qu'au nom même des principes qui les constituent leurs citoyens peuvent lutter pour plus de démocratie. Qu'on enterre le principe d'égalité, voilà l'inégalité de fait promue en inégalité de droit : les privilèges ne se discutent plus, ils se transmettent par héritage et pérennisent le droit du plus fort. Le principe d'inégalité n'invente pas l'inégalité ; il ajoute la puissance morale à la puissance matérielle, il pourvoie les maîtres en bonne conscience et retire aux esclaves l'arme spirituelle de leur révolte.

Certes, les fondateurs et les éditorialistes du *Figaro magazine* ne vont pas jusqu'à dire que toutes les inégalités sont bonnes par elles-mêmes. Ils conviendraient volontiers qu'un peu de sécurité sociale et qu'un peu de congés payés, fruits de la poussée égalitaire, ne font pas de mal aux *Untermenschen*. Mais chaque livraison du journal flatte chez le lecteur, sinon son désir d'aristocratie *stricto sensu* – à l'impossible nul n'est tenu ! –, du moins son fantasme de distinction « par le haut ». Nietzsche se trouve ainsi réquisitionné pour remonter le moral défaillant des propriétaires de Jaguar et des acheteuses de lynx russe (la « Rolls-Royce de la fourrure », selon l'hebdomadaire en question).

Pendant un certain temps, alors que le prophète de la nouvelle droite, Alain de Benoist, comptait parmi les inspirateurs du journal, *Le Figaro magazine* prônait « une nouvelle aristocratie », exaltait les vertus héroïques et militaires, prenait la défense des enfants « surdoués », à l'instar de la nouvelle Chine qui « semble décidée à mener désormais la politique pédagogique la plus élitiste et la plus inégalitaire du monde ».

En même temps, la frugalité et l'ascétisme étaient vigoureusement dénoncés : « Pourquoi faudrait-il rougir d'aimer le " superflu " qui donne de la lumière à l'existence ? Pourquoi faudrait-il s'excuser de rechercher une voiture aussi belle que puissante... ? » Afin de résister à « l'uniformisation des mœurs », l'hebdomadaire aristocratophile expose chaque semaine les appartements *différents* de tous ceux qui, de leurs lits capitonnés, de leurs lustres de cristal XVIIIe et de leurs murs damassés, résistent à l'homogénéisation planétaire.

Cette école hebdomadaire du « raffinement », où l'accumulation d'objets rares et la propriété du chien de race compensent le défaut personnel de « lignage », où la consommation de luxe devient un art, où les voyages coûteux se substituent aux croisades des chevaliers, entend faire pièce à la vulgarité ambiante : l'art de vivre du riche a reçu une mission civilisatrice. On y défend toujours les valeurs traditionnelles, la religion, la patrie, la famille, les humanités, l'Académie française, mais sous toutes les formes de l'*avoir*. Au temps où les prédictions de Tocqueville sont en passe de devenir réalité, une immense classe moyenne remettant en cause la vieille société de classes, *Le Figaro magazine* tente de résister à la nécessité, par la sanctification de l'idée aristocratique. Une nouvelle aristocratie plus ouverte que l'ancienne, fondée sur la réussite sociale plus que sur la naissance, mais formant une élite consciente d'elle-même, sûre d'être le sel de la civilisation, la seule chance de transmettre un patrimoine spirituel aux générations à venir.

Il va de soi que tous les lecteurs de cet hebdomadaire ne peuvent s'offrir tous les signes de supériorité qu'il leur propose. Du moins peuvent-ils en rêver. A l'idéal, disons « social-démocrate », du XXe siècle, ils opposent la délicatesse d'une élite, qui les exhausse de la masse.

La naissance et la richesse ne sont plus les seules voies d'accession à l'élite. Depuis la fin du XIXe siècle, le diplôme est devenu un autre passeport social. Pendant longtemps, le baccalauréat a fixé la barrière entre les individus de sexe masculin de la bourgeoisie et du peuple. Une minorité de boursiers entretenait l'espérance démocratique, mais la majorité des bacheliers, dont le nombre fut longtemps très stable, appartenait aux couches dominantes et dirigeantes de la société. Le baccalauréat n'a plus cette fonction de nos jours, puisque la majorité des nouvelles classes d'âge y accède. Mais une hiérarchie complexe de diplômes et de grades maintient des différences notables de statut et de reconnaissance entre les titulaires d'un parchemin.

Dans les années 1960, alors que je faisais mes classes de conscrit dans une caserne de Montluçon, j'étais passé en visite médicale devant un officier du contingent, ancien interne des hôpitaux. Il avait tout de suite créé une connivence entre nous deux : lui le médecin, moi l'agrégé. A l'avenir je pourrais compter sur lui, en cas de besoin. Je m'apercevais que nous étions du même « bord », ce qui n'était pas du tout le cas des instituteurs présents dans la même compagnie. Le toubib me le dit explicitement : « Les instits sont des minables. » Je venais de découvrir au lycée, où j'avais enseigné pendant deux ans, à quel point les rangs étaient strictement définis dans la grille administrative de l'Éducation nationale. Au sommet, l'agrégé ; au bas du tableau, le maître auxiliaire. Entre les deux, plusieurs barreaux d'échelle qu'il ne fallait pas confondre. Celui qui me parut le plus étonnant était le grade qui venait tout de suite après les agrégés. Il s'agissait des « bi-admissibles », c'est-à-dire ceux qui avaient été reçus deux fois à l'écrit de l'agrégation sans avoir pu être admis après l'oral. L'administration bienveillante, et probablement après revendication syndicale, avait créé un rang spécial pour cette catégorie. La « cascade de mépris », dont parlait le duc de Saint-Simon au sujet de la Cour de Versailles, avait toutes les raisons d'être recréée dans les salles de professeurs. Du reste, je me suis laissé dire qu'en certains lycées il y avait même, à cette époque, pour les repas pris dans l'établissement, une salle spéciale réservée aux professeurs agrégés. Même si ce n'est qu'une rumeur, celle-ci en dit long sur l'esprit de caste.

Celui-ci est d'autant plus vif qu'il n'intéresse qu'un nombre limité d'élus : les anciens normaliens, les énarques, les anciens X (Polytechnique), les anciens centraliens, les ingénieurs des Mines, tous ceux que leurs succès scolaires font accéder aux postes dirigeants des cabinets ministériels, des grandes banques, des grandes entreprises – nationalisées ou privées –, et qui gardent jusqu'à la fin de leur vie l'« esprit de corps ». De sorte que notre société, en principe égalitaire, est de plusieurs manières hiérarchisée, permettant à chacun de postuler ce que les Américains appellent un *status*, défini par la naissance, le capital social, le niveau d'études réussies, les ressources matérielles et autres éléments capables de classifier, distinguer, situer les uns par rapport aux autres. Les armoiries anciennes le disputent aux nouvelles, à moins qu'elles ne se renforcent les unes les autres quand tel héritier devient de surcroît énarque ou polytechnicien. Le double langage s'impose à tous. Officiellement, hormis quelques irréductibles, tout le monde admet l'évolution, la démocratisation des mœurs, la société de masse ; privément, chacun s'efforce de tenir une distance au regard de ceux qu'on estime « en dessous ».

Le succès symétrique, aux élections européennes de juin 1994, de Philippe de Villiers et de Bernard Tapie rend bien compte de la complexité sociale. Dans les banlieues hachélémiques, on accorde sa préférence au bateleur sorti du peuple, fort en gueule, pas très net pour la justice, mais incontestablement populaire : Tapie offre à ses électeurs l'image d'une réussite sociale au culot. Dans les beaux quartiers, Villiers le Vendéen, le père de sept enfants, catholique et réactionnaire, présente un modèle d'identification valorisant pour toute une frange de la population qui préfère Lulli au rock et se pique d'élégance. L'ancien président de l'Olympique de Marseille, criblé de dettes et en proie aux magistrats, figure l'enfant du peuple qui a réussi mais dont l'*establishment* ne peut supporter les mauvaises façons ; le vicomte du Puy-du-Fou flatte le rêve de s'assimiler aux grandes familles, qui n'ont jamais accepté la révolution égalitaire de 1789.

Ainsi, malgré la démocratisation des mœurs, la société de consommation, le modèle déboutonné d'une société américaine en passe de s'imposer à l'univers, les Français cultivent un idéal plus ou moins aristocratique, qui colore la vie sociale plus que la vie politique, mais qui n'est pas sans effet sur certains comportements électoraux. Sur les ruines de la société de classes survit une société d'ordres et de castes, moins fermée que sous l'Ancien Régime, plus souterraine, mais néanmoins réelle. On cherche toujours en France à *se situer* les uns par rapport aux autres, ce qui prouve la fragilité de l'idéal républicain. Comme disait déjà Ballanche au XIXe siècle : « L'égalité est dans la société, sauf la différence des fortunes, sauf la différence des rangs, sauf la différence des facultés, sauf enfin l'inégalité. »

12

Nostalgies royales

« En 1961, écrit le comte de Paris, le général de Gaulle m'informe qu'il se retirera du pouvoir en 1965 et que son souhait est que je lui succède[1]. » De Gaulle a-t-il vraiment conçu et espéré la possibilité d'une restauration monarchique ? En un sens, il fut lui-même un monarque – le roi d'une monarchie élective, régnant au-dessus des partis, incarnant la France dans sa personne –, jusqu'au moment où, selon le comte de Paris toujours, il est devenu, en se présentant à l'élection présidentielle de 1965, « chef de parti », « chef de la droite », au lieu de laisser la place à son « héritier présomptif ».

Quelles que fussent les intentions profondes du général de Gaulle dans cette affaire, il n'est pas douteux que sa manière de gouverner n'était pas étrangère à la tradition royale. Une royauté qui recevait sa légitimité du suffrage universel et qui était toute dans le style de sa personne : un ton impérieux, une langue altière, un souci de grandeur permanent. Peut-être aima-t-on en lui, justement, ce qui le maintenait au-dessus des hommes politiques ordinaires, ne concevant pas son rôle dans une carrière personnelle mais comme un destin.

Les Français, malgré les apparences, ne sont-ils pas restés royalistes ?

Le certain est que la république a toujours ren-

1. *Comte de Paris/Général de Gaulle, Dialogue sur la France. Correspondance et entretiens 1953-1970*, Fayard, 1994, p. 21

contré dans notre pays des oppositions renouvelées. Quand elle fut instituée pour la première fois, en septembre 1792, elle dut compter avec le refus monté des rangs de la contre-Révolution. Les ennemis du régime républicain, recrutés notamment dans l'ouest du pays, n'hésitèrent pas à faire alliance avec les cours étrangères, auprès desquelles les princes avaient émigré. Les Vendéens, soulevés contre la république, s'organisèrent au sein d'une « armée catholique et royale » qui entretint la guerre civile alors que la patrie en danger se mobilisait contre l'envahisseur autrichien et prussien. La Vendée militaire vaincue, écrasée, massacrée, laissa encore longtemps libre cours à une chouannerie, à une guerre de partisans dirigée par les nobles, que Napoléon Ier en personne eut du mal à terminer.

Cette hostilité durable d'une partie des Français au régime qui avait fait guillotiner Louis XVI s'est traduite aussi par des œuvres littéraires et philosophiques, parmi lesquelles celles de Joseph de Maistre, Chateaubriand, Bonald, et quelques autres moindres, également attachés à la religion catholique et à la dynastie des Bourbons. Les derniers de ceux-ci connurent leur revanche lors de la restauration de 1814-1815, avant que la révolution de 1830 ne délogeât du trône Charles X. Déjà le rétablissement de la république était annoncé, mais la branche des Orléans sut saisir sa chance, et Louis-Philippe s'installa aux Tuileries pour un règne de dix-huit ans qu'acheva une nouvelle révolution, en 1848. Les temps monarchiques étaient révolus ; les monarchistes, eux, n'avaient pas désarmé. Ils restèrent une famille politique influente sous le Second Empire ; ils manquèrent de peu une nouvelle chance de restauration en 1873, quand, forts d'une majorité à l'Assemblée nationale, ils espérèrent voir le comte de Chambord prendre la couronne. Celui-ci, vivant en exil, loin des réalités françaises, ne put admettre les concessions qu'on lui demandait pour franchir le pas. Il s'entêta à vouloir défendre le drapeau blanc au lieu du tricolore comme un symbole de ses principes. La division de ses partisans consomma la fin de ses espérances, au profit d'une République troisième du nom qui prit enfin racine.

Malgré ces échecs, la cause de la monarchie ne manqua jamais de soutien. Dans l'épisode du boulangisme, dont nous reparlerons, les militants de la restauration crurent saisir une nouvelle chance. Le général Boulanger, qui bravait le régime républicain en place, fut alors considéré, par comparaison à ce qui s'était passé en Angleterre après la République de Cromwell, comme un nouveau Monk, un général qui ouvrait la voie au retour du roi. L'illusion fut de courte durée. Les royalistes furent de plus en plus isolés après la défaite du « brav'général ». Le coup de grâce leur fut donné par le pape Léon XIII, lorsque celui-ci, au début des années 1890, encouragea les catholiques français à rallier les institutions républicaines. Un Ralliement qui resta boudé, il est vrai, par bien des catholiques, toujours attachés à la cause monarchique.

Ces fidèles étaient des vaincus qui cultivaient la nostalgie sans grand espoir. Le tournant du XIXe et du XXe siècle, tout bruyant des passions de l'affaire Dreyfus, leur offrit une nouvelle occasion d'espérer. C'est alors que se constitua, en effet, l'Action française. Il s'agissait à ses débuts d'un comité nationaliste plutôt républicain, que l'arrivée de Charles Maurras transforma en ligue monarchiste. Ce poète provençal, qui avait perdu la foi catholique de son enfance, n'était pas un royaliste de sentiment. Il déduisait la solution monarchiste de ses convictions nationalistes : si l'on aimait sa patrie, disait-il, il fallait en finir avec un régime de division et travailler à la restauration d'une royauté catholique et héréditaire. Le catholicisme lui paraissait, en effet, une des composantes les plus sûres de la nation. Il avait jadis unifié les croyances, hiérarchisé les desservants, fait pièce au détestable esprit de libre examen pratiqué par les réformés. S'il était alors en proie à toutes les attaques des républicains, ce n'était pas par hasard. Les protestants, les francs-maçons, les juifs, les « métèques » – ces « quatre États confédérés » de l'anti-France – conspiraient à décatholiciser le pays, pour mieux asseoir leur pouvoir corrompu. Il y avait urgence d'en finir avec « la Gueuse ».

L'Action française se développa dans les premières années du XXe siècle. Elle eut son quotidien, *L'Action française*, que vendaient à la criée les Camelots du roi ; elle eut son Institut ; elle gagna même à son drapeau le prétendant, duc d'Orléans. Sa manière forte déplaisait à l'ancien clan monarchiste, l'assimilation qu'opéraient Maurras et les siens entre la monarchie et l'idéologie nationaliste, exclusive, xénophobe, antisémite, antidreyfusarde ne flattait pas l'image de la royauté française, mais son dynamisme et le talent de ses chefs en décidèrent beaucoup.

Ce fut, par exemple, le cas de Paul Bourget. Celui-ci était sans doute un des écrivains les plus célèbres et les plus lus de la Belle Époque. Littérateur mondain, il s'était converti au catholicisme et croyait avoir trouvé la vérité dans le traditionalisme, dont il vantait les vertus dans une suite de romans édifiants. Il avait inspiré Maurras, il devint un compagnon de route de l'Action française : « La solution monarchiste, écrit-il en 1900, est la seule qui soit conforme aux enseignements les plus récents de la Science [2]. »

Ce fut encore, autre exemple, le cas de Georges Bernanos. Le futur auteur des *Grands Cimetières sous la lune* était issu d'une famille de petite bourgeoisie catholique et royaliste. Son éveil politique

2. *In* Charles Maurras, *Enquête sur la Monarchie 1900-1909*, Nouvelle Librairie Nationale, 1909, p. 113.

date des années 1905-1906, au moment où le conflit entre la République radicale et l'Église catholique s'achève par le vote de la loi de séparation des Églises et de l'État. Étudiant à Paris, son goût de l'action l'amène dans les rangs des Camelots du roi. Il croit à la possibilité du « coup de force » que Maurras enseigne et par lequel sera abattue la république. Il aime la bagarre, le climat houleux des réunions publiques contradictoires, les campagnes menées au Quartier latin. Lecteur assidu de Drumont, anticapitaliste, antisémite, il veut associer deux amours, celui du peuple et celui du roi.

Plus tard, dans les années 1930, Bernanos rompt avec Maurras, dont l'esprit, écrit-il dans *Nous autres Français*, est « une caricature bourgeoise et académique de l'esprit totalitaire ». Il en veut au chef de l'école monarchiste d'avoir défendu la conquête de l'Éthiopie par Mussolini et la capitulation de la France à la conférence de Munich devant Hitler : « J'accuse [...] M. Charles Maurras d'avoir alors donné le ton à la presse dite nationale, et j'affirme que ce ton était abject. » Cela n'empêche nullement Bernanos de rester fidèle à la cause royale, mais on ne devait pas s'y tromper : « Entre le Roi et la Ligue, je choisis. »

Le parti monarchiste de Maurras finit corps et biens avec le régime sans gloire du maréchal Pétain. Tandis que le royaliste Bernanos choisit d'emblée la France libre, l'Action française soutint de tout son prestige la « Révolution nationale », morne entreprise de réaction, largement inspirée par les idées antirépublicaines du maître de Martigues, doublée d'une affreuse complicité avec l'occupant nazi, allant jusqu'à aider celui-ci à déporter les Juifs et à lutter *manu militari* contre la Résistance française et les Alliés. La cause royale s'est mal remise de ces mésaventures idéologiques qui avaient transformé des germanophobes en collaborateurs d'un pouvoir pétainiste soumis au *diktat* de l'occupant allemand. Maurras fut condamné par les tribunaux de l'épuration, et l'Action française exsangue lui a difficilement survécu.

D'autres royalistes avaient participé à la Résistance. Dans les années 1950, Pierre Boutang tenta de réconcilier les maurrassiens intégraux et les maurrassiens dissidents des temps de guerre autour d'un nouveau journal, *La Nation française*, tandis que les épigones du Maître irréconciliés avec ceux qui avaient pris parti pour de Gaulle continuaient à vaticiner dans *Aspects de la France*. Les uns et les autres entretenaient la flamme politique d'un parti monarchiste égrotant, lorsqu'une nouvelle génération, en 1971, s'avisa de ranimer le feu de la cause royale dans un mouvement très bernanosien, la Nouvelle Action française, sous l'impulsion de Bertrand Renouvin. Il s'agissait de sauver ce qu'il y avait de toujours vivant dans la pensée de Maurras, envers et contre les fossiles de la moribonde « A. F. ». En 1977, peu à peu détachée de la doctrine maurrassienne, la Nouvelle Action française devenait la Nouvelle Action royaliste et publiait un hebdomadaire, *Le Royaliste*, mariant la fidélité à la cause royale et des options politiques de gauche.

A ces deux courants, issus de l'Action française, il faut ajouter l'existence de groupes légitimistes qui enrichissent et diversifient un peu plus le camp royaliste. En 1987, le « Millénaire capétien » donna lieu à diverses fêtes et cérémonies, tout en plaçant sous les projecteurs la personnalité d'un prétendant autre que le comte de Paris, le duc d'Anjou, petit-fils du roi d'Espagne Alphonse XIII, issu de la branche espagnole des Bourbons et cousin de Juan Carlos. Ce « Louis XX » inspire même un livre à un bateleur de télévision à la mode, Thierry Ardisson. A l'heure où la cause royaliste souffre des querelles internes à la famille du comte de Paris, le légitimisme connaît un goût de renouveau. Pas de chance ! Le duc d'Anjou se tue dans un accident de ski en janvier 1989. On pourrait encore citer *Le Lys blanc, La France monarchiste et légitimiste*, pour montrer que la tradition royaliste n'est pas morte.

Pourtant, ce n'est pas dans ces efforts politiques recommencés et toujours vains qu'il faut chercher ce qu'il reste, en profondeur, de sensibilité monarchique en France. Notre pays s'est accommodé du régime républicain, mais bien des Français vivent sous ses lois sans en aimer les principes. Le 21 janvier 1993, pour le bicentenaire de la décapitation de Louis XVI, les monarchistes avaient organisé un grand rassemblement place de la Concorde, non sans succès. Le roi, pourquoi pas ? La démoralisation politique de la société, devant l'apparente impuissance des gouvernements de gauche ou de droite, entretient chez certains le vieux rêve d'une royauté populaire, paternelle, étrangère à la corruption, digne de prendre en main les destinées d'une nation préoccupée de son avenir.

Chez les gens modestes – et d'autres qui le sont moins –, cette sensibilité s'alimente des chroniques princières. Des journaux comme *Points de vue-Images du monde* ou *Gala*, qui se font régulièrement l'écho de la vie plus ou moins mondaine des têtes couronnées d'Europe, n'ont jamais manqué de lecteurs, et particulièrement de lectrices. Dans une société menacée d'uniformisation, le faste résiduel des princes leur paraît une dernière chance de rêve. Fiançailles, mariages, baptêmes, réunions diverses du Gotha, sont autant d'occasions à reportages et entretiennent dans les esprits les images d'un monde échappant à la « société démocratique » des hypermarchés. La république laïque dans ses pompes ne suscite guère la faveur. La royauté est liée à l'éclat, alors que nous vivons les temps gris des sociétés de masse.

Plus profondément, les Français ont du mal à concevoir une vie politique sans un chef qui s'occupe de leurs affaires comme un père s'occupe des siens. Toujours selon Bernanos, l'État moderne est un État sans honneur, et cela parce qu'il est abstrait, les gouvernements anonymes et les bureaux remplaçant le chargé de pouvoir qui doit répondre de tout, personnellement. Pour des esprits comme le sien, la démocratie moderne, la démocratie parlementaire, c'est le règne de la division et de l'impuissance. Cela est si vrai qu'entre les deux guerres, mainte démocratie est devenue une dictature, parce qu'on voulait que la signature d'un homme responsable figurât au bas des textes qui engageaient l'avenir. C'est pour éviter la dictature, grosse de tous les arbitraires, qu'il fallait restaurer une monarchie, un gouvernement personnalisé, un chef héréditaire représentant l'unité nationale contre les querelles intestines, au-dessus des luttes de classes, travaillant au seul Bien public.

La nostalgie royale correspond ainsi à l'horreur de la politique. Ce dernier mot équivaut, dans l'esprit de beaucoup, à des concours d'ambitions, à la brigue des carriéristes, à l'intrigue des profiteurs. Le conflit qui est inhérent à toute société, la démocratie le rend transparent. Les *pour* et les *contre*, les ouvriers et les patrons, les catholiques et les laïques, Paris et la province, la ville et la campagne, l'industrie et l'agriculture, les libre-échangistes et les protectionnistes, les Français de souche et les immigrés, la gauche et la droite, la guerre des chefs de parti, tout ce qui tire la société à hue et à dia est insupportable aux citoyens épris d'unanimité. De cette unanimité, le roi est garant.

Dans la vieille France catholique, il n'y a qu'une Église. Dans la vieille France monarchique, il n'y a qu'un Chef. Au spectacle des turbulences modernes, quand les repères sont brouillés et que le Père est mort, on peut rêver d'un *autrefois* harmonieux sous le sceptre d'un roi. Personne ne croit vraiment à une nouvelle restauration, mais la demande en faveur d'une personnalisation du pouvoir a déjà accompli cette ébauche de restauration qu'est la Constitution de la Cinquième République, dans laquelle le pouvoir accordé à l'exécutif – un président qui, de surcroît, est élu pour sept ans et reste renouvelable sans limite – est une manière de revanche contre un esprit républicain qui rêvait d'appliquer au mieux la souveraineté du peuple.

13

Les Français sont-ils toujours bonapartistes ?

La France a reçu en partage trois modèles de gouvernement : la monarchie chrétienne, la république laïque, et – ce qui est peut-être encore plus typique de son histoire contemporaine – l'empire bonapartiste. On a improvisé le régime républicain sur les ruines d'une monarchie incapable de s'adapter aux exigences nouvelles de la société. Improvisation qui connut ses heures de gloire – en particulier dans le domaine militaire, quand la république sut galvaniser la France contre l'Europe coalisée contre elle –, mais qui fut marquée de l'insigne défaveur de ne pouvoir jamais se stabiliser. C'est de la guerre finalement que vint la solution – celle du général Bonaparte.

Une dictature ? Oui, mais pas n'importe quelle dictature. Le modèle est antique, remontant à la fin de la république romaine ; il s'appelle césarisme. S'il prit à Napoléon III l'idée de publier en 1862 une vie de Jules César, ce n'était pas par hasard. Comme César, Napoléon Bonaparte a d'abord été un chef d'armée prétorienne, dont la réputation est venue des champs de bataille. Le grand capitaine eut ensuite des ambitions politiques. Le désordre dans l'État, la division dans l'opinion, l'incapacité du Directoire à trouver les principes et les forces de sa durée ; à côté de cela, la puissance des armes : comment n'être pas tenté d'user de celles-ci pour reconstituer un État ? « Lorsque je me mis à la tête des affaires, dit Bonaparte, la France se trouvait dans le même état que

Rome, lorsqu'on déclarait qu'un dictateur était nécessaire pour sauver la République. »

Mais comment se mettre aux affaires ? La réponse est claire : par le sabre. Moyennant la complicité d'une partie de la classe politique, et grâce à la présence de son frère Lucien, président des Cinq-Cents – la Chambre des députés –, Bonaparte, à son retour d'Égypte, accueilli comme un « sauveur » par bon nombre, se lance dans le coup d'État.

Mais au nom de qui a-t-il osé, Bonaparte, se porter à la tête de la république (en attendant l'instauration d'un empire) ? La dictature pure et simple, appuyée sur les baïonnettes, on ne peut y songer dans un pays civilisé. La source de légitimation est désormais dans le peuple souverain. C'est à celui-ci que Bonaparte demande de ratifier le coup d'État. Directement, sans l'intermédiaire des oligarchies de parlementaires et de notables. Cela s'appelle un plébiscite. Par trois fois, pour établir le consulat, le consulat à vie, puis l'empire héréditaire, Bonaparte en appelle aux urnes. L'usurpateur se flatte d'une assise démocratique : lui ne craint pas le suffrage universel ! Au besoin, on le conditionne, on le triture, on le fabrique. Le bonapartisme est l'alliance du coup d'État et du plébiscite.

Le mérite du régime napoléonien fut d'avoir stabilisé la Révolution. Bien des acquis de celle-ci furent confirmés, et d'abord l'égalité civile, l'acquisition des biens nationaux, la liberté de conscience... Des compromis furent passés avec les forces de l'Ancien Régime, le concordat signé avec Rome en fut le plus illustre, qui permit la pacification religieuse. Le Premier consul, puis l'Empereur, se lancèrent ensuite dans les grandes fondations, dont la France moderne fut pour longtemps pourvue : Code civil, grandes écoles, préfets, etc.

L'élément de légitimité le plus fort du régime n'était pas le plébiscite, plus ou moins douteux, c'était la gloire militaire, le prestige des armes,

Austerlitz ou Iéna. La dictature césarienne restait une dictature militaire, elle ne pouvait survivre à la défaite. Malgré le sursaut des Cent-Jours, au cours desquels la retraite de 1814 contre l'Europe coalisée paraît effacée, tout finit à Waterloo.

Une fois l'Empereur tombé, déporté, disparu, on assiste à la naissance et à la diffusion d'une « légende napoléonienne ». Au début, il s'agit d'une nostalgie d'anciens combattants. La réduction du budget de la Guerre par le gouvernement de la Restauration met en demi-solde plus de dix mille officiers. Inadaptés à leur nouvelle vie civile, appauvris, le cœur gros de rancœur, ces pékins malgré eux se font les premiers agents de la geste napoléonienne. Ils racontent leurs exploits à travers l'Europe. La tradition orale, vivante dans les villages, colporte récits de gloire et regrets d'épopée. Balzac, parmi d'autres, en témoigne dans *Le Médecin de campagne*. Napoléon, le surhomme, fait rêver devant l'âtre. Plus tard, l'écrit prend le relais; les livres de souvenirs prolifèrent, puis les peintures, les gravures, les lithographies, qui exaltent les soldats de l'Empire.

Curieusement – mais le régime des Bourbons explique ceci –, les libéraux s'emparent de la légende napoléonienne comme d'un instrument de combat. Benjamin Constant, si hostile à l'Empire du vivant de Napoléon, mais rallié au moment des Cent-Jours, et auteur de l'Acte additionnel aux constitutions de l'Empire, décrit désormais un Napoléon libéral. Paul-Louis Courier, ancien officier retiré sur ses vignes, rédige des pamphlets contre les Bourbons en utilisant le patriotisme napoléonien en faveur des peuples opprimés. Le plus lu, le plus connu, le plus chanté de tous ces napoléonistes *a posteriori* est sans conteste le chansonnier Béranger, pourtant auteur en 1813 d'une charge contre l'Empereur, *Le Roi d'Yvetot*. Les chansons de Béranger, reprises aux repas de mariage et de communion solennelle, développent l'image d'un

Napoléon populaire, égalitaire, démocrate : « le Petit Caporal ».

La légende napoléonienne est servie de surcroît par le *Mémorial de Saint-Hélène* de Las Cases, ancien comte d'Empire, qui passe environ un an et demi à Saint-Hélène en compagnie de l'empereur déchu et note soigneusement ses propos. Il en résulte son livre célèbre publié en 1823, qui concourt largement à l'image grandiose d'un Napoléon, véritable héritier de la Révolution, type même du monarque libéral et éclairé. L'idée nationale et l'idée libérale se trouvent conjuguées dans ce monument à la gloire de l'empereur.

La légende napoléonienne résiste encore à la révolution de 1830 et à l'établissement de la monarchie de Juillet. Le régime de Louis-Philippe, brocardé pour sa pusillanimité diplomatique, s'efforce de récupérer la gloire impériale. Le retour des cendres de l'empereur, qu'il organise le 15 décembre 1840, est une sorte de consécration officielle de la légende. A son tour, l'école romantique l'illustre. Stendhal admire en Napoléon son culte de l'énergie, Balzac sa volonté de puissance, Hugo surtout multiplie les références :

Que le peuple à jamais te garde en sa mémoire...

La faveur populaire, nourrie par les poètes, les peintres, les chansonniers, le neveu Louis Napoléon Bonaparte en tire bientôt profit. La Deuxième République proclamée, l'Assemblée constituante décide l'instauration d'une présidence. Le neveu de Napoléon Iᵉʳ se présente. Sa gloire est à peu près nulle, mais il dispose d'un nom légendaire. Le voilà élu par le suffrage universel pour quatre ans, pas un de plus. La république restaurée déçoit le peuple, elle tire sur les ouvriers insurgés des Ateliers nationaux en juin 1848, elle tombe aux mains des conservateurs qui multiplient les lois rétrogrades – et notamment celle qui limite le suffrage universel, en écartant des urnes une bonne partie des ouvriers, des rouges, par des règles arbitraires de domiciliation. Au fond, cette droite qui domine l'Assemblée aimerait rétablir la monarchie, mais elle en est incapable à cause de ses divisions qui rendent impossible la « fusion dynastique » par laquelle les deux branches de la famille royale – légitimiste et orléaniste – seraient réconciliées. Certains songent alors à une révision constitutionnelle permettant la rééligibilité du président. Ils échouent face à la coalition d'une partie de la droite et de l'extrême gauche. Louis Napoléon Bonaparte en prend son parti. Le 2 décembre 1851, date anniversaire d'Austerlitz, il se lance dans le coup d'État, en s'appuyant sur l'armée.

Étonnante répétition de l'Histoire. Marx, dans un de ses écrits les plus célèbres, *Le 18-Brumaire de Louis Bonaparte*, trouve une belle formule : « Hegel fait quelque part cette remarque que tous les grands événements et personnages historiques se répètent pour ainsi dire une deuxième fois. Il a oublié d'ajouter : la première fois comme tragédie, la seconde fois comme farce. » On ne voit guère en quoi le 2-Décembre est « une farce ». Ni l'exécution – parfaitement réussie – du coup d'État, ni la répression sanglante des départements insurgés, ni la mise en place d'un régime consulaire, suivie par l'établissement d'un régime impérial consacré par le plébiscite, non, rien ne prête à sourire dans cette imitation de l'oncle par le neveu ambitieux.

On peut même dire que Napoléon III peaufine le modèle bonapartiste. Véritable puissance d'arbitrage au-dessus de classes sociales en lutte et d'intérêts concurrents, il impose sa dictature, bientôt héréditaire, pendant dix-huit années, non sans adresse, non sans innovation, non sans modernité. Soutenu par un suffrage universel, qu'il a pleinement rétabli – à ceci près qu'il l'encadre, qu'il interdit les libertés publiques, qu'il se sert comme l'oncle de la police et des préfets pour mieux asseoir son autorité –, il encourage le développement industriel, opte en 1860 pour le libre-échange, accorde quelques faveurs aux ouvriers, dont le droit de coalition qui leur est reconnu en 1864. Mais l'exécutif de nouveau règne en maître, les assemblées élues sont réduites au rôle d'enregistrement, les journaux sont bâillonnés, l'opposition est tenue en respect.

Une question se pose néanmoins au vu de l'évolution libérale et parlementaire de l'Empire. A partir des années 1867-1868, qui ont vu une poussée de l'opposition, libérale et républicaine, le régime bonapartiste, soucieux de se concilier une partie de ses adversaires, a entrepris une politique de réformes : droit d'interpellation, évolution vers un régime représentatif, adoucissement de la loi sur la presse, liberté des réunions électorales... Les élections de 1869 sont plus qu'alarmantes pour Napoléon III ; il n'est pas de grande ville qui n'ait voté républicain. L'évolution s'accélère. Le Corps législatif partage désormais avec l'empereur l'initiative des lois. C'est un républicain de formation, un ancien membre de l'opposition, Émile Ollivier, qui est appelé le 27 décembre 1869 à former le nouveau gouvernement. Le 20 avril 1870, un sénatus-consulte établit un véritable régime parlementaire. Ou plutôt un mixte de régime parlementaire et de régime plébiscitaire, puisque le souverain peut toujours faire appel au peuple. Justement, le 8 mai 1870, Napoléon III organise un plébiscite : « Le peuple approuve les réformes libérales opérées dans la Constitution depuis 1860 par l'empereur avec le concours des grands Corps d'État, et ratifie le sénatus-consulte du 20 avril 1870. » Tel est le texte soumis au suffrage populaire. 7 350 000 électeurs répondent « oui », malgré l'avant-garde républicaine, qui n'entraîne que 1 538 000 « non ».

De ce vote, retenons un double enseignement : l'empire libéral et parlementaire était plébiscité. On pourrait imaginer que ce régime né d'un coup d'État, d'abord autoritaire, puis ouvert au régime des libertés politiques, n'avait pas fini son évolution. Peut-être pouvait-il encore se rapprocher d'un régime démocratique analogue à celui de la Cinquième République. Son tort était d'être enraciné dans le coup d'État, « le crime du 2-Décembre » ; son mérite était, après avoir rétabli l'autorité du pouvoir exécutif, d'avoir redonné son rôle au législatif. Sans doute ce régime restait-il plébiscitaire, mais le suffrage direct représentait un ressourcement de légitimation pour un chef d'État qui pouvait se trouver contesté par les députés. Le suffrage universel restait le recours d'arbitrage.

Le problème demeurait que cet empire était *héréditaire*, qu'il tendait donc à une autre forme de légitimité, dynastique celle-là, en contradiction avec la légitimité du suffrage. On n'imagine pas Napoléon III s'en aller au lendemain d'un plébiscite défavorable. Au mieux il eût abdiqué en faveur de son fils ou d'une régence éventuelle. Comment dépendre à la fois et du peuple et de son arbre généalogique ? L'ancienne monarchie ne se remettait pas en cause par des appels au peuple : elle était installée une fois pour toutes. La dynastie impériale avait besoin de la légitimité populaire, faute de quoi elle n'était qu'une usurpatrice. L'Empire était-il destiné à évoluer comme la monarchie anglaise, vidée peu à peu de ses pouvoirs réels et consignée dans une fonction symbolique ?

Sans doute est-ce pour l'éviter que les durs du régime ont poussé à la guerre contre Bismarck. La guerre est l'occasion de restaurer le pouvoir fort ; la gloire du vainqueur offre à un régime un nouveau bail. C'était tentant, l'empereur malade ne résista pas à la tentation : la guerre allait lui regagner tous les cœurs du pays, les patriotes de gauche et ses fidèles partisans. La guerre lui apporta la défaite. La répétition d'un Empire à l'autre était achevée : l'un et l'autre s'étaient fondés sur un coup d'État ; l'un et l'autre s'effondraient sous les coups d'une défaite militaire. Waterloo ! Sedan ! morne plaine, triste vallée...

Le bonapartisme ne se relèvera jamais de cette journée sinistre où l'empereur malade se laisse faire prisonnier par les Prussiens. Il a beau abdiquer en faveur du prince impérial, le 4-Septembre inaugure la restauration de la république. Pourtant le bonapartisme n'a pas fini de représenter un modèle de régime politique auquel les Français ne renonceront pas complètement.

Le nom de Napoléon reste moins attaché à celui de ses policiers, de ses mouches, et de ses espions ; moins attaché au souvenir de ses crimes, de ses usurpations et de ses larcins, qu'aux noms claquants comme des étendards qui sont ceux de ses victoires et de ses maréchaux. Plus que toute autre ville, Paris est le musée vivant de cette mémoire napoléonienne, où les noms de rues et de boulevards répondent aux monuments publics qui, peu ou prou, chantent sa gloire.

La nostalgie des grandes époques militaires est d'autant plus forte dans les creux de l'histoire, mais elle n'explique pas tout. Napoléon, et partant le système bonapartiste, offre le meilleur modèle de l'incarnation du pouvoir politique. Je reviens sur cette idée : tout se passe en France comme si, ayant décrété la mort du roi, il y avait une tendance forte de la nation, jamais remise d'un régicide/parricide, à quêter inlassablement le retour d'un père perdu. A ses yeux, les régimes sans nom, les assemblées indistinctes, les majorités floues, les gouvernements qui se succèdent dans l'anonymat, figurent un désordre. Le pouvoir est devenu insaisissable, méconnaissable, sous ses masques variés. Qui croire ? qui implorer ? qui fustiger même ?

Les Français ont besoin d'un *nom* pour focaliser leurs amours et leurs colères. Barrès disait, dans *L'Appel au soldat* : « Il faut toujours une traduction plastique aux sentiments des Français, qui ne peuvent rien éprouver sans l'incarner dans un homme. »

En 1962, la classe politique n'a pas compris cette demande profonde des électeurs : avoir un homme responsable au sommet de l'État. De Gaulle proposait d'élire dorénavant le président de la République au suffrage universel. Les députés de droite et de gauche – hormis la minorité de « godillots » forcément d'accord avec le Général – tempêtèrent, sans manquer de rappeler le précédent de Louis Napoléon Bonaparte. Le bonapartisme restait vivant dans les esprits, au moins comme épouvantail. Il ne fallait point donner trop de puissance au chef de l'exécutif, sinon on retomberait dans l'ornière de l'arbitraire. Ces députés avaient raison en un sens : en dotant le chef de l'État d'un surcroît de légitimité, c'était leur propre rôle qui se trouvait amoindri et menacé. Ils n'avaient qu'un tort, c'était de ne pas avoir pris la mesure de l'esprit public. Les Français étaient enchantés à l'idée d'avoir à élire eux-mêmes, au suffrage direct, le président de la République. Dans les années qui ont suivi, cette institution est devenue la plus populaire de toutes celles qui constituent la vie politique française. L'élection présidentielle au suffrage universel, c'est une manière de rétablir le lien perdu entre les citoyens et le premier d'entre eux.

La Troisième République, qui n'a pas été sans mérite, ayant eu notamment celui de la durée, a souffert d'être un régime politique désincarné. Passé Mac-Mahon, en 1879, les présidents qui ont suivi, de Jules Grévy à Albert Lebrun, quelle que fût leur personnalité – et certains n'en manquèrent pas – furent réduits pour l'opinion à un rôle de mannequin mécanique privé d'*être*. L'homme de caractère qui domine plusieurs chapitres de l'histoire de cette république,

Georges Clemenceau, fut proprement battu par un quelconque Paul Deschanel quand il se porta candidat à l'Élysée en 1920. Au suffrage direct, il est improbable que le Père la Victoire eût connu pareil sort.

Dans les années 1930, les défauts du régime devinrent plus criants. Majorités instables, gouvernements sans force, réformes constitutionnelles souhaitées mais impossibles... C'est alors que les régimes à poigne des pays voisins inspirent une partie de nos forces politiques, ligues d'extrême droite et grandes gueules, qui demandent un chef.

Mon père, qui détonnait dans son milieu par ses idées catholiques conservatrices, lisait alors, à ce qu'on m'a dit, *La Victoire du dimanche* de Gustave Hervé. Celui-ci avait été du temps de Jaurès un militant fiévreux de l'antimilitarisme et de l'antipatriotisme, ce qui lui avait valu plusieurs séjours en prison. A la sortie du dernier d'entre eux, en 1912, il avait tourné casaque et était devenu patriote à tous crins. La Grande Guerre venant, il change le titre de son journal, *La Guerre sociale* devient *La Victoire*. Jusqu'au-boutiste en appelant contre les « traîtres » jusqu'à la fin de la guerre, il se retrouve au cœur des années 1930 prêchant le socialisme national. Le système dont il se réclame, à la fois social et patriotique, est inspiré d'une sorte de bonapartisme de gauche. Rien chez lui qui fleure le nazisme, l'antisémitisme : il réclame une république autoritaire ; il veut lui aussi l'incarnation de l'autorité politique. Eurêka ! Dès 1935, il lance le mot d'ordre, qui circule sous forme de brochure : *C'est Pétain qu'il nous faut.*

Hervé, qui avait plu aux anarchistes, aux socialistes de gauche, aux syndicalistes musclés, était devenu le héraut des curés de campagne. Les catholiques comme mon père aimaient sans doute chez lui le converti, celui qui avait connu le chemin de Damas de la Patrie, qui avait renoncé à la lutte des classes, et qui manifestait un goût de l'ordre nécessaire. Ils appréciaient l'idée simple d'un grand corps social réunifié sur des valeurs fondamentales et conduit par un chef glorieux – Pétain étant alors sans rival, et passant pour républicain. C'était un nouvel avatar du bonapartisme.

Ce Pétain qu'il fallait, on l'eut. Hélas ! Par un de ces malentendus dont l'histoire aime à s'amuser cruellement des hommes, les Français s'imaginèrent après la défaite de 1940 confiés aux bons soins d'un héros qui n'aurait rien tant à cœur que de sauver leur honneur. Le « vainqueur de Verdun » crut trouver dans l'occasion de la débâcle militaire et de l'occupation allemande le moment choisi pour mener une prétendue « Révolution nationale », liquider le plus clair des valeurs républicaines et tendre la main à Hitler dans l'espoir fumeux que le chef nazi épargnerait la France lors de la victoire finale qui lui était promise. Avant de prendre la mesure d'une pareille trahison, les Français, dans leur majorité, se sentirent rassurés d'être désormais gouvernés par un pouvoir qui avait un nom propre et apparemment respectable. François Mauriac, qui fut un résistant, éprouva, ne fût-ce que la durée de quatre ou cinq semaines, la satisfaction que ressentent les naufragés en apercevant à l'horizon le profil du bateau qui vient les sauver.

Assez vite, les Français ont douté de Pétain. Trop longtemps, pourtant, comme maint témoignage en fait foi, ils se sont illusionnés sur ses intentions secrètes. La thèse, avancée par les avocats du Maréchal en 1945 et selon laquelle le vieux soldat aurait été le « bouclier », tandis que de Gaulle, hors de France, était « l'épée », n'a aucun fondement, mais elle ne manquait pas de crédit dans une opinion qui fut longue à admettre qu'un maréchal de France pût être un défaitiste.

Qu'est-ce qui fit, et chez certains jusqu'en 1944, le

succès de Pétain ? Ne parlons pas de ses zélateurs idéologiques, maurrassiens, fascistes, nazis, antisémites, catholiques traditionalistes, anciens cagoulards et adeptes du retour à la terre. Parlons des Français en général. Ils furent dupés, sans doute, sur le caractère du chef de l'État français, sur ses intentions, sur ses idées, mais rassurés par sa personne. Depuis longtemps la personnification du pouvoir avait fait tellement défaut, que, dans pareille crise, ils furent soulagés de savoir à leur tête un homme qui ne manquait pas à leurs yeux de certificats de légitimation et qui était devenu un prince, un régent, un guide. A la suite de Jean-Pierre Azéma, les historiens des années noires font désormais la distinction entre les « maréchalistes » et les « pétainistes ». S'il est faux qu'il y eut en 1940 quarante millions de pétainistes, c'est-à-dire un pays tout entier qui donna son adhésion aux principes de la nouvelle idéologie gouvernante, il n'y eut certes pas loin de quarante millions de maréchalistes, c'est-à-dire de gens déboussolés, angoissés, déshonorés, qui firent spontanément confiance à la haute autorité du Maréchal. Quitte à comprendre progressivement leur bévue. L'infamie du régime de Vichy a été nourrie d'abord par le trauma de la défaite de 1940 ; elle a été servie aussi par cette longue frustration d'un peuple, ou de la partie d'un peuple, qui ne pouvait supporter le quasi-anonymat du pouvoir politique républicain. Les esprits forts peuvent soupirer : qu'est-il besoin d'un héros éponyme pour diriger la nation ? Trop d'appels l'attestent, la plupart des gens veulent connaître le nom de leur père. N'ont-ils pas compris qu'en démocratie il n'est point de père ni de chef ni de guide ? Nos Constituants de 1789 ont sans aucun doute surestimé la puissance de la raison et sous-estimé le fond d'irrationalité qui mène les hommes. Notre république, telle qu'elle s'est organisée dans les années 1880, puis après la Libération, a eu tendance à négliger le lien naturel qui attache les hommes à ceux qu'ils ont portés à leur tête ; ils lui ont préféré un lien culturel, intellectuel, celui qui associe une société à un type de régime politique. En un sens, il serait bon de savoir se passer des « individus », des « héros », des « grands hommes » ; ce serait une preuve de maturité civique. La réalité historique nous rend plus modestes. La démocratie idéale n'existe que dans les livres ; dans la réalité, elle a besoin de prendre chair.

C'est le mérite du général de Gaulle d'avoir su concilier dans le régime de la Cinquième République le principe d'incarnation du pouvoir et les libertés traditionnelles. Son souci d'« un État qui soit un État », comme il le dit dans son discours de Bayeux du 16 juin 1946, alors qu'il combat le projet constitutionnel qui devait fonder les institutions de la Quatrième République, va de pair avec une conception personnelle, personnifiée, du sommet de l'État. Dans la République cinquième du nom qu'il instaure en 1958, il est l'État en personne. Le général de Gaulle a rétabli, de fait, dans le système républicain la dimension monarchique qui, à côté de la dimension oligarchique (la classe politique) et de la dimension démocratique (la libre compétition devant le suffrage universel), était absente de la conception républicaine telle qu'elle s'est forgée dans l'opposition au Second Empire.

Outre la puissance de l'exécutif appuyée sur le suffrage populaire, le gaullisme emprunte une autre idée au bonapartisme : celle de l'unité nationale, celle du rassemblement. Le général de Gaulle n'a jamais conçu la démocratie selon le modèle britannique qui conjugue le bipartisme, l'alternance au pouvoir, la défense des intérêts de telle ou telle catégorie sociale représentée par un parti. Sa démocratie à lui, c'est la république plébiscitaire. Le peuple est libre et souverain ; il est source de toute légitimité. Il règne, mais il ne gouverne pas. C'est « la Nation dans ses profondeurs » qui choisit ses chefs, qui ratifie leurs choix législatifs, qui leur renouvelle ou non sa confiance.

Le pouvoir vient d'en haut. Il siège à l'Élysée. Le Premier ministre, choisi par le président de la République, n'a pour raison d'être que la mise en œuvre des desseins du Président. Ce qu'on a appelé « la cohabitation » à partir de 1986 – entre un Président et un Premier ministre qui n'appartiennent pas à la même famille politique – est impensable dans l'idée que le Général se fait du gouvernement de la France : « On ne saurait accepter, dit-il lors d'une conférence de presse du 31 janvier 1964, qu'une dyarchie existât au sommet. »

L'idée du rassemblement sous le chef plébiscité ressortit à la mythologie nationaliste. De ce point de vue, le gaullisme s'inscrit dans une tradition ancienne. La Première République, la jacobine, ne haïssait rien tant que les « factions », autrement dit les intérêts et les sentiments organisés en partis. « De la conviction que des hommes également épris du bien public ne peuvent être séparés dérive, dans la logique même du système, écrit Mona Ozouf, l'impossibilité d'imaginer les droits pour une opposition[1]. »

L'unanimisme, qui plonge ses racines dans la culture catholique, a été aussi la règle du plus grand parti que la gauche ait connu, le parti communiste. Celui-ci, qui, au temps de sa splendeur, mobilisait plus du quart de l'électorat français, avait beau être un parti de l'opposition, il se définissait comme le parti universel et visait, contre toute rigueur sémantique, à devenir parti unique. En attendant, à défaut d'imposer la règle de l'homogénéité à la société française, il l'appliquait à ses troupes. Une orthodoxie implacable, un appareil marchant d'un seul pas, une stricte hiérarchie qui interdisait toute vel-

1. Mona Ozouf, « " Jacobin ", fortune et infortunes d'un mot », in *L'École de la France*, Gallimard, 1984, p. 83.

léité d'opposition interne, une unité de pensée affirmée par tous ses organes de presse, la promesse d'une société sans classes et sans rien qui pourrait distinguer l'homme de l'homme, le producteur du producteur. Le militant communiste n'était pas appelé à faire de la politique, mais à œuvrer avec ses moyens à la grande tâche commune et quasi religieuse de l'avènement du socialisme. Celui qui ne l'avait pas compris, qui entendait critiquer la direction, objecter la ligne, celui-là était immanquablement poussé vers la sortie. Les congrès communistes n'ont jamais cessé d'être des grand-messes, à partir du moment où la bolchévisation du parti fut consommée, au milieu des années 1920, *l'Internationale* servant de cantique.

Cette ferveur ou cette nostalgie pour une société homogène, unifiée, vibrant d'un seul mouvement, explique le dégoût des Français pour la vie parlementaire. Celle-ci est toujours associée aux images du désordre : la foire, la zizanie, le charivari, la pétaudière, la chicane, la dissension, le fatras... A quoi s'ajoutent : la prévarication, la concussion, la corruption en tout genre, comme si les régimes autoritaires étaient immunisés contre l'infamie. Une séance à l'Assemblée choque, en reproduisant le dissensus social, les conflits idéologiques, les ambitions des uns et des autres. C'est le contraire de la messe, là où tout le monde chante en chœur, que la messe soit catholique ou laïque, qu'on soit à Notre-Dame, au gymnase d'Aubervilliers, au palais des Congrès de Nice, ou au Parc des Princes... Derrière les murs de la patrie ou du parti, point de conflit !

Le rêve de chaque parti est d'anéantir les autres. Les radicaux de la Troisième République ont rêvé d'une société républicaine, émancipée de la tutelle de l'Église, réconciliée par les valeurs de liberté et d'égalité républicaines et l'avenir de la science. Les gaullistes ont rêvé d'une nation unifiée par l'idée propre de sa grandeur. Les communistes ont rêvé de voir un jour la société sans classes. Les catholiques ont eu la nostalgie d'une chrétienté où les enfants de Dieu chantent au diapason. Les nationalistes ont rêvé d'une société qui marche au pas au son de la musique militaire. J'en passe... Rares, très minoritaires, parfois introuvables, étaient les libéraux. Ceux qui pensaient la société comme un espace de concurrence, et partant de conflit. L'idée qu'une société allait de l'avant en trouvant justement un équilibre entre ses contradictions n'était pas recevable. Les marxistes, certes, avaient fait de la contradiction le moteur même de l'histoire, mais la contradiction devait être dépassée dans une société réconciliée. Les faits ont beau être têtus : chez nous comme ailleurs les intérêts existent, les classes existent, les conflits sont monnaie courante, mais tout cela est jugé comme un mal. Nous n'en finissons pas d'aspirer à l'unité. La longue histoire de la gauche et de la droite en témoigne à sa façon : elle ne s'est jamais conçue comme l'histoire d'une alternance, encore moins d'une complémentarité, mais comme un conflit à mort entre deux systèmes idéologiques exclusifs.

Comme le bonapartisme, le gaullisme a été une idéologie de rassemblement. Les moyens diffèrent. De Gaulle, contrairement à Napoléon III, a toujours respecté les libertés. Il n'a jamais envisagé de créer un régime dynastique héréditaire. Au demeurant, il a voulu reconstituer une unité nationale, sous la houlette d'un chef responsable devant le peuple ; il a voulu remettre la source du pouvoir au sommet de l'État, au préjudice d'un régime d'Assemblée. Il a imaginé une association du capital et du travail, pour en finir avec la lutte des classes. La Nation a été sa religion : c'est au nom de la « grandeur » qu'il invitait les Français à faire cause commune, au-dessus de leurs rivalités quotidiennes.

C'est la division des classes entre elles, c'est la division des classes à l'intérieur d'elles-mêmes, nous dit Marx, qui explique le succès de Louis Bonaparte : « La lutte parut apaisée en ce sens que toutes les classes s'agenouillèrent, également impuissantes et muettes, devant les crosses des fusils. » En abolissant la société d'ordres, la Révolution de 1789 inaugure une société de classes. Lorsqu'elles montrent leur incapacité à s'entendre sur un mode de vie politique qui puisse satisfaire chacune, l'arbitre surgit, Robespierre à cheval, les armées derrière lui. Le scénario se reproduit en 1851. Dira-t-on que le scénario s'est reproduit en 1958 ? Le schéma de Marx ne correspond plus guère à la nouvelle physionomie sociale du pays. En revanche, demeurent les divisions extrêmes des Français, leur fronde contre un régime d'impuissance, une armée prête à intervenir. Un général célèbre s'est interposé. Il n'eut pas besoin d'un coup d'État *stricto sensu*. La population des pieds-noirs d'Algérie, révoltée contre l'impuissance d'une métropole face à la rébellion nationaliste des musulmans, s'est insurgée. Le coup de force d'Alger a été possible grâce à la neutralité complaisante des officiers présents en Algérie ; ce sont eux, Massu et Salan en tête, qui ont, sous l'influence de l'activisme gaulliste, canalisé l'émeute vers le recours au Général.

Sans se salir les mains, celui-ci a bénéficié du coup de force pour imposer sa solution. La République ne fut pas enterrée, comme au lendemain du 2-Décembre, mais elle fut arrachée au modèle qui s'en était imposé à la fin du XIXe siècle. La République des députés rendit l'âme ; la République consulaire revivait.

Ma conviction est que le tropisme bonapartiste reste une réalité française. Question dynastique à part, j'appelle bonapartiste cette propension de nos concitoyens à aimer cet ersatz de monarchie reposant sur l'opinion populaire. La passion égalitaire y trouve son compte : on se protège des puissants par la dictature imposée à tous. Ne pourrait-on pas dire que les Français sont des « anarcho-bonapartistes », alliance d'individualisme personnel et de pouvoir fort ? Les élites sont plus volontiers monarchistes ou républicaines ; le peuple veut de l'autorité, du panache, de l'éclat gouvernemental. Le même peuple, il est vrai, n'est jamais en retard dans la protestation contre le gouvernement personnel, et ce n'est pas la moindre de ses contradictions. Il veut toujours un roi, et couper la tête du roi, d'où s'ensuit le caractère cyclique de notre histoire, allant de l'amour populaire le plus fervent pour le chef à la passion la plus violente contre le tyran. Il acclame, et destitue ; il vénère, et se détache ; il chérit, et maudit. Rien ne lui fait plus horreur que le vide et l'abstraction.

14

Le prurit populiste

Un mot très peu usité dans la langue politique française a fait son apparition au début des années 1990 – *populisme*. Au lendemain des élections européennes de juin 1994, un de nos grands hebdomadaires titrait à la une : « Le Front populiste », désignant ainsi les succès remportés par les listes Bernard Tapie, Jean-Marie Le Pen et Philippe de Villiers qui avaient récolté ensemble un bon tiers des suffrages exprimés. Qu'entendait-on par ce mot, plus familier des traditions sud-américaines que de notre pays ? D'abord et surtout, le refus commun de ces trois chefs de file de s'aligner sur les partis dominants, de gauche comme de droite ; l'appel direct aux électeurs ; la démagogie utilisée par ces trois hommes. Une démagogie, au demeurant, de nature différente.

Tapie, chevalier d'industrie rendu célèbre par les exploits de son club de football, l'Olympique de Marseille, flattait le *demos* en remplaçant la langue astiquée des gens bien élevés par un parler dru, familier, voire argotique. Sur le fond, il se montrait le plus favorable aux idées « européennes », allant jusqu'à se réclamer d'un fédéralisme gratifié alors de tous les péchés. Le Pen et Villiers, eux, utilisaient le langage châtié de la classe politique, mais c'était pour se démarquer de celle-ci et abreuver leur public des incantations qu'il attendait : défenseurs d'une France traditionnelle menacée par la bureaucratie de « Bruxelles » – les « eurocrates » –, ils en appelaient au retour des « valeurs » – le travail, la famille, la patrie, la moralité, le chacun-chez-soi... – dans un univers dominé par la mondialisation des mœurs, le mélange des cultures, l'érosion des identités nationales.

En l'occurrence, le mot « populisme » était facile et imprécis. Il évoquait néanmoins des précédents, des moments d'inquiétude dans l'esprit public, que d'autres chefs populaires avaient tenté d'utiliser pour se frayer l'accès au pouvoir contre le système en place, contre un *establishment* que Le Pen s'efforce de traduire de manière approximative par « établissement ». Le populisme « de gauche » à la Tapie compte assez peu d'antécédents, car les partis de la gauche ont toujours été plus structurés que les partis de droite, laissant peu de marge aux aventuriers. On pourrait évoquer, en raison de la verdeur langagière, le *Père Duchesne* qui, à jets de *foutre* et à coups de *Nom de Dieu*, fustigeait la république des Conventionnels jugée toujours trop modérée. A la fin du Second Empire, le vieux titre de Hébert connut – avec une nouvelle orthographe : *Le Père Duchêne* – une deuxième vie sous la direction de Gustave Maroteau ; puis une troisième, sous la Commune de Paris en 1871, quand Eugène Vermersch et Maxime Vuillaume reprirent le flambeau. Plus tard, Émile Pouget, anarcho-syndicaliste, essaya de retrouver la verve populaire dans les colonnes du *Père Peinard*. Le sans-culottisme, ennemi du privilégié, de l'« aristo » et du « curé », n'a cessé d'inspirer une littérature d'extrême gauche ou d'ultra-gauche, tenant toujours en suspicion l'élu, le représentant du peuple, le mandataire qui ne pense qu'à oublier ses mandants pour faire carrière. Cette défiance exprimée en termes grossiers reste marginale. Le véritable populisme est ailleurs.

Il ne faudrait pas le situer tout de suite à droite.

Quand il émerge en véritable mouvement politique, à la fin du XIXe siècle, il est encore inclassable, rassemblant des partisans et des clients venant des quatre coins. C'est ainsi que, dans les années 1880, le mouvement boulangiste a pu être lancé d'abord par des radicaux de gauche, avant de rassembler derrière le panache d'un général déchu tous ceux que la république parlementaire avait mécontentés.

Le populisme s'alimente, en effet, de la colère du peuple. La dépression économique qui frappait le pays de plein fouet depuis 1882 était cause de chômage. Bien des voix s'élevaient contre une république bourgeoise qui se flattait de représenter la volonté nationale et qui laissait sans ressources bon nombre de ses citoyens. Le socialisme était dans l'enfance, bien incapable de répondre aux espérances des ouvriers sans travail. La classe politique gouvernante – les « opportunistes » à la Ferry et à la Grévy – était suspecte de corruption : ne découvrit-on pas, en 1887, que sous le toit même de l'Élysée le gendre du président de la République, Wilson, trafiquait de la Légion d'honneur afin de pourvoir en substantiels revenus les journaux qu'il dirigeait ? Jules Grévy fut contraint, malgré qu'il en eût, à la démission. Le système politique était du reste instable. Depuis les élections législatives de 1885, aucune majorité claire et durable ne se dégageait, les ministères succédaient aux ministères, donnant l'image d'un régime d'impuissance. Or, c'était l'époque où l'épiderme patriotique était sans cesse énervé. La France avait perdu la guerre de 1870-1871 face à la Prusse ; les Français rêvaient de la Revanche. Sur la scène internationale, la diplomatie était impuissante à faire sortir le pays de son isolement. Le verrouillage exécuté par Bismarck était parfait, il permettait à l'Allemagne d'humilier son vaincu sans risque. C'est alors que Boulanger arriva.

Chez nous, quand tout va mal, on appelle un sauveur. L'homme providentiel, dont le premier exemple fut une femme en la personne de Jeanne d'Arc, se révèle généralement au public par un coup d'éclat. Boulanger avait été fait ministre de la Guerre sur le conseil de Clemenceau parce qu'il était républicain et que l'armée était truffée de ci-devant aristocrates et autres cléricaux. De fait, le général donna quelques gages en ce sens. Mais surtout, il acquit une subite popularité à la suite de deux événements très différents. En mars 1886, lors d'une grève des mineurs à Decazeville, la troupe avait été envoyée comme lors de tous les conflits sociaux : il n'y avait pas de CRS ou autre section de gendarmerie ou de police spécialisée dans la répression. Or, à cette occasion, le général Boulanger, ministre de la Guerre, fit un beau discours pour dire que les mineurs en grève mangeraient dans la gamelle des soldats. L'autre affaire se situe un an plus tard, quand l'Allemagne arrêta un agent français, Schnaebelé, en territoire français. Boulanger fit entendre la protestation de la France, au risque de déclencher la guerre. Ce fut un bel enthousiasme. Le général, quelques semaines plus tard, fut poliment remercié : on ne le reprit pas dans le nouveau cabinet qui se forma à la fin de mai 1887.

Pendant deux ans environ, la France connut la fièvre. Elle avait trouvé son héros. Des politiciens radicaux avaient en tête de se servir de Boulanger, au départ, comme d'un bélier qui abattrait la république bourgeoise en faveur de la république rêvée sous le Second Empire, autrement fidèle aux grands principes. Tour à tour, les monarchistes, les bonapartistes, bref tous les ennemis de la république en place concourent de générosité en faveur du mouvement que Boulanger entraîne derrière lui, chacune de ces familles politiques espérant le détourner en faveur de sa propre cause. On voit même des socialistes, des blanquistes, qui n'ont en tête que le coup de force grâce auquel ils établiront la dictature parisienne, et à partir de là pourraient abolir le régime de la propriété privée. Des catholiques, ulcérés par les lois laïques, rallient le boulangisme, assurés qu'une fois vainqueur Boulanger en finira avec l'école sans Dieu.

Quel programme avait-il ? Aucun, ou presque rien : dissoudre la Chambre des députés, élire une Constituante, établir une nouvelle Constitution. Pour le reste, Boulanger demandait simplement qu'on lui fît confiance. Loin des états-majors politiques pleins d'arrière-pensées, la foule se donna au « brav'général ». Pour elle, il était la patrie redevenue fière, l'État qui serait secourable, l'homme fort échappant à la corruption ordinaire. L'opinion s'emballa. On ne savait pas ce que Boulanger voulait, mais on pressentait qu'il allait sauver la société du marasme et le gouvernement de l'impuissance.

Grâce à la tactique ingénieuse qui consistait à se présenter à chaque élection partielle qui avait lieu, quitte à démissionner aussitôt pour se représenter de nouveau, Boulanger alla de victoire en victoire, remportant ses batailles aussi bien dans les milieux ouvriers du Nord que dans les campagnes du Sud-Ouest. L'apothéose eut lieu à Paris, en janvier 1889. La capitale était alors – et elle devait rester jusqu'en 1900 – un bastion de la gauche. Paris, ville des révolutions, était encore peuplée d'une majorité d'ouvriers et de petites gens qui donnaient habituellement leurs voix aux radicaux et aux autres républicains. Cette fois, Paris offrit une majorité écrasante au général Boulanger.

Arrêtons-nous là dans ce rappel historique, pour examiner la nouveauté du phénomène, son exemplarité, et donc sa reproductibilité, moyennant des variantes nécessaires. L'ouvrage le plus intéressant sur la question n'est pas d'un historien mais d'un romancier, témoin et acteur du boulangisme ; c'est *L'Appel au soldat* de Maurice Barrès. Ce qu'on y apprend, c'est que le populisme est d'abord une forme de confiance accordée au peuple devenu foule. Non pas le peuple qui s'éduque et réfléchit, mais le peuple qui s'assemble en rangs serrés, qui applaudit son héros du jour et qui chavire d'émotion. Barrès parle de « la croyance instinctive chez les masses », de leur « sensibilité », et de leur purification dans l'action : « la fange », « la lie » reçoit « l'état d'esprit national d'une levée en masse ».

Le peuple-foule n'est peut-être pas bon en soi, mais il devient la base de toute action décisive quand il a trouvé un chef qui l'oriente : « Qu'importe son programme, écrit encore Barrès, c'est en sa personne qu'on a foi. Mieux qu'aucun texte, sa présence touche les cœurs, les échauffe. On veut lui remettre le pouvoir, parce qu'on a confiance qu'en toute circonstance il sentira comme la nation. »

L'appel au peuple devient la formule clé. Déroulède, qui a engagé à fond sa Ligue des patriotes derrière Boulanger, conçoit le projet d'une république plébiscitaire. A sa tête, il y aurait un président « élu par la nation tout entière ». A tous les échelons, le peuple se prononcerait sur les grandes lois par le plébiscite, véritable instrument de la démocratie, contre « tous ces parlementaires qui le trompent ».

Dans son roman, Barrès, bien qu'il fût plusieurs fois député, illustre l'impératif de l'antiparlementarisme, un des thèmes majeurs du populisme. « La dictature d'un homme, écrit-il, se prépare contre le Parlement. " Dissolution, Révision, Constituante ", cette formule déjà sommaire se simplifie encore dans l'esprit du peuple. Rien ne reste que " Vive Boulanger ! " mot d'amour précisé par le cri de gouaillerie, d'envie et de haine : " A bas les voleurs ! " »

Le populisme tient le discours de l'hostilité aux « élites », sous la double espèce politique et intellectuelle. « Pourris », « voleurs », « chéquards », les parlementaires et leurs ministres ont toujours partie liée, dans l'imaginaire populiste, avec l'argent vil. Ses chefs doivent se montrer des moralistes, qui tancent les élus comme autant de profiteurs. Diviseurs de la nation par leurs querelles insanes, dévaliseurs de l'argent public, abusant de promesses intenables leur électorat, les acteurs de la république parlementaire doivent être chassés par une opération de grand nettoyage.

L'autre élite, l'intellectuelle, est tout aussi dangereuse. Incapables de saisir par intuition ou par instinct ce qui va dans le sens de l'intérêt national, les intellectuels décortiquent la réalité par des analyses stériles qui aboutissent à l'impuissance. C'est au cours de l'affaire Dreyfus, dix ans après le boulangisme, que les dirigeants du nationalisme, dont l'inévitable Maurice Barrès, chargeront les intellectuels de tous les vices. Écrivant alors *L'Appel au soldat*, Barrès parle d'eux comme des « traîtres à la race ». Il précise : « Intellectuel : individu qui se persuade que la société doit se fonder sur la logique et qui méconnaît qu'elle repose en fait sur des nécessités antérieures et peut-être étrangères à la raison individuelle. »

Mieux que tout autre, Barrès aura à cœur d'opposer le peuple-foule, détenteur de l'instinct national, aux trahisons des intellectuels : « On suspecte parfois nos forces inconscientes, je veux dire nos masses populaires non organisées. Ce sont elles qui nous sauvent ! Que ne peut-on pas attendre de leur instinct de la santé sociale puisque empoisonnées de toutes parts par nos intellectuels, elles reviennent si souvent à cet obstiné [Déroulède] qui proclame les vraies directions du salut public », écrit-il dans *Scènes et Doctrines du nationalisme*.

Le populisme n'est que virtuel s'il ne trouve pas le chef charismatique qui révèle le peuple au peuple par sa médiation. Ce chef peut être un militaire comme Boulanger, mais les soldats parlent peu, et Boulanger devait compter surtout sur sa prestance, son beau cheval noir et sa barbe bien peignée. On parlait pour lui. Le chef populiste est le plus souvent un orateur, si possible sorti des rangs les plus modestes de la société. Il sait s'adresser au peuple-foule qui le reconnaît comme un des siens, le premier des siens. Il prend en charge les revendications des masses – ou certaines d'entre elles –, il leur désigne les responsables de leurs malheurs, il exalte le bon sens populaire contre les ratiocinations d'une classe politique empêtrée dans le juridisme, il accuse les détenteurs des pouvoirs publics de corruption en se drapant dans une moralité infaillible. Les circonstances offrent sa matière au démagogue. Comme disait Aristote, « sous n'importe quel régime, les lois et les autres institutions doivent être ordonnées de telle façon que les fonctions publiques ne puissent jamais être une source de profits ». En fait, sous n'importe quel régime, le devoir de désintéressement est souvent transgressé.

La France connaît une vague nouvelle de populisme depuis les années 1980, lorsqu'un chef populaire, Jean-Marie Le Pen, a remporté ses premiers succès électoraux contre « la bande des quatre » – les quatre partis dominants d'alors, communiste et socialiste à gauche, UDF et RPR à droite. Le chômage croissant et l'incapacité du gouvernement socialiste à enrayer sa progression offrirent à Le Pen l'occasion d'alarmer l'opinion sur trois ou quatre dangers imminents : l'immigration, qui privait d'emplois les Français ; l'insécurité des villes, due à cette immigration incontrôlée ; la corruption des élus ; enfin, la menace d'une Union européenne qui risquait d'altérer en profondeur non seulement la souveraineté française mais l'identité nationale. Cette fixation sur la défense d'une sorte de patrimoine génétique collectif a pu, à propos du Front national de Le Pen, amener à parler de *national-populisme* – terme utilisé par la politologie anglo-saxonne et introduit en France par Pierre-André Taguieff, historien des idées politiques. Le Pen lui-même se pose en chef de la droite « nationale » et « populaire », justifiant ainsi l'expression.

Des journalistes jugèrent celle-ci comme un euphémisme. Il fallait à leurs yeux que Le Pen fût fasciste, comme si, faute de diaboliser l'adversaire, on ne pourrait le combattre. S'il est vrai que le fascisme est une sous-espèce du populisme, ce terme désigne des partis et des régimes qui ont pris dans l'histoire des caractères trop particuliers pour qu'on affuble du même mot tous les mouvements populistes. Le fascisme est d'abord une militarisation de la société, en vue d'une construction totalitaire et d'une politique extérieure expansionniste. Le lepénisme n'est qu'un nationalisme défensif, protectionniste, xénophobe. Il traduit une crispation de certaines couches de la société face aux bouleversements que connaît la fin du XXe siècle et qu'il interprète sur le mode catastrophiste : l'invasion arabe, la décomposition de la morale et des mœurs, la montée en flèche de la délinquance, la perte de l'indépendance sous l'empire de l'eurocratie... Il propose des solutions simples : le renvoi des immigrés chez eux, le protectionnisme en matière de commerce, la préférence nationale dans toutes les activités humaines, le renforcement de la police à l'intérieur et aux frontières, le rétablissement de la peine de mort, et *last but not least*, le référendum populaire par lequel tout le monde donnera son avis sur les sujets les plus brûlants.

La démagogie lepéniste n'est pas affaire de syntaxe. Le chef populaire ne dédaigne ni les imparfaits du subjonctif ni les citations latines. Elle est dans le double mouvement d'appel au peuple : faire peur, en exagérant toutes les données d'une situation, en déformant l'information, en amplifiant tel ou tel élément secondaire ; rassurer, en se posant en sauveur et en proposant des solutions simplistes parfaitement inapplicables, inadaptées et fantasmatiques.

La démocratie française, depuis les débuts de la Troisième République, a régulièrement été le théâtre – dans les moments de crise au premier chef – de surenchères populistes visant au renversement des gouvernants, voire des institutions. Ces mouvements sont comme les caricatures d'un éternel bonapartisme, la demande d'un chef historique, s'appuyant directement sur le peuple, au détriment d'une *nomenklatura* de politiciens et de fonctionnaires, incapables d'organiser de manière stable et équitable la vie politique et sociale du pays. Révolte latente contre les élites, révélée et canalisée par des orateurs démagogiques, le populisme atteste à travers ses métamorphoses la fragilité durable de notre système démocratique. Même la Cinquième République, dotée d'un pouvoir exécutif sans précédent depuis le Second Empire (si l'on veut bien négliger la parenthèse pétainiste), ne parvient pas à réaliser l'équilibre souhaitable entre l'autorité de l'État et la demande sociale. De temps à autre, on l'a dit, un publiciste réclame une « Sixième République » : c'est une tentation typiquement française que de réclamer une nouvelle Constitution à tout bout de champ.

Le populisme, quelles que soient ses formes, reste, comme la fièvre chez un individu, une manifestation pathologique. Rien ne sert de l'accabler de tous les mépris si l'on ne prend garde à satisfaire la frustration qu'il révèle. Son succès est le signe en général d'une trop grande séparation entre les gouvernants et les citoyens. La démagogie qu'il exprime lui interdit la responsabilité du pouvoir, mais la protestation qu'il fait entendre ne doit pas, malgré ses excès et ses insanités, tomber dans l'oreille d'un sourd.

15

La France antijuive

Le populisme qui procède par simplifications a toujours tendance à se servir de la « causalité diabolique ». L'expression, due à Léon Poliakov, se réfère à la dénonciation d'individus ou de groupes particuliers qui seraient à l'origine des malheurs du temps. L'interprétation par le complot en est le procédé ordinaire. Depuis longtemps, la diaspora juive a été mise à contribution et soumise à des persécutions successives, depuis la condamnation à l'exil dans l'Espagne d'Isabelle la Catholique ou dans la France de Charles VI jusqu'à l'extermination hitlérienne, en passant par les pogroms de la Russie des tsars, sans oublier les obsessions criminelles de Staline. On doit à la vérité de dire que la France, pour sa part, a alimenté l'ignoble passion. On ne peut même pas affirmer que l'antisémitisme chez nous ait cessé d'être d'actualité.

La grande vague de l'antisémitisme moderne en France date des années 1880. A cette époque de régime républicain mal assuré et de dépression économique – ces années mêmes qui ont vu naître les courants populistes dans notre pays – Édouard Drumont, sans donner vraiment le signal de départ de l'antisémitisme, en a fait un des thèmes majeurs de ce qui allait s'appeler le nationalisme. Sa *France juive*, où il dépeignait la patrie en proie à « l'invasion juive », connut un franc succès, et ses livres suivants permirent à Drumont de passer pour une sorte de prophète, défendant tout à la fois l'Église catholique persécutée et le prolétariat exploité. Une bonne partie des écrivains français ont été plus ou moins contaminés par la judéophobie. Ce fut le cas de Barrès, de Maurras, et plus tard de Céline, Drieu la Rochelle, Brasillach... L'un de nos plus grands écrivains, Céline, a été frappé de malédiction à cause de ses pamphlets antisémites, dont ses *Bagatelles pour un massacre* restent, si l'on peut dire, un modèle du genre. Et que dire d'écrivains délicats, intimistes, peu versés dans la politique, comme un Marcel Jouhandeau, qui se prend à publier, en 1937, un livre sur *Le Péril juif*? Je ne crois pas que les Français, pris dans leur ensemble, aient été plus antisémites que d'autres, mais des écrivains français parmi les plus talentueux y sont tombés, parfois avec une rage qui confond.

Sur la longue et moyenne durée – disons depuis la Seconde Guerre mondiale –, il est patent que l'image du Juif en France a été complètement revue, corrigée, réappréciée. Qu'en 1966 encore la moitié de la population française eût « évité » d'avoir un président de la République juif, tandis qu'en 1990 seuls 9 % restaient dans la même disposition d'esprit, atteste de l'évolution.

En même temps, les menaces antisémites sont en hausse sensible depuis les années 1980; l'essor d'une organisation politique comme le Front national semble correspondre, chronologiquement, avec des discours, des allusions, des expressions, en nombre croissant, qui visent les Juifs de France et du monde. En 1987, Jean-Marie Le Pen s'abandonnait à considérer publiquement l'existence des chambres à gaz dans l'Allemagne nazie comme « un point de détail ». Le même, un an plus tard, n'hésitait pas à faire un exécrable jeu de mots sur le nom d'un homme politique : « Durafour... crématoire ». Retour du refoulé ou recherche d'un effet médiatique, de toute façon

Le Pen révélait son antisémitisme, qu'en d'autres circonstances il eut l'occasion de confirmer.

L'obsession d'un « lobby juif » ou « sioniste » a réchauffé, notamment pendant la guerre du Golfe, le fantasme du complot tel qu'il s'exprimait jadis à travers les pseudo-*Protocoles des Sages de Sion*. On a vu en 1991 un tribunal condamner un admirateur français de Fidel Castro, Jean-Edern Hallier, pour avoir écrit dans *L'Idiot international* un éditorial antisémite comme on n'en avait pas lu depuis Lucien Rebatet. La lecture de la presse d'extrême droite (par exemple les articles de François Brigneau dans *National Hebdo*) suffit à établir le renouveau ou la simple reprise d'une thématique antijuive que l'on pouvait croire disparue de France.

La conjoncture offre une première explication. Il s'agit d'abord de l'interminable conflit du Proche-Orient, qui ne cesse d'aviver la tension entre Arabes et Juifs dans le monde. Un « antisionisme » de gauche, fondé sur la défense du peuple palestinien, n'a pas été sans effet. On sait ainsi que le négationnisme faurrissonien [1] a reçu l'appui explicite d'une certaine ultra-gauche, dont la librairie de la Vieille Taupe diffuse les œuvres, au rang desquelles figurent les considérations de l'ancien communiste Roger Garaudy. Au-delà des groupuscules, le drame israélo-palestinien nourrit des attitudes de rejet ou de défiance à la fois envers les Arabes (notamment lors des attentats perpétrés sur le territoire national) et envers les Juifs ; il fournit le prétexte aux dérapages verbaux, et offre un voile tiers-mondiste aux vieilles passions antisémites.

Pour mieux comprendre le réveil relatif de l'antisémitisme en France, il faut se porter plus haut, et replacer les tendances actuelles dans la durée. La

1. R. Faurrisson est à l'origine d'une école délirante niant le génocide des Juifs perpétré par Hitler, et s'acharnant à nier l'existence des chambres à gaz d'Auschwitz et autres camps d'extermination.

question est notamment de savoir s'il existe un antisémitisme spécifique à notre pays.

L'antisémitisme est peut-être la passion au monde la mieux partagée. Dans l'essor du mouvement nationaliste allemand, consécutif aux guerres de la Révolution et de l'Empire, on voit apparaître la nouvelle fonction de la présence juive au sein des nations : on la dénonce comme anti-allemande, c'est contre elle qu'on définit la germanité, contre le Juif inassimilable, réfractaire à la langue mère, sympathisant avec certaines idées du conquérant français. L'affirmation de l'identité nationale a désormais tendance à s'appuyer sur le rejet de l'Autre, du non-pareil, de l'étranger-parmi-nous. De fait, l'antisémitisme moderne, distinct de l'antijudaïsme religieux, est inséparable de la montée en puissance du sentiment national. C'est dire qu'il est au cœur de l'histoire du XIXe siècle, avant de s'exaspérer au XXe. Antisémitisme en Autriche, en Russie, en Roumanie, en Pologne, en Hongrie... La France n'a vraiment rien inventé.

Pourtant notre pays tient un rôle particulier dans cette histoire, tantôt lugubre et tantôt lumineux. Il faut, pour le comprendre, en revenir à la Révolution. Celle-ci avait proclamé *urbi et orbi* les droits de la nation contre les droits héréditaires des princes. En même temps, elle émancipait chez elle les Juifs tenus jusque-là dans un statut de simple tolérance et de subordination séculaire. La Révolution était en même temps nationale et universaliste ; une certaine forme de négation de l'identité juive devait en découler en France : celle qui se nourrit du refus des différences et de la lutte contre les religions. Cette tendance idéologique a sa propre histoire, dont la source vive est l'idéal jacobin d'une société homogène. Mais bien des Juifs français y ont participé, acceptant l'assimilation en échange du statut d'égalité qui leur était offert comme à tous les autres citoyens. D'un côté, la gauche républicaine souhaitait qu'il n'y eût plus de particularisme juif, certains auteurs préconisant la francisation des patronymes afin de faire disparaître la dernière marque individuelle d'une origine différente. D'un autre côté, une part des membres de la communauté juive acceptaient de devenir des « Français comme les autres », en se fondant dans la société majoritaire : l'école publique, le mariage mixte, l'abandon des rites ancestraux, autant de moyens qui les y aidaient.

Ce courant, qu'on peut appeler jacobin, s'est maintenu au moins jusqu'à la Seconde Guerre mondiale parmi les Juifs de souche française. Sartre lui-même, dans ses *Réflexions sur la question juive*, en arrive à dire : « Ce n'est pas le caractère juif qui provoque l'antisémitisme mais, au contraire, [...] c'est l'antisémite qui crée le Juif. » Il est patent que bon nombre de ses contemporains juifs, assimilés, incroyants, éloignés des traditions familiales, acceptaient ce verdict... n'eût été le génocide.

Celui-ci fut l'aboutissement, sinon nécessaire tout au moins logique, d'une autre tradition – celle d'un nationalisme de droite d'inspiration germanique, mais nullement absent dans l'histoire française (et parfois même nourri de certains apports socialistes imputant aux Juifs les méfaits du capitalisme), comme en témoigne la fin du XIXe siècle, et singulièrement l'affaire Dreyfus.

Tandis qu'une gauche démocrate escamotait l'existence juive au nom de ses aspirations universalistes et dans son rêve d'une citoyenneté d'hommes libres et égaux, affranchis des antiques croyances, une droite nationaliste monta au contraire en épingle une identité juive amplement mythologique, pour mieux définir contre celle-ci les caractères de la nation qui aspirait à se constituer comme catégorie dominante de la vie politique.

C'est qu'en France l'antisémitisme ordinaire ou

international – celui dont le contenu est à la fois religieux et anticapitaliste, le double ressentiment contre le peuple « déicide » et contre les Rothschild – a offert ses services au mouvement antiparlementaire et antirépublicain. A lui seul, le courant contre-révolutionnaire, issu de 1789, inspiré par des écrivains plus ou moins illuminés comme Joseph de Maistre et Louis de Bonald, nourri par l'affection des familles restées fidèles au « roi », était sans avenir depuis l'ultime défaite du prétendant Chambord en 1873, et dans l'incapacité de tenter quoi que ce soit contre la République. Il trouva une raison neuve d'espérer dans l'apport d'une nouvelle droite qui s'ébaucha au cours des années 1880. Celle-ci, dressée contre la république parlementaire jugée trop bourgeoise, trop libérale, trop anticléricale, en appelait au peuple souverain contre les Juifs, qui étaient censés tenir la banque, la presse, et le parti républicain. Grâce à l'antisémitisme, les leaders et les chantres de cette nouvelle droite – les Drumont, les Barrès, les ligueurs de tout poil – espérèrent regrouper dans la même hostilité au régime en place l'ouvrier victime du capital (nécessairement juif), le catholique humilié par les lois laïques et anticongrégationnistes (inspirées par la judéo-maçonnerie), le royaliste nostalgique, le nationaliste en quête d'État autoritaire... Charles Maurras, qui n'était pas raciste *stricto sensu*, comprit l'aubaine que représentait l'antisémitisme dans sa lutte contre la république : il permettait de fédérer les fidèles du pape, les apôtres de la nation et les ennemis du capital. L'affaire Dreyfus fut l'occasion bénie de conjoindre dans une seule protestation tous les adversaires de la république parlementaire.

Cependant, si l'affaire Dreyfus, par sa naissance et son développement, illustrait la puissance des forces antijuives en France, elle est devenue aussi, par sa conclusion, un modèle de défense républicaine. Elle fut un des hauts moments de l'esprit universel par le soulèvement des intellectuels contre l'égocentrisme national, contre une défense de l'Armée au prix du mensonge et de l'injustice, et contre la formulation raciste de la communauté française. Le dreyfusisme, celui de Péguy comme celui de Jaurès, est demeuré la référence historique de l'esprit républicain dans ce qu'il a de plus élevé. Il a marqué des générations de son sceau ; il a été la fierté d'un peuple ; il reste notre honneur, contre Drumont, contre la Ligue antisémitique, contre le faux Henry et le Monument du même nom [2], contre *La Croix* des assomptionnistes quand *La Croix* était antijuive, contre Maurras et ses « quatre États confédérés », contre Barrès qui déduisait la culpabilité de Dreyfus « de sa race », contre les tristes sabres de l'état-major ; le dreyfusisme reste l'honneur de la France contre l'Académie française (Anatole France mis à part), contre l'armée française (le colonel Picquart mis à part), et contre la justice militaire (qui est à la Justice, comme disait Clemenceau, ce que la musique militaire est à la musique).

Cependant, tout serait merveilleusement simple si, depuis l'affaire Dreyfus, la question juive en France avait établi une frontière infranchissable entre les amis et les ennemis des Juifs. Déjà, pendant l'Affaire elle-même, l'antisémitisme ou l'anti-antisémitisme n'étaient pas forcément la motivation des combattants. Certains antidreyfusards tenaient qu'on ne pouvait pas compromettre une armée entière à cause d'un seul homme, fût-il chrétien, juif ou athée ; ils étaient les partisans d'une raison d'État ou, comme disait Péguy, les défenseurs du pouvoir *temporel* de l'État – auxquels le même auteur opposait les défenseurs de son pouvoir *spirituel*, dont il était. Il y avait

2. Rappelons que le colonel Henry avait fabriqué un faux pour accabler le capitaine Dreyfus. Découvert, il se donna la mort. Le journal de Drumont, *La Libre parole*, lança une souscription en faveur de sa veuve. La liste des souscripteurs, dont les noms étaient accompagnés de commentaires d'un antisémitisme souvent grossier, fut publiée par Pierre Quillard dans *Le Monument Henry*.

donc parfois des raisons nobles à l'antidreyfusisme, comme on peut en imaginer de très prosaïques au dreyfusisme.

De manière plus profonde, plus continue, la tradition révolutionnaire qui a inspiré la tradition dreyfusarde a porté aussi en elle la contradiction des origines : elle était à la fois émancipatrice des minorités opprimées, et, en même temps, dans sa volonté même de les élever à l'égalité dans la communauté nationale, elle tendait à nier leurs attributs, leurs croyances, leurs rites.

Il importe de saisir ce double mouvement, contradictoire, qui a pesé sur les destinées juives depuis deux siècles. Par les révolutionnaires universalistes, les Juifs ont été suspectés dans leur identité : à leurs yeux, celle-ci appartenait au passé, qu'il fallait annuler au même titre que la monarchie ou la religion catholique. La Révolution et la république en France, dans leur lutte contre le vieux monde, portaient en elles – même si c'était sur des plans différents – la déjudaïsation de même que la déchristianisation.

A l'inverse, par les nationalistes négateurs de l'universalité, nostalgiques d'une communauté définie par les liens du sang et de la langue, gagnés dans la seconde partie du XIXe siècle par les thèses racistes, les Juifs ont été persécutés comme des éléments exogènes d'autant plus dangereux qu'ils appartenaient, la causalité diabolique aidant, à un « État universel » occulte, employé à la conquête du monde, et en attendant à « l'invasion » de la France.

Une spécificité juive n'a cessé d'intriguer, de heurter, voire de choquer les sentiments « républicains », dans le même temps qu'elle était caricaturée et diabolisée dans les rangs des nationalistes. Ce double travail – certes inégal – de négation et d'exclusion s'est nourri de toutes les passions de l'histoire contemporaine : lutte des classes, crises économiques, guerres mondiales, révolutions, guerre froide, décolonisation, interminable conflit israélo-palestinien... Simultanément, le Juif est censé ne pas exister en tant que citoyen-comme-les-autres, tandis qu'on lui attribue par ailleurs une sur-existence maléfique dans la marche du monde.

Évidemment, l'universalisme de gauche ne voulait pas *nier* les Juifs par l'extermination, comme le national-socialisme s'y employa. Il participe néanmoins d'une utopie d'unification civique, là où le nationalisme différentialiste rêve d'une homogénéisation de la communauté ethno-culturelle. La « question juive » a ainsi aidé à faire comprendre que l'universalisme ne peut faire fi des cultures particulières et, inversement, que les passions nationalistes deviennent monstrueuses faute de perspective universelle. Il nous faut donc vivre dans une tension constante, entre le Nous et les Autres, entre le singulier et le pluriel, entre la politique de son clocher et la politique de la planète – des tensions lourdes de conflits mais qui peuvent nous prémunir à la fois contre l'uniformisation négatrice des cultures, qui serait la sinistre parodie de l'universalité ; et contre le tribalisme obsidional, jaloux de ses fétiches, qui révoque en doute le genre humain [3].

C'est pourquoi, dans la question juive, la France me paraît avoir joué un rôle unique. Notre pays a proclamé l'émancipation des Juifs, en 1791, au nom de la liberté et de l'égalité, en un temps où ils étaient quasi partout en mauvaise posture. Dans le même élan, la Révolution révélait par la contradiction de ses finalités – libérer, certes, mais aussi unifier, et cela au détriment des différences culturelles – la double tentation à laquelle sont soumis les États modernes : noyer par la loi l'altérité dans la nation – ou bien l'en extirper par la violence. Former une communauté nationale consciente d'elle-même passait donc en

3. Voir P.-A. Taguieff, *La Force du préjugé. Essai sur le racisme et ses doubles*, La Découverte, 1988.

France par la nécessité d'une laïcité ouverte, moyennant laquelle « les diverses familles spirituelles de la France » pouvaient, non seulement coexister en paix, mais se sentir françaises à part entière.

L'équilibre est difficile à tenir, mais son exigence est impérieuse – car, au-delà de la « question juive », se pose aujourd'hui la « question musulmane ». Accepter l'Autre, oui, mais de telle sorte que l'Autre accepte, lui, pleinement le droit et les lois de notre république laïque, il y va de notre cohésion.

16

Grands uniformes et petites manœuvres

Notre pays a été de tradition une « terre des armes ». « La France fut faite à coups d'épée », écrivait de Gaulle dans *La France et son armée*. La formule est rapide, elle ne manque pas de vérité. Quels que soient nos quolibets à l'adresse de l'armée, nous sommes les héritiers d'une vieille nation de soldats, qui ont fourni mille attributs à notre identité collective : Bayard, Du Guesclin, Jeanne d'Arc, Duquesne, les fortifications de Vauban, les souvenirs de la Royale, les drapeaux des Invalides, la *Marseillaise* de Rude, la gloire des soldats de l'An II, les fulgurances de Napoléon, les poilus de 14-18, les maquisards de la Résistance...

Le revers de la médaille en a été le chauvinisme, cette « ébauche de nationalisme instinctif et brutal ». Le mot est apparu vers 1840 dans quelques vaudevilles. Il provenait d'un nom propre, Nicolas Chauvin, héros au verbe excessif des armées révolutionnaires et impériales. Personnage imaginaire, il symbolisa dans les chansons, les journaux, au théâtre, le mythe du soldat-laboureur – sorte de quintessence de l'*homo gallicus*, à la fois terrien et guerrier. Son succès ne laisse pas de susciter l'inquiétude quant aux tendances militaristes primaires du peuple français. Seule la guerre paraît à même de resserrer ses rangs, toujours menacés de débandade. La passion de l'égalité y trouve son compte, face à l'ennemi nécessaire et à la mort promise. En poussant à la limite, nous serions amenés à croire que la nation n'existe – toutes classes et toutes origines confondues – que sous l'uniforme. Au prix de leur liberté, les militaristes aiment la soumission de tous à l'autorité reconnue, moyennant quoi ils sont récompensés « par la libération des pulsions agressives et sexuelles les plus violentes et l'abolition du tabou d'homicide [1]. »

Objet de tous les respects, de toutes les admirations, de toutes les sollicitudes, l'armée a exercé pendant longtemps dans nos passions nationales un rôle de premier plan. Instrument sacré de la « Revanche » après 1871, elle était la nation même, depuis que la loi républicaine avait établi la conscription obligatoire. Bien des antidreyfusards sont entrés dans la bataille, contre les « intellectuels » et contre les « révisionnistes » (ceux qui voulaient la révision du procès Dreyfus), avant tout pour défendre l'honneur et l'intégrité de l'armée nationale. Ainsi Jules Lemaître, président de la Ligue de la Patrie française, de s'écrier, lors d'une réunion publique, en janvier 1899 :

« Notre âme n'est pas distincte de celle de l'Armée. L'Armée, c'est la nation ramassée et debout pour assurer sa propre durée. C'est peut-être, par la très grande majorité de ses chefs, le meilleur de la nation et c'est tour à tour, par ses soldats, la nation entière. »

L'affaire Dreyfus fut ainsi au moins autant une question militaire qu'une question juive. Remettre en cause la décision d'un conseil de guerre, ayant établi la culpabilité d'un espion, passa aux yeux de beaucoup pour une trahison redoublée, car c'était offenser l'état-major, affaiblir la discipline nécessaire, aligner les sentinelles de la patrie au banc d'infamie. L'épée et le bouclier de la France devaient être au-dessus de tout soupçon.

1. Voir *Chauvin, le soldat-laboureur. Contribution à l'étude des nationalismes*, par Gérard de Puymège, Gallimard 1993, d'où cette citation est tirée.

Ce n'était pas seulement les « nationalistes » qui le pensaient. Le peuple des villes était porté à l'admiration des régiments. Le défilé annuel du 14 juillet qui avait été inauguré au début des années 1880 et qui se tenait alors à Longchamp provoquait chaque année un emballement public. En 1886, le général Boulanger, alors ministre de la Guerre, enfourchant ses grâces sur son cheval noir, avait fait battre les cœurs, et Paulus – *En revenant de la revue* – avait lancé à l'Alcazar le « tube » de l'année :

Gais et contents,
Nous étions triomphants
De nous voir à Longchamp
Le cœur à l'aise;
Sans hésiter,
Nous voulions tous fêter
Voir et complimenter
L'armée française.

Anatole France eut beau appeler cette chanson « l'hymne des braillards », les Français de l'époque s'y reconnaissaient. Il est du reste notable qu'aujourd'hui encore, en cette fin du XXe siècle, la France soit le seul pays occidental à entretenir la tradition du défilé militaire lors de sa fête nationale. Malgré les progrès de l'esprit pacifique et le mépris affiché par beaucoup de la chose militaire, les Champs-Élysées accueillent tous les ans des dizaines de milliers de spectateurs qui battent des mains au passage des polytechniciens, des légionnaires, et pas seulement des pompiers. Le goût de l'uniforme et du panache resté vivace se transmet dans mainte famille de père en fils.

Cet héritage est double, à la fois aristocratique et révolutionnaire. La noblesse d'Ancien Régime avait pour fonction officielle le métier des armes – ce qui justifiait ses privilèges. Jusqu'à la Révolution, ce sont ses fils qui ont constitué en grande majorité l'encadrement des troupes. Aujourd'hui encore, beaucoup d'officiers portent des noms nobles, perpétuant la tradition familiale. Le général Leclerc de Hautecloque, le maréchal de Lattre de Tassigny, le général de Castries, voilà, parmi d'autres, quelques noms rendus célèbres par la Seconde Guerre mondiale ou la guerre d'Indochine. Ces généraux sont parfois des rebelles de haute volée. J'avoue un faible particulier pour le général de Saint-Vincent, commandant la XIVe Région militaire, refusant en 1942 d'obtempérer aux ordres de Vichy selon lesquels l'armée devait couvrir les rafles des Juifs étrangers de la région lyonnaise. Pour ce fait et quelques autres de résistance silencieuse, il fut mis à la retraite, avant de se retrouver dans les Forces françaises libres. J'aime assez le général Paris de la Bollardière, protestant contre l'usage de la torture en Algérie, et condamné pour cela à plusieurs semaines de forteresse.

Noblesse oblige. Cette aristocratie militaire, quels que fussent ses convictions et ses choix politiques, a certainement entretenu dans les rangs de l'armée française un certain sens de l'honneur dont a su profiter l'armée démocratisée. Car la France, contrairement à l'Allemagne et à l'Angleterre – ses ennemies historiques – s'est enorgueillie d'avoir une armée « nationale », issue du peuple. Le « Vive la Nation ! » de la victoire de Valmy, en 1792, marque le tournant : l'armée royale n'existe plus, la nation en armes introduit la démocratie dans la guerre.

On peut légitimement regretter la guerre à l'ancienne, qu'on appelle parfois « la guerre en dentelles », quand les États étaient censés régler leurs querelles avec un minimum de pertes. Cette vue idyllique n'était certes pas celle des contemporains de la guerre de Trente Ans. Aux XVIIe et XVIIIe siècles, le roi faisait de plus en plus appel à tout le monde pour garnir les rangs de ses milices. Louis XIV rassembla jusqu'à 500 000 hommes sous les drapeaux en certaines occasions flambantes. Il reste qu'avec la Révolution et l'Empire la guerre change de nature : tout le monde peut désormais être astreint; toute la nation engagée; la guerre, selon une formule postérieure, devient « totale ». La France ne quitte pratiquement pas les champs de bataille entre 1792 et 1815. La levée en masse précède la conscription, institutionnalisée en 1798. C'est au cours de ces vingt-trois années que la nation se militarise et que la tradition militaire du pays s'enracine.

Les faits d'armes de Bonaparte en Italie, puis les grandes victoires de Napoléon sont restés dans le patrimoine imaginaire des Français comme autant d'heures de gloire. Au début de *La Chartreuse de Parme*, Stendhal décrit le commencement de l'extraordinaire épopée napoléonienne : « Le 15 mai 1796, le général Bonaparte fit son entrée dans Milan à la tête de cette jeune armée qui venait de passer le pont de Lodi, et d'apprendre au monde qu'après tant de siècles César et Alexandre avaient un successeur. »

Plus tard, les républicains haïront Napoléon – les deux empereurs, l'oncle et le neveu. C'est contre ce nom qu'ils affirmeront leurs principes. Mais, dans un premier temps, ce n'est pas le dictateur que la jeunesse libérale vit en lui. Stendhal en témoigne : c'était le jeune chef porté à la tête de l'armée révolutionnaire et qui faisait trembler toutes les couronnes de l'Europe coalisée. Ensuite, comme on sait, au moment de la Restauration, la légende tria dans les mémoires, pour ne garder que les éléments valeureux du Premier Consul et de l'Empereur. Les noms de ses victoires chantaient dans toutes les têtes... Ce que Victor Hugo a résumé en quatre vers :

Il suffit d'Iéna pour entrer à Berlin,
D'Arcole pour entrer à Mantoue, ô grand homme !

Lodi mène à Milan, Marengo mène à Rome,
La Moskova mène au Kremlin !

Noms de batailles et de places que complètent tous ces noms de maréchaux : Berthier, Murat, Moncey, Jourdan, Masséna, Augereau, Soult, Brune, Davout, Kellermann, Lefebvre, Oudinot, Marmont, Suchet, Gouvion Saint-Cyr, Poniatowski, et j'en oublie...

Il se peut que tant de brillantes victoires, avant la chute finale – en deux temps, la campagne de France de 1814 et, au terme des Cent Jours, Waterloo en 1815 –, aient laissé aux Français un sentiment de supériorité militaire qui se révéla néfaste à l'avenir de leur armée. De longue date, ils faisaient confiance à l'ardeur guerrière – la *furia francese* – bien plus qu'au matériel de leurs troupes. Comme le dit un spécialiste d'histoire militaire :

« L'exemple napoléonien devient écrasant et tue l'innovation tactique ou stratégique : pourquoi innover puisqu'il est parfait ? Faut-il voir là une des causes de l'étonnante sclérose de la pensée militaire française après 1815, elle-même à l'origine du désastre de 1870-1871 [2] ? »

Les défaites se révèlent plus stimulantes que les victoires. Celle de 1871 provoque le redressement. La victoire de 1918 endort. La défaite de 1940 inspirera l'ambitieuse politique de l'armement nucléaire. Il faut s'en faire une raison, la France n'est plus qu'une puissance moyenne, et son armée serait bien en peine aujourd'hui de défier le reste du monde comme le fit Napoléon. Il n'en demeure pas moins que le prestige des armes n'a cessé de se transmettre : il y eut toujours des demi-soldes pour emboucher la trompette des batailles gagnées et des défaites glorieuses.

La Troisième République a établi, en plusieurs lois militaires, l'universalité du « service ». En 1905, le

2. André Corvisier (dir.), *Histoire militaire de la France*, 4 vol., PUF, 1994.

système du tirage au sort ou des dispenses qui épargnait certains est supprimé. Le conseil de révision crée un nouveau rite. Chaque année, au chef-lieu de canton, la nouvelle « classe » est passée en revue. La majorité des jeunes gens sont déclarés « bons pour le service ». Il s'agit pour eux d'un brevet de virilité. Certains masquent leurs tares ou infirmités, de peur de ne plus pouvoir trouver femme en cas de réforme. Ce conseil de révision est suivi d'une fête. Les conscrits, cocarde tricolore à la boutonnière, organisent un charivari suivi de libations mémorables. « Vive la classe ! » Nouveau rite de passage, laïque et civique, le conseil de révision fait entrer définitivement le jeune homme dans l'âge adulte. Le service – de deux ans ou de trois ans – achève d'intégrer la nouvelle génération au corps social. L'institution paraît aujourd'hui démodée, inefficace, peu appropriée aux nouveaux types de conflits. Pourtant, quand Jacques Chirac s'élève pour proposer la suppression du service militaire obligatoire, beaucoup s'indignent, car il est toujours censé être une école de civisme, le carrefour égalitaire des classes sociales et des origines régionales, et, plus encore peut-être, le passage exigé de celui qui veut devenir « un homme ». Les doctrinaires de gauche comme de droite ont concouru à faire de la caserne, après l'école, le vaste creuset de l'unification nationale ; l'adjudant-chef, relais de l'instituteur.

Le système de la conscription obligatoire a provoqué l'antimilitarisme. La France est riche d'une culture littéraire, chansonnière et politique qui impute à l'armée toutes les turpitudes. Abel Hermant, Rémy de Gourmont, Octave Mirbeau et quelques autres avaient ouvert le feu. La presse anarchiste et socialiste consacra des rubriques régulières aux méfaits de la caserne, d'autant que la troupe était aussi utilisée pour réprimer les grèves ouvrières. Gustave Hervé, socialiste, professeur d'histoire, fut révoqué de son lycée pour avoir écrit un article dans lequel il suggérait qu'on enfonçât, lors de l'anniversaire de la bataille de Wagram, le drapeau tricolore dans le fumier de chaque caserne. A la suite de cet éclat, il commença une carrière de journaliste à la tête de *La Guerre sociale*, qui tirait à boulets rouges contre le patriotisme, contre l'armée, contre le service militaire, ce qui valut à Hervé quelques séjours en prison. En 1912, il craqua. A la sortie d'un nouvel emprisonnement, on l'a dit, il rallia l'idée de patrie. Fini l'antimilitarisme, Hervé devint aussi prompt à flatter le drapeau qu'il l'avait été à le souiller !

D'autres, cependant, avaient pris le relais. Les massacres de la guerre de 1914-1918 encouragèrent l'opinion au pacifisme. Le métier des armes, célébré à la veille de 1914 (qu'on pense à Ernest Psichari, à Charles Péguy, au maréchal Lyautey...), commence à être délaissé. La confiance nouvelle dans le mythe de la sécurité collective convient parfaitement à une nation exsangue, quoique victorieuse. Les menaces lancées par Hitler ne sont pas perçues dans l'immédiat. Au nouvel effort de guerre, l'esprit public se refuse. En décembre 1934, Albert Bayet écrit que « laïcs et pacifistes nous voulons une entente avec l'Allemagne même hitlérienne ». Le ton était donné. La « grande Culbute » (Bernanos) de 1940 démontra à l'envi la médiocrité du commandement français.

Cette défaite a été une blessure qu'on peut dire à jamais ouverte. En quelques semaines, la France qui s'imaginait avoir toujours la meilleure armée du monde était mise hors de combat. Conséquence dérisoire : c'est un ancien ministre de la Guerre attardé dans des conceptions stratégiques obsolètes, le vieux maréchal Pétain, qui prenait alors les rênes du pouvoir politique. Comme si, par une suprême ruse machiavélienne, la nullité de l'École de guerre française était le plus court chemin qui mène au sommet de l'État.

De cette armée défaite, des officiers et des hommes de troupe sauvèrent l'honneur en participant aux combats de la France libre et de la Résistance, mais l'institution militaire était décriée. Les guerres de décolonisation qui suivirent, d'abord en Indochine, puis en Algérie, ont encore ajouté à l'humiliation de 1940. Selon l'explication facile, déjà répandue par Pétain après l'armistice et selon laquelle les militaires avaient été trahis par les politiques, la défaite de Diên Biên Phu fut attribuée au pouvoir chancelant de la Quatrième République. Une nouvelle génération d'officiers jura qu'on ne l'y prendrait plus. Elle crut trouver l'occasion d'une revanche éclatante en Algérie, terre française, qui devait rester française. Pour la première fois depuis le coup d'État de Louis Napoléon Bonaparte, l'armée sortit de ses gonds et de ses silences. Elle soutint l'émeute du 13 mai 1958 à Alger contre le pouvoir légitime de Paris, et apporta ainsi sa caution à la nouvelle république installée par le général de Gaulle. Mais celui-ci dut ensuite se retourner contre elle, pour lui imposer la seule solution compatible avec les exigences de la réalité : donner l'indépendance à l'Algérie. L'appel au Soldat avait restauré de Gaulle, mais n'avait pas suffi à désarmer l'intransigeance des défenseurs de l'Algérie française.

L'épisode du putsch des généraux, en avril 1961, rappela à la sédition galonnée que l'armée, c'était aussi le contingent, et que celui-ci n'était pas disposé au pronunciamiento. Dans la plupart des casernes d'Algérie, les soldats, bien informés des résolutions du chef de l'État grâce à la radio, refusèrent de suivre les putschistes. Dès lors, on sut que les ultimes combats en faveur d'une Algérie à garder française étaient vains. Une armée purement professionnelle aurait sans doute donné plus de fil à retordre au gouvernement qui avait opté pour la fin des combats. Les appelés, impatients d'avoir « la quille », ne se sentirent nullement solidaires de ces officiers qui vivaient une autre histoire.

Aujourd'hui, on ne voit plus de soldats dans les rues. Les militaires du contingent ont obtenu la faveur de porter leurs habits civils dès la porte de la caserne franchie pour la permission. Seuls quelques officiers sont encore repérables à Paris, entre l'École militaire et la rue Saint-Dominique. La guerre s'est éloignée de nous. Quand elle se produit, au loin, comme en 1991 au Koweït, les caméras de télévision s'empressent de filmer les adieux déchirants des combattants qui s'éloignent de leurs familles, comme si faire la guerre était devenu pour des militaires de carrière une chose incongrue. Vigny écrivait au siècle dernier : « L'existence du soldat est (après la peine de mort) la trace la plus douloureuse de barbarie qui subsiste parmi les hommes. » Nous serions prêts à le croire s'il n'y avait tant de conflits armés à travers le monde. Mais la mort du soldat nous est devenue une idée insupportable. Notre niveau de vie, le confort dont jouit la majorité des Français, les victoires de la médecine sur la souffrance et sur la mort elle-même, toute la civilisation moderne paraît, en effet, s'opposer à la barbarie guerrière. En même temps, l'armée est de plus en plus technique et abstraite. Le corps à corps est devenu rare. Le projet de « guerre des étoiles » reculait encore dans l'espace les affrontements éventuels entre puissances. Tout se passe comme si, depuis l'annonce d'une apocalypse nucléaire possible, la professionnalisation des armées était rendue inéluctable, au détriment de l'armée nationale de jadis.

Le débat est d'actualité. Les enquêtes d'opinion démontrent que les Français sont, en majorité, favorables à une armée de métier. Les gouvernements qui se succèdent s'y sont refusés, jusqu'à l'élection de J. Chirac, comme s'ils sentaient qu'en accédant à ce vœu populaire et en enterrant l'armée traditionnelle, ils consentiraient à la mort d'une certaine idée de la France.

Un essayiste allemand a brocardé le « phallus nucléaire » des Français. Lorsque Jacques Chirac entreprit, en 1995, d'achever la série des essais nucléaires de Mururoa, l'opinion internationale – indulgente à l'égard des autres puissances « atomiques » – stigmatisa notre gouvernement, parfois de manière hystérique. Au prix Nobel de littérature japonais Kenzaburô Ôe, accusateur, Claude Simon, autre prix Nobel, ancien combattant de la Seconde Guerre mondiale, répliqua par des mots simples :

« Ce que, pour ma part, je sais pour en avoir souffert dans mon corps et dans mon esprit, c'est que, dans les années qui ont précédé la dernière guerre, un fort courant était, dans mon pays, “ pacifiste ”, et s'opposait farouchement à tout programme d'armement. [...] Toujours est-il qu'en résultat de toutes ces bonnes intentions j'ai, au mois de mai 1940, été envoyé, ainsi que des milliers de mes camarades, dérisoirement armé d'un sabre et d'un mousqueton, non moins dérisoirement monté sur un cheval et sans couverture aérienne, affronter en toute première ligne et en rase campagne des blindés et des avions.

« Je suis maintenant un très vieil homme et n'ai guère plus d'autre horizon à plus ou moins brève échéance que la mort. Je n'ai pas d'enfants, mais je ne voudrais pas que de jeunes Français aient à subir ce que j'ai enduré, ni mon pays une nouvelle occupation. Tout (et par “ tout ” j'entends toute mesure crédible de défense ou de dissuasion) plutôt que cela [3]. »

Je ne sais si les essais français du Pacifique étaient indispensables. J'y vois en tout cas le signe d'une volonté de défense nationale, qui puise à la fois dans la tradition gaullienne et dans le souvenir de 1940 – mais c'est tout un. Il n'y a pas de société qui ne

3. Claude Simon, « Cher Kenzaburô Ôe », *Le Monde*, 21 septembre 1995.

doive assurer sa survie contre la menace extérieure, celle-ci fût-elle devenue des plus vagues. C'est ce que bien des Français, abusés par un demi-siècle de paix internationale approximative, se refusent d'admettre.

Déjà, il est vrai, une défense purement « nationale » a de moins en moins de sens. Non seulement l'armée française dépend – sur les plans politique et stratégique – de l'Alliance atlantique et de l'OTAN, mais on imagine mal que sa force de dissuasion puisse être réservée à l'Hexagone dans une Europe en construction. S'il est louable que la France songe encore à une sécurité extérieure que ses voisins ont tendance à négliger, elle ne pourra la rendre efficace et cohérente que dans une conception européenne. Nous n'y sommes pas encore.

17

De Gaulle, notre dernier totem

C'est de l'armée qu'est sorti notre dernier grand homme, Charles de Gaulle. Il est un peu comme la tour Eiffel : personne n'en voulait quand elle fut édifiée, et aujourd'hui personne n'imagine Paris sans les trois cents mètres qui le surplombent. De même le Général. Tout le monde lui tirait dessus de son vivant, y compris au pistolet-mitrailleur, et maintenant sa mémoire fait l'unanimité. C'est ainsi que tous les dimanches, en allant pratiquer mon sport hebdomadaire, je passe en voiture par une commune de la banlieue sud, dont la municipalité est communiste depuis des lustres, et par une « place Charles-de-Gaulle » ornée d'un buste sculpté en l'honneur de celui qui fut si souvent l'objet des attaques les plus vives de la part de *L'Humanité*. Staline passe, et Lénine même, de Gaulle s'impose à tous.

Je dois confesser avoir suivi une pente sentimentale parallèle à l'égard du fondateur de la Cinquième République. En 1958, j'avais déjà lu le premier tome des *Mémoires de guerre*. Son auteur m'apparaissait alors comme un personnage légendaire, dont l'histoire magnifique était close. Il lui appartenait alors, reclus à La Boisserie, d'achever son œuvre écrite : il avait fait son temps. Il revint néanmoins, porté au pouvoir par les émeutiers d'Alger soutenus par les généraux Massu, Salan et quelques autres, grâce aux talents manœuvriers de quelques fidèles qui eurent l'esprit d'avancer la solution de Gaulle au moment où la sécession menaçait entre l'Algérie et la métropole. Je fus outré, quoique admiratif, de la façon dont l'ancien chef de la France libre sut utiliser la cause des pieds-noirs et des officiers politisés pour se remettre en selle. De Gaulle était donc, lui aussi, un factieux ! La presse de gauche que je lisais faisait des parallèles avec l'Italie de 1922 : le fascisme était alors promis aux Français.

La nouvelle Constitution qu'il proposa au suffrage populaire apparut inacceptable à mes vingt ans farouches, et ce fut pis quand il fit amender par le référendum du 28 octobre 1962 l'article 6, au nom duquel désormais le président de la République était élu au suffrage universel direct. Étudiant en histoire, j'étais sensible à tous les arguments qui peignaient de Gaulle sous les traits d'un nouveau Bonaparte réduisant au minimum décent le rôle des parlementaires et s'octroyant en tant que chef de l'exécutif la réalité des pouvoirs.

Pourtant, en 1962, de Gaulle n'était déjà plus dans mon esprit ce qu'il représentait en 1958. Entretemps, au mois de mars précédent, il avait mis fin à l'interminable guerre d'Algérie, après avoir bravé la résistance de ses cadets galonnés. Au fond, la gauche intellectuelle, dont je lisais les œuvres hebdomadaires et mensuelles, s'était largement fourvoyée. En 1958, elle avait annoncé le pire : le Général, prisonnier des colonels de coup d'État, ne pouvait rien faire que leurs quatre volontés, et d'abord garder l'Algérie « française ». Ce volontarisme puisait à des sources généreuses. Les jeunes officiers notamment étaient enclins à toutes les utopies sociales en faveur des colonisés. Oui, les Algériens avaient été exploités, mais ce serait fini, ils auraient la faculté de devenir des citoyens à part entière. Un rêve de colonisation idéale, d'intégration définitive, une réparation historique grandiose, dont la « fraternisation » était le mot clé. Il y avait, bien sûr, les cyniques, pour lesquels tous les moyens étaient bons pour rester là-bas. Il y avait aussi les mystiques, s'imaginant livrer en Afrique du Nord une partie de la guerre contre le Diable soviétique. Il y avait surtout ceux qui voulaient être fidèles à leur serment : ils étaient là pour défendre une terre française, et les politiciens ne les en délogeraient pas comme en Indochine.

Ce ne fut pas une mince affaire, pour de Gaulle, que d'affronter sa propre famille, largement sortie du moule de Saint-Cyr dont il était lui-même issu. La différence entre de Gaulle et tous les valeureux de l'Algérie française, c'est qu'il avait, lui, la tête politique. Il savait que l'Algérie n'était pas une terre française, au sens commun du mot, puisque 9/10 de sa population étaient d'une autre culture, d'une autre religion, d'un autre niveau de vie et d'éducation, et que, tout naturellement, comme sur tous les continents où l'homme blanc avait soumis des indigènes par la colonisation, une patrie algérienne, une nation algérienne avait fini par prendre corps. L'histoire de la colonisation, qui avait eu ses heures de grandeur (il serait vain de n'en voir que la dimension ténébreuse), cette histoire se terminait. De Gaulle en était conscient dès 1958. Il essaya d'abord une solution transitoire : la Communauté, vague imitation du Commonwealth. L'Afrique noire, la Guinée mise à part, en accepta le principe. L'Algérie pourrait ainsi y prendre place, y marquer son autonomie, sans être pour autant détachée de ses liens avec la France. La Communauté fit long feu : en 1960, les États de l'Afrique noire française devenaient tour à tour indépendants. Qu'est-ce qui pouvait empêcher l'Algérie de suivre leur exemple ?

De Gaulle, en bon disciple de Machiavel, avait saisi la *nécessité*, c'est-à-dire le mouvement lourd de l'histoire auquel on ne pouvait s'opposer à moins de se lancer dans une fuite en avant mortifère pour le pays. Il lui fallut encore beaucoup de temps pour amener ses adversaires à résipiscence. Il y parvint, et nous pensions bien qu'il était alors le seul qui disposât de l'autorité suffisante pour le faire. Le 19 mars 1962, nous fûmes soulagés, la guerre était finie.

A vrai dire, elle n'était pas tout à fait finie. La résistance de l'OAS, soutenue par la majorité des pieds-noirs, les combats du printemps, les attentats, les fusillades, le départ massif des Français d'Algérie, l'abandon des harkis... Les mois qui suivirent les accords d'Évian ne sont pas des plus glorieux – pour personne. Les pieds-noirs en garderont une rancune tenace à de Gaulle, supposé avoir trahi ses promesses. Le métropolitain que je suis est à l'aise pour juger de leur « innocence » : je n'avais rien à risquer, j'avais tout à gagner à la fin de ce conflit. De Gaulle, à mon avis, a eu raison, politiquement parlant, mais, comme en d'autres circonstances, il n'a pas su trouver les mots qui s'imposaient pour parler à ces compatriotes arrachés à leur terre, à leur ville natale, aux tombes des leurs, à leurs souvenirs, et, pour les plus âgés, à leur vie même. De Gaulle n'était pas un sentimental. Ses sentiments, son affection, il les réservait à la France.

Jamais sans doute on n'avait vu chef d'État personnifier à ce point l'idée abstraite de la patrie. Les premières phrases de ses *Mémoires de guerre* en disent long sur son imaginaire, si propice à idéaliser la France, au détriment de la société concrète des Français :

« Toute ma vie, je me suis fait une certaine idée de la France. Le sentiment me l'inspire aussi bien que la raison. Ce qu'il y a, en moi, d'affectif imagine naturellement la France, telle la princesse des contes ou la madone aux fresques des murs, comme vouée à une destinée éminente et exceptionnelle. J'ai, d'instinct, l'impression que la Providence l'a créée pour des succès achevés ou des malheurs exemplaires. S'il advient que la médiocrité marque, pourtant, ses faits et gestes, j'en éprouve la sensation d'une absurde anomalie, imputable aux fautes des Français, mais non au génie de la patrie. »

Nous l'avons dit : la France existe en dehors des Français. De Gaulle n'était pas le premier à le dire. Jamais cependant on n'avait lu sous la plume d'un homme d'État l'expression aussi nettement platonicienne de l'idée de la France. Une idée pure, immatérielle, un rêve construit au temps de sa jeunesse et qu'il ne se lassera jamais de nourrir. Les Français, eux, pouvaient faillir comme tous les hommes, se montrer tantôt vaillants et tantôt pusillanimes. Quoi qu'ils fissent, ils ne pouvaient altérer le « génie de la patrie ». Dans les cas de défaillance trop grande, comme en 1940, Charles de Gaulle en serait à lui seul l'incarnation.

En quatre années de guerre et par trois coups d'éclat, de Gaulle a assis sa légitimité historique. L'Appel lancé de Londres, le 18 juin 1940, a fondé sa gloire initiale. En pleine débâcle, alors que le nouveau président du Conseil, le maréchal Pétain, a demandé aux Allemands les conditions d'un armistice, le général de Gaulle, obscur sous-secrétaire d'État dans le cabinet Reynaud, embarqué la veille pour l'Angleterre, annonce aux Français que la guerre n'est pas finie, car c'est « une guerre mondiale ». Le mot clé est prononcé dès ce premier appel : « Quoi qu'il arrive, la flamme de la résistance ne doit pas s'éteindre et ne s'éteindra pas. »

Un espoir fou pour les esprits forts, une chimère pour les spéculatifs, une bêtise pour les réalistes. La suite de l'histoire donne magistralement raison à de Gaulle : Hitler échoue à réduire l'Angleterre, et en 1941 la guerre devient, de fait, planétaire. Encore fallait-il que la prescience gaullienne fût complétée par une action efficace. L'Appel eût pu rester dans les mémoires au niveau d'un symbole ; il entra au contraire dans l'histoire comme le signal d'une politique résolue. De Gaulle releva en effet par la suite deux défis de poids. Il réussit d'abord à regrouper l'ensemble des forces françaises de résistance sous son autorité. Acceptant de pactiser avec les communistes, au moment où l'ennemi principal s'appelait Hitler, il imposa l'unité, quelles que fussent les arrière-pensées des uns et des autres. Le CNR, créé par Jean Moulin, en fut un des instruments, de même que le Comité français de libération nationale, laissant place au Gouvernement provisoire de la République française à trois jours du débarquement en Normandie.

Encore fallait-il que la légitimité du général de Gaulle fût reconnue par les Alliés. Le président Roosevelt, qui avait eu si souvent maille à partir avec ce saint-cyrien qu'il prenait pour un apprenti dictateur, n'y était nullement disposé. Une fois le pied en France, les Américains entendaient administrer eux-mêmes ce pays libéré par leurs soins. Le 14 juin, après avoir débarqué sur la plage de Courseulles, de Gaulle installe François Coulet comme commissaire de la République à Bayeux. Roosevelt doit s'incliner devant le fait accompli : la France a un gouvernement.

Un ami, qui soutient que les « grands hommes » sont inutiles, me dit : « Et alors ? » La geste gaullienne est belle, certes, mais était-elle nécessaire ? Sans l'Appel du 18 juin, rien n'eût été changé en profondeur, car la France ne joua qu'un rôle subsidiaire, modeste, infime, dans la fin de la guerre. Elle aurait repris sa place, devenue modeste, dans le concert des nations, comme les autres pays de l'Europe occidentale... De Gaulle n'a-t-il pas servi surtout à nous illusionner sur notre propre compte ? Voyez, me dit-il, ce discours qu'il prononce à l'Hôtel de Ville, le 25 août 1944 : « Paris, Paris outragé, Paris brisé, Paris martyrisé, mais Paris libéré, libéré par lui-même, libéré par son peuple, avec le concours des Armées de la France, avec l'appui et le concours de la France tout entière... » C'est à se demander si les Américains, les Britanniques, les Canadiens, et, sur l'autre front, les Soviétiques, ont compté pour quelque chose dans la libération de la capitale.

Il n'est pas douteux que de Gaulle a consciemment surévalué la part prise par la France dans sa propre libération. Mais ce discours optimiste lui a permis de replacer son pays au rang des « grands », au rang des vainqueurs, de lui obtenir sa participation dans l'occupation de l'Allemagne, et un siège parmi les cinq membres permanents du Conseil de sécurité de l'ONU, bref de n'être pas rabaissée. Les Français avaient connu la honte du régime de Vichy ; de Gaulle leur fit oublier cette faiblesse ou cette complaisance. Il haussa les Français au niveau de la minorité résistante, fixant la collaboration avec l'Allemagne hitlérienne dans une petite minorité d'indignes. De Gaulle redonna leur fierté aux Français.

Il n'était pas l'homme du ressentiment, mais du rassemblement. Ce dernier mot, qui devait être le premier du mouvement RPF qu'il lança en 1947, est le terme majeur de sa philosophie politique. On y retrouve deux tendances convergentes, l'idée monarchique et l'idée jacobine. L'idée monarchique, c'est que la voix de la France est une ; c'est celle d'un homme représentant tous les autres, élu par la Providence ou par le suffrage populaire ; c'est la voix du général de Gaulle, en face de Roosevelt, en face de Churchill, en face de Staline... L'idée jacobine, c'est celle de la volonté générale, c'est le refus des factions, le mépris des intérêts privés. Il n'y a qu'une France, il n'y a qu'un peuple français. Uni, celui-ci n'a pas d'équivalent dans le monde. Désuni, il est en proie à toutes les déchéances. Préserver l'unité à tout prix, c'est rassembler. C'est donc refuser le système des partis, qui divise ; c'est nécessairement privilégier l'exécutif, qui dirige.

De Gaulle incarne ainsi parfaitement sur le terrain politique le double, et même le triple, héritage français : monarchique, jacobin, bonapartiste. Il fut, après son retour en 1958, un roi électif, hanté par l'unité nationale, et toujours désireux d'un lien direct entre lui et le peuple. Le recours au référendum, l'élection du président au suffrage universel, mais aussi les sempiternels bains de foule auxquels il se livra, autant de pratiques qui le situent dans une tout autre famille que celle de la république parlementaire. Regardez ces photos où on le voit marcher vers son peuple, entouré, pressé, embrassé, par ces hommes et ces femmes anonymes. C'est à qui le touchera. De Gaulle était devenu un personnage sacré.

Il s'y était appliqué de tout son talent. Il avait le sens de la gravité, des mots solennels, des phrases éclatantes. Il savait aussi garder l'impassibilité des demi-dieux. Le 26 août 1944, le général de Gaulle se rend à Notre-Dame de Paris pour le *Te Deum* de la libération. A peine descendu de sa voiture décapotable, il doit essuyer les coups de feu de miliciens et de soldats allemands réfugiés sur les toits. Dans la cathédrale même, les tireurs continuent. Les assistants se baissent, se couchent, s'aplatissent. De Gaulle reste inflexible, comme assuré du droit divin de poursuivre son action. Plus tard, sous la Cinquième République, ses apparitions à la télévision, ses conférences de presse à l'Élysée, seront empreintes de la même dignité, auquel il ajouta le goût royal de l'étiquette.

Sans de Gaulle, quel serait aujourd'hui le niveau de vie des Français ? Seraient-ils plus heureux, moins heureux ? Mon ami réaliste reste sceptique. Voyez les Belges, me dit-il, ou les Italiens, ou les autres Européens, qui n'ont jamais eu de général de Gaulle : en quoi se portent-ils moins bien que nous ? De Gaulle nous aura servi à dépenser des sommes folles pour garder un rang purement imaginaire : l'armement nucléaire, en particulier. Ces arguments sont de poids, mais je demande à celui qui me les formule s'il rêve d'un bonheur suisse.

Tout le monde, ou presque, aime ou admire de Gaulle rétrospectivement parce que sa personne et sa vie dépassent notre horizon familier, les chiffres de la croissance et les courbes du chômage, les feuilletons de la télé et les médiocres empoignades des politiciens. Plus grand encore mort que vivant, il offre aux Français la référence d'une splendeur perdue – et qu'il voulait sauver. Conscients d'être entraînés sur la pente fatale de la banalisation, nous rêvons, grâce à lui, d'« une certaine idée de la France », comme des poètes devenus comptables qui, entre deux additions, grattent encore les cordes de la lyre.

18

La gauche ne sait plus qui elle est

L'arrivée au pouvoir du général de Gaulle a perturbé un temps une belle symétrie : une gauche qui assimile sa cause à celle de l'humanité et une droite qui a pour vocation de soutenir des intérêts de classe. Voilà du moins comment on se représentait les choses en théorie. La droite gouvernait un peu honteusement, tandis que la gauche s'épanouissait dans l'opposition, forte d'une double légitimité, morale et intellectuelle. La fin de l'ère gaullienne permit à la gauche, un moment désarçonnée, de reprendre la direction des espérances populaires. Las ! Près d'un quart de siècle après la disparition du Général, elle tremble sur ses fondations. C'est qu'entre-temps l'épreuve du pouvoir est venue infliger de douloureux correctifs à ses illusions, tout en offrant bien des sujets d'amertume à ses électeurs.

De longue date, l'homme de gauche a acquis une conviction, c'est que la droite existe. Sous ce nom il désigne la famille nombreuse des réactionnaires, des conservateurs, des fascistes, de tous ceux qui, d'une manière ou d'une autre, participent à l'exploitation de l'homme par l'homme. « Dans une société fondée sur l'exploitation, l'opposition est radicale entre les hommes qui veulent supprimer l'oppression et ceux qui veulent la perpétuer ; ces derniers ont intérêt à affirmer l'harmonie du monde tel qu'il est, donc à camoufler la division qui le déchire : la droite déclare volontiers que la distinction entre droite et gauche n'a jamais eu de sens ou tout au moins n'en a plus [1]. »

Cette dernière assertion reprise du philosophe Alain est une constante. L'homme de gauche s'assume en tant qu'homme de gauche ; l'homme de droite nie la droite.

En fait, les choses sont un peu plus compliquées que cela. Il y a toujours eu une droite qui s'est assumée en tant que droite. Et aujourd'hui le mot « droite » n'a plus la connotation péjorative de jadis. Depuis les années 1984-1985, alors que la gauche présidait et gouvernait, l'opposition a commencé à accepter l'idée simple que si la gauche était au pouvoir, l'opposition était probablement la droite. Dans l'hémicycle du Palais-Bourbon, c'était d'une géométrie incontestable. Comme la gauche mitterrandienne cessa vite, une fois au pouvoir, de bénéficier de la faveur populaire, l'opposition accepta d'autant mieux d'être la « droite ». La sacralisation de la « gauche » souffrait de l'épreuve du pouvoir.

Cette évolution est récente. Pendant longtemps, la « droite » a été – sémantiquement – discréditée. La raison en est simple : au début de la Troisième République, quand le régime restait encore mal assis, la droite était l'ensemble des forces conservatrices opposées au régime républicain et à la culture issue de la Révolution. La défaite historique de la droite, entre 1875 et 1879, l'établissement durable du régime républicain, et, plus tard, la marque d'infamie dont le régime de Vichy a été flétri, ont déclassé le terme de droite, quand bien même une droite, en se métamorphosant, continuait d'exister. Il en résulta un étrange phénomène, désigné entre les deux guerres du nom de *sinistrisme* par Albert Thibaudet, cette tendance de tant de groupes parlementaires, à la Chambre et au Sénat, à intégrer le mot « gauche »

1. Claude Lanzmann, « L'homme de gauche » in *Les Temps modernes* , n° 112-113, 1955.

dans leur dénomination, alors qu'ils siégeaient à droite.

Pour Thibaudet, ce « mouvement sinistrogyre » avait commencé dans les années suivant la révolution de 1830, quand s'opposèrent le parti de la *résistance* – c'est-à-dire les défenseurs des intérêts de la bourgeoisie – et le parti du *mouvement* – qui regroupait les partisans des réformes. C'est seulement à la fin du siècle dernier que les termes de gauche et de droite, issus pourtant de la Révolution de 1789, finirent par s'établir et à être employés communément. La victoire électorale en 1902 du « Bloc des Gauches » en est un bon repère.

Cependant, la gauche était alors et elle resta longtemps peu attentive à la notion d'« exploitation » qu'emploie Claude Lanzmann – notion due aux doctrines socialistes. Le socialisme n'était qu'une composante minoritaire de la gauche, qui s'affirmait d'abord républicaine et anticléricale. L'ennemi de la gauche n'était pas « l'exploiteur capitaliste », dans une société d'économie encore largement précapitaliste, c'était toujours le cléricalisme, c'est-à-dire la prétention de l'Église catholique à régenter les affaires de la Cité aussi bien que de contrôler la vie des individus et des familles. L'affaire Dreyfus qui venait de s'achever avait mis en relief le rôle des congrégations religieuses dans la bataille des nationalistes et des antisémites : il ne faisait pas de doute aux yeux des « républicains » que l'Église demeurait le pôle le plus actif de l'hostilité au régime de la liberté et de l'égalité.

Il ne faut pas négliger cette longue concrétion des familles politiques. Tout au long du siècle dernier, ce fut moins le patron qui divisa que le prêtre. Les candidats députés ne se partageaient pas sur les affaires d'ici-bas, mais sur celles de l'au-delà. Les protestants fournirent ainsi, avec les Juifs et les libres penseurs, une bonne partie de son personnel à la république.

La ligne de démarcation sur la question religieuse resta longtemps la plus visible. La gauche, qui se revendiquait le parti du progrès, rejetait la droite dans l'obscurantisme.

La lecture de la vie politique à travers le prisme du socio-économique (les revenus, les niveaux de vie, les patrimoines) conduit ainsi à des analyses erronées. Non qu'il n'y ait pas de vérité à dire que les puissances d'argent pèsent plus lourd à droite, ou que les salariés de rang modeste votent plus volontiers à gauche, mais la dualité droite-gauche ne peut être réductible à une échelle des revenus. Supposer qu'au-dessous d'un certain niveau de richesse, ou qu'à partir d'un certain niveau de pauvreté, on devrait nécessairement voter à gauche est une erreur. François Mitterrand et les socialistes, au début des années 1980, se réjouissaient que la « gauche sociologique » correspondît enfin à la « gauche politique » – ce qui est, pour qui connaît l'histoire des idées, un non-sens. Les potentialités de la gauche et de la droite ne sont pas en rapport direct avec les catégories socio-professionnelles. Si la droite était seulement le parti des riches, la gauche pourrait s'endormir au pouvoir.

Mon père, que j'ai déjà évoqué comme fervent catholique, n'a jamais eu ni sou ni maille. N'ayant pu trouver de place sur une terre familiale surpeuplée, il fit, une fois installé dans la région parisienne, trente-six métiers, avant de se fixer comme receveur d'autobus. Ce modeste employé de la TCRP [2] avait son siège fait : jamais il ne lui serait venu à l'idée de voter à gauche. Il était pourtant entouré de camarades communistes. Lorsque les grandes grèves de 1936 surgirent, il fut le seul, dans son dépôt de Malakoff, à refuser d'y participer. La grève ne faisait pas partie de son catéchisme. C'était un joli cas d'« aliénation » aux yeux de ses camarades syndiqués qui le prenaient sans doute pour un campagnard mal dégrossi – mais

2. Transports en commun de la région parisienne, avant la RATP.

lui-même jugeait les grévistes complètement abusés par la propagande du Parti. On dira que l'exemple ne vaut rien du point de vue de la statistique, puisque l'attitude de mon père était précisément unique dans son entourage. Ce serait ignorer que si exception il y avait dans ce cas de déracinement, en revanche là où des communautés catholiques restaient fortement constituées (dans son Nord flamand par exemple, dans les régions de l'Ouest, dans la bordure sud-est du Massif central, dans les Pyrénées occidentales, en Haute-Savoie, etc.), des petites gens comme lui continuaient à voter à droite, ou – ce qui serait plus exact – à voter contre la gauche, représentant l'hostilité à l'Église.

Peu à peu, il est vrai, la question religieuse est passée à l'arrière-plan. En 1936, justement, la victoire du Front populaire ne s'est nullement faite contre le catholicisme. Reste l'habitude, quand bien même les vieux conflits sont apaisés. Voter, c'est faire une déclaration d'appartenance. Je suis avec eux, je suis contre les autres. Les clientèles des partis de l'ordre ont survécu à leur tutelle cléricale, nobiliaire ou bourgeoise. Elles ont assimilé une vision du monde, que la gauche récuse. Elles sont de droite par tradition.

Le catholicisme de gauche n'est apparu qu'au cours des années 1930, encore modeste, minoritaire. Il joua un rôle certain après la Seconde Guerre mondiale, et il fut en vedette au moment de la guerre d'Algérie. Le parti communiste exerça sur beaucoup de jeunes gens issus de familles catholiques une fascination. Il était une autre Église, paraissant plus évangélique que l'autre, car entièrement vouée aux pauvres, aux opprimés, aux exploités. Le préjugé moral favorable à la gauche – cette « attirance mystique vers la gauche » dont on a souvent parlé – prévenait en faveur du communisme, dont on louait l'héroïsme pendant la Résistance, le dévouement à la cause commune, la haute idée qu'il se faisait de la cité des hommes. Certains catholiques franchirent le pas et prirent la carte du Parti. D'autres se contentèrent d'être des compagnons de route. De toute façon, le communisme, dans ses heures de gloire, entraîna beaucoup de militants catholiques à reconsidérer la politique, méprisée en général par leurs aînés. Ce nouvel impératif politique pouvait s'affirmer en dehors de tout rapprochement avec les communistes, mais ce sont eux certainement qui furent à l'origine d'une mauvaise conscience engageant à agir.

Je me souviens que le jeune catholique que j'étais à dix-huit ans confondait aisément théologie et politique : les Évangiles obligent, il fallait militer à gauche. J'étais excusable : Bossuet avait bien tiré des Écritures saintes la théorie de l'absolutisme ! Mon cas n'était pas unique. Bon nombre de prêtres que j'ai connus au milieu des années 1950, prêtres-ouvriers ou vicaires de paroisse, m'enseignaient eux-mêmes la confusion : ils étaient de gauche parce qu'ils étaient chrétiens.

Mon père était de droite parce que catholique, et moi de gauche pour la même raison. A quoi l'on mesure la supériorité des déterminants culturels sur la « vulgaire » économie. J'en dirais autant pour l'instituteur laïque fidèle au parti socialiste, et même pour tant d'ouvriers votant communiste. L'affirmation d'appartenir à un certain groupe compose des systèmes de fidélité qui se moquent des programmes et des promesses. On a son drapeau, et le jour du vote on le tire de sa poche.

L'objection qu'on fait d'ordinaire à la gauche est d'avoir précisément plusieurs drapeaux, et qu'il ne sied pas de parler d'elle au singulier. De fait, on dressera aisément la liste de ses variétés : le radicalisme, le socialisme, le communisme, le catholicisme de gauche, l'anarchisme, les gauchismes, sans parler des subdivisions infinies de la gauche intellectuelle... En certaines occasions, les différents courants de la gauche se sont unis : en 1877, derrière Gambetta et contre Mac-Mahon, en 1902, en 1935-36, en 1965, en 1972, en 1974, en 1981, en 1988... Unités d'action sans lendemain, comme si la contradiction minait de manière inéluctable un gouvernement de gauche. Jadis, les radicaux et les socialistes ne s'entendaient que le temps d'une élection. Gouverner ensemble dépassait leurs forces. Même si socialistes et communistes réussirent à gouverner trois ans ensemble, ils y laissèrent et leurs forces, et pour partie leur vertu. Quant à l'idée de transformer le parti socialiste en parti dominant de la gauche, et d'en faire enfin un parti de gouvernement, nous savons aujourd'hui son caractère prématuré.

Au fond, on peut légitimement se demander si la gauche a en France une vocation au pouvoir. Vers 1930, André Siegfried écrivait déjà, dans son *Tableau des partis en France* : « La Gauche [...] ne peut que difficilement être un parti de gouvernement, puisqu'à ses yeux l'esprit de gouvernement est au fond quelque chose de réactionnaire. Elle admettra la poigne jacobine dans une transe de salut public, mais guère davantage... »

Au-delà de ses divisions internes, la gauche est en effet affaiblie par sa propre culture, dans une société qui a largement diffusé les valeurs d'individualisme, de libéralisme, et de concurrence. Elle souffre aujourd'hui d'avoir été trop longtemps pénétrée par le socialisme. Contrairement aux autres pays industriels d'Occident, la gauche française a, par doctrine, récusé l'empirisme de la social-démocratie ou du travaillisme. Faisant du « capitalisme » son ennemi désigné, elle s'est toujours trouvée en porte à faux dès lors qu'au lendemain d'une victoire électorale elle était mise en demeure de gérer précisément la société dite capitaliste. Les réformes auxquelles elle s'adonnait passaient toujours pour insuffisantes aux yeux des maximalistes, impatients de voir enfin la révolution se produire. Léon Blum dut élaborer une théorie très raffinée des trois pouvoirs – la conquête, l'exercice et l'occupation – pour tenter de justifier un gouvernement de gauche en régime capitaliste. La conquête du pouvoir étant toujours remise aux calendes grecques, l'occupation n'étant qu'une façon d'empêcher la réaction de prendre la place, restait cet *exercice du pouvoir* selon lequel les socialistes renonçaient au socialisme, en essayant de tirer du régime en place quelques dividendes pour les prolétaires – c'était peu, par définition, et il fallait s'en excuser.

Encore dans les années 1970, François Mitterrand et le nouveau parti socialiste parlaient de la « rupture avec le capitalisme ». Une fois aux commandes, ni Mitterrand ni son gouvernement ne rompirent évidemment avec le capitalisme – ce mot diabolique destiné à rendre raison de tous nos malheurs. On se demande bien comment ils auraient pu faire. Faute de mieux, ils décrétèrent des nationalisations de banques et d'entreprises. Tout le monde put vérifier que cela ne changeait guère la situation ni du chômage ni de la croissance. La conversion des socialistes à l'économie de marché, à la culture d'entreprise et à la monnaie forte eut pour avantage de sauver notre rang économique, et pour inconvénient de sonner le glas du socialisme.

Pourtant, il serait faux, à mon sens, d'enterrer la gauche. Car celle-ci déborde, historiquement, le socialisme. Celui-ci avait cru être l'aboutissement de la Révolution française, son achèvement. De sorte que, lorsque l'économie socialiste s'effondre à l'autre bout de l'Europe, lorsque les Chinois s'appliquent aux méthodes capitalistes, la gauche française, malgré qu'elle en ait, est blessée dans sa finalité. Et les socialistes tout autant que les derniers communistes.

La chance de la gauche française est d'avoir existé avant d'être placée sous l'hégémonie marxiste ou marxisante. Elle est née de la Révolution de 1789, elle en porte les valeurs d'émancipation individuelle et de solidarité. Son désarroi vient en partie de ce que ses valeurs mêmes, à commencer par les droits de l'homme et du citoyen, sont devenues celles que tous les partis ou presque revendiquent. Elle se trouve donc sommée, en cette fin de siècle, de redéfinir son identité. Simple parti(e), elle a voulu longtemps devenir le Tout. Elle rêvait d'organiser la société selon ses principes de raison et de progrès. Il lui faut en rabattre. Accepter d'en finir avec tout historicisme, cette tendance à imaginer une fin de l'histoire dans la réconciliation finale de l'homme avec l'homme. Elle doit assumer la dimension tragique de la condition humaine et le caractère éminemment conflictuel de toute société ouverte. La gauche doit se définir comme gauche, et non pas comme Tout. Voilà pourquoi elle doit accepter l'existence de la droite, non plus comme une anomalie, un désordre momentané, un ennemi à anéantir, mais comme une autre manière de sentir, de penser le monde, et de gouverner. Elle doit s'affirmer comme candidate à l'alternance, et non comme solution définitive.

Cette révolution culturelle de la gauche française est loin d'être accomplie. Le travail proprement révisionniste du parti socialiste n'a été qu'une évolution rampante, sans éclat, sans œuvre intellectuelle majeure. La gauche ne sait pas toujours que la Révolution est terminée. Celle que nous vivons, qui est permanente, risque de se faire sans elle – à quoi la société n'aurait rien à gagner.

19

La droite à l'épreuve

En France, il y a deux droites : une droite des idées et une droite des intérêts. L'une et l'autre peuvent se confondre, en certaines occasions, chez certaines personnes, mais elles ne sont ni de même origine ni de même nature.

La droite idéologique est celle qui ne s'est jamais remise de ce qui est à ses yeux la catastrophe de 1789. Certes, il a fallu vivre, l'événement date de plus de deux siècles, et l'on s'est plus ou moins adapté. On a tout de même vu, lors du bicentenaire de la Révolution, une partie de l'opinion, encouragée par quelques magazines et quelques prophètes, se montrer ou hostile ou rétive aux cérémonies qui célébraient l'an I de notre liberté politique. Des Parisiens ont pris la clé des champs à la veille du 14 juillet, promis à de répugnantes célébrations. Pierre Chaunu, professeur émérite à l'université de Paris-Sorbonne, chroniqueur au *Figaro*, n'a pas hésité à *décrire* dans son ouvrage antirévolutionnaire, *Le Grand Déclassement*[1], ce qu'eût été le bilan de la France si elle avait été épargnée par la Révolution : « Combien la France et le monde auraient été plus nombreux, plus riches, plus beaux, plus intelligents, si on avait pu éviter ce gâchis, éviter d'emprunter vers une modernité retardée cette voie longue, contradictoire ou coûteuse. »

1. Pierre Chaunu, *Le Grand Déclassement*, Robert Laffont, 1989.

Au lendemain de la défaite de 1871, Ernest Renan écrivit un petit livre vengeur, *La Réforme intellectuelle et morale de la France*. A ses yeux, le déclin français datait des années 1840, lorsque la montée du matérialisme et de la démocratie s'imposa à la société ; il précisait, en remontant plus haut : « Le jour où la France coupa la tête à son roi, elle commit un suicide. » Tel est bien l'avis de Pierre Chaunu : « En 1815, écrit-il, la France est définitivement déclassée. » Que l'argument soit de l'ordre économique, politique, militaire, religieux, ou culturel, la conviction de l'homme de droite est que le « mal français » sort tout droit de la Révolution, la suite n'étant que l'enchaînement de ses conséquences nécessaires.

Pour être juste avec la mémoire de Renan, il faut tout de même ajouter que sa pensée politique a été sujette à variations. Dans ses *Souvenirs d'enfance et de jeunesse*, il nous dit qu'il avait pris de sa mère « un goût invincible pour la révolution ». Il avait beau l'avoir attaquée dans ses écrits, « depuis, ajoutait-il, que je vois l'espèce de rage avec laquelle des écrivains étrangers cherchent à prouver que la Révolution française n'a été que honte, folie, et qu'elle constitue un fait sans importance dans l'histoire du monde, je commence à croire que c'est peut-être ce que nous avons fait de mieux, puisqu'on en est si jaloux ». En quoi Renan démontre qu'il n'est pas tout à fait le conservateur qu'on dit.

Reste cette évidence : pour la droite idéologique, un ordre naturel a été brisé par la prétention malfaisante du génie abstrait des Lumières. A l'univers régi par une hiérarchie des fonctions et des services qu'une longue histoire avait constituée sous l'inspiration de la Providence, on a tenté de substituer le règne du nombre fondé sur la chimère de l'humanisme, comme si l'Homme – l'homme seul, l'homme universel, l'homme nu – existait. A la société organique d'Ancien Régime, on a substitué l'individualisme, qui porte en lui la destruction du corps social. Les Français n'ont cessé d'expier la décollation de Louis XVI, tout y commence, tout y revient.

La droite idéologique peut éventuellement s'émanciper du Ciel. La tentative intellectuelle d'un Maurras a été précisément de rationaliser la contre-Révolution, en mettant Dieu entre parenthèses, sinon l'Église catholique, dont il appréciait les fonctions sociales et politiques. L'homme de droite athée ne croira donc pas au péché originel, mais il se montrera tout aussi pessimiste sur la nature humaine et sur l'état de la France. L'homme est un loup pour l'homme ; la démocratie libérale est le régime des loups en liberté.

L'idée majeure, l'idée centrale de cette droite idéologique, c'est la conviction que notre pays est entré dans une irrépressible décadence. Les esprits qui en sont le plus pénétrés sont rarement des têtes politiques. Pour agir, il faut un minimum de ressort, et croire au retour du printemps malgré la nuit de l'hiver. Eux se contentent de proférer des sentences lugubres, des discours apocalyptiques, des maximes définitives sur l'inutilité de toute chose avant le Jugement dernier. Ils manifestent un scepticisme de vaincus que chaque nouvel épisode de l'histoire confirme dans leur défaitisme radical. Ils s'attachent à des choses frivoles – collections de timbres ou de papillons – et se détachent de toute complicité avec la moindre espérance de restauration. Leur monde est derrière eux ; ils se surprennent d'exister encore.

Le pessimisme, cependant, peut servir la *réaction*. C'est l'idée que des malheurs extrêmes peut naître la rédemption. Un de nos contemporains, Michel Mohrt, a publié en 1942 un petit livre plein d'enseignements à ce sujet, *Les Intellectuels devant la défaite de 1870*. On voit l'intérêt de l'exercice : il s'agissait de suggérer la comparaison entre les défaites de 1870 et de 1940. Taine nous y est présenté comme « l'intellectuel le plus représentatif de sa génération ». Ce pessimiste, très affecté par les événements de 1871 (la défaite et la Commune), réagit. « Le mot *réaction* doit ici être pris dans son sens le plus plein. Les vingt années que Taine vécut après 1870 furent une longue réaction de tout son être contre les mœurs qui avaient provoqué le désastre. »

L'homme de la droite idéologique est pénétré par cette révélation, que la France est sur une pente fatale. L'explication en est fruste ou sophistiquée, mais le résultat est le même dans les consciences. Il fut un temps où tout était mieux, où tout était dans l'ordre, où chacun était à sa place. Les maîtres étaient des maîtres, et les serviteurs heureux de les servir. La conception aristocratique de la société autorisait l'existence d'une véritable élite. La conception démocratique ne permet que le triomphe d'une ploutocratie, en général d'origine juive ou/et étrangère. L'homme de droite, dans ces conditions, se définit surtout par ses nostalgies : nostalgie du roi, nostalgie de l'ancienne France, nostalgie des colonies, nostalgie suprême de l'enfance. Il ne hait rien tant que le présent, où triomphent les vulgarités de la masse ; il adule un passé, qu'il a vaguement connu au temps des culottes courtes, qu'il a surtout imaginé à travers les légendes familiales ou les lectures de l'adolescence.

Cette société des vaincus occupe une certaine place en France, elle publie des livres, elle se diversifie entre les réunions royalistes, les messes en latin à Saint-Nicolas-du-Chardonnet, les sociétés d'héraldique et de généalogie, les défenseurs de l'école catholique, quelques clubs *select* où l'on tente de préserver un ancien art de vivre, certains organes de presse – dont le quotidien *Présent* est le parangon – où l'on n'en finit pas de fustiger le monde moderne... Jean-Marie Le Pen a pu bénéficier de ses faveurs, mais moins que Philippe de Villiers, coqueluche des beaux quartiers et vengeur de la Vendée.

Entre les deux guerres et sous l'Occupation, la droite idéologique, dans l'incapacité où elle se révélait de rétablir Dieu au-dessus de nous, a été tentée par le Diable. L'aile païenne a parfois débordé le centre catholique qui s'accommodait trop bien du régime pétainiste. Elle a pu trouver Hitler à son goût. Un Rebatet, un Brasillach, un Drieu la Rochelle lui ont donné le goût du soufre. C'est la part maudite, le jusqu'où-l'on-peut-aller-trop-loin, l'asservissement masochiste au vainqueur/allié qui fait encore rêver bien des têtes adolescentes, fascinées par l'attitude provocatrice des damnés et des condamnés. L'homme de droite entretient des sentiments ambigus avec cet Enfer, comme on appelait jadis la salle de la Bibliothèque nationale où étaient rassemblés les livres licencieux : répugnance et attrait. Sa bibliothèque personnelle en témoigne d'ordinaire, les pestiférés y sont en bonne place.

La droite plus ordinaire ne communie pas dans ces messes noires. Elle est avant tout réaliste. Elle n'est pas née d'une insurrection de l'esprit contre l'œuvre de la Révolution ; elle a même pu en être la première bénéficiaire. Monarchie absolue, monarchie limitée, république parlementaire, au fond cette succession de régimes n'avait pour elle d'intérêt que dans la juste mesure de ses intérêts. La droite d'aujourd'hui est largement issue de la gauche, c'est-à-dire de ce qui fut jadis le parti du mouvement. Elle fut orléaniste contre les deux derniers Bourbons, elle devint républicaine avec la république, puisque la république se révélait bon enfant. Toutefois, dans le dernier quart du XIXe siècle, elle s'avisa que le nouveau danger n'était plus la droite cléricale, la menace de réaction légitimiste. Le danger venait des nouveaux barbares, les ouvriers révolutionnaires – anarchistes, syndicalistes, socialistes, en attendant les communistes.

A côté de la droite idéologique, largement recrutée dans les milieux catholiques, on vit alors se préciser, se développer, et bientôt prendre le pouvoir, ceux qu'on appelait les modérés. Ils étaient républicains en philosophie, mais conservateurs en économie politique. Derrière Jules Méline dans les années 1890, puis derrière Raymond Poincaré, en attendant Valéry Giscard d'Estaing, on a vu se constituer une droite libérale, favorable aux affaires, et soucieuse de préserver le *statu quo*. Cette droite-là a peu de goût pour les idéologies, pour le passé, pour les grandes références. Elle se soucie de maintenir un ordre présent plutôt que de restaurer une civilisation révolue. C'est elle qui nie l'existence de la droite, parce que ses racines sont étrangères à la droite historique, à la droite contre-révolutionnaire, à la droite absolue. Elle prétend représenter l'immense majorité des Français, des titulaires de livrets de Caisse d'épargne aux chefs d'entreprise.

Dans le privé, elle maudit le socialisme sous toutes ses formes. Les grèves de 1936 et le Front populaire ont été sa petite apocalypse. Le souvenir est resté cuisant dans les générations âgées. Le Dr T., pédiatre qui a suivi mes enfants et avec lequel j'ai passé des heures agréables à discuter avant la rédaction finale de l'ordonnance, était un de ces médecins à l'ancienne, formé par les humanités, passionné d'art et d'histoire. A chacun de nos débats, dont les maladies infantiles étaient l'occasion, il me rappelait les « désastres » du gouvernement Léon Blum. Il ne manifestait aucun antisémitisme, mais il avait trouvé une fois pour toutes à personnifier l'ennemi. Blum, Blum, Blum ! que de haines n'as-tu pas provoquées ! Plus tard, il y eut celle des communistes, qui reprirent à leur compte le mythe de la vaisselle en or dans laquelle étaient censés être servis les mets délicats du chef populaire. La droite diabolise tout comme la gauche : de Robespierre à Mitterrand, *via* Blum, que de cornes et de fourches !

Encore en 1981, quand Mitterrand l'emporta à la présidentielle sur Giscard, ce fut l'affolement dans les coffres-forts. La France de la rente et du bas de laine, tout autant que la France du *business*, tremblait. L'impôt sur les grandes fortunes, si modique fût-il, réveilla la colère des nantis. Les beaux quartiers étaient en berne. A la bêtise des utopistes, s'imaginant au début d'on ne sait quelle ère de félicité, répondait en écho la peur des possédants. Elle ne dura pas, tant les socialistes eurent à cœur de corriger leur copie qui datait. Mais l'espace de quelques jours, de quelques semaines, de quelques mois, on assista à la grande venette qui est au principe de la droite sociale, la peur du Rouge.

Certains des représentants les plus huppés de la droite conservatrice se distinguèrent par des trémolos pathétiques. Ainsi Robert Hersant, empereur de la presse écrite, se laissa aller à des plaintes douloureuses, telles celles qu'on pouvait lire dans une interview du *Point*, le 21 novembre 1983 : « Depuis mai 1981 [...] je mène en ce pays une vie comparable à celle d'un dissident dans certains pays de l'Est. Si je compare mon existence au cours de ces derniers mois avec celle de Lech Walesa, j'y trouve bon nombre de points de similitude. » On n'alla tout de même pas défiler dans la rue pour l'arracher à ses bourreaux, ce qui rassure.

Bernanos, qui était un écrivain de la droite idéologique dans ce qu'elle recèle de meilleur, a multiplié à travers ses pamphlets de l'avant-guerre les cris d'indignation contre la droite sociale, qui pouvait éventuellement se dire « nationale ». « C'est avec le monde ouvrier, contre la bourgeoisie conservatrice et radicale, disait-il, qu'il eût fallu d'abord réconcilier la Patrie. » Bon nombre de réactionnaires n'ont jamais voulu être confondus avec la droite des privilèges économiques. Un abîme les sépare. Du moins les deux droites ont-elles en commun cette hostilité à la gauche socialiste et communiste, même si les œuvres de celle-ci n'aboutissent qu'à de modestes réformes.

La gauche idéologique s'était monté le bourrichon avant sa victoire. On allait voir ce qu'on allait voir. La droite rentra dans un trou de souris. La comédie dura peu, mais elle résuma quelques-unes de nos réalités, la chimère des uns et la peur sociale des autres.

Je tiendrai pourtant qu'il nous faut une droite, comme nous avons besoin d'une gauche. Le grand marxologue polonais Leslek Kolakowski défend cette idée qu'on peut être un socialiste-conservateur-libéral sans contradiction, dans une société moderne qui a besoin tout à la fois de justice, de tradition, et de liberté. Si la vocation de la gauche est de contrebattre le pessimisme anthropologique de la droite, sous le prétexte duquel on finit par admettre les pires inégalités comme « naturelles », la vocation de la droite est de nous rappeler que toute société n'est vivable que par le respect des « diverses formes traditionnelles de vie sociale, comme les rituels familiaux, la nation, les communautés religieuses... ».

Nous avons besoin d'une droite modérément conservatrice et nettement libérale, qui répare les excès de l'utopisme et du dirigisme de la gauche – le dirigisme n'étant que la méthode d'application étatique de la philosophie du *happy end*. Entre la gauche, qui vit dans l'avenir, et la droite extrême, qui se réfugie dans le passé, une droite modérée doit être là pour nous tenir en éveil sur le présent. Contrairement à ce que pense la gauche en général, ce n'est pas la mission de l'État de faire le bonheur des gens. Trop de Français, habitués aux bienfaits de l'État-providence, ont acquis une mentalité d'assistés. La gauche tend à les y entretenir, quitte à provoquer leur déception et leur colère du moment que les ressources publiques ne sont plus à même de renforcer la protection sociale, voire de garantir les sacro-saints avantages acquis. La droite est là pour nous suggérer l'esprit de responsabilité, d'initiative individuelle, de création. Faute de quoi l'égalité prêchée par la gauche serait celle de la caserne.

La droite incarne encore, historiquement, le principe d'autorité et le sens de l'État. Par sa culture d'opposition et ses propensions à se projeter hors du réel, la gauche, nous l'avons dit, gouverne souvent mal, ou doit se faire pardonner par ses militants et ses électeurs ses propres réussites au pouvoir. Face à un certain nombre de problèmes – l'éducation, l'émigration, la sécurité des citoyens –, elle offre souvent les signes de sa timidité. La droite ne doit pas être seule à incarner l'autorité de l'État – à supposer même qu'elle soit capable de le faire, ce qui n'est pas toujours le cas. Du moins, quand elle le fait, ne se trouve-t-elle pas en contradiction avec ses doctrines.

La droite française est encore embarrassée du passé. Tout comme la gauche. Quand l'une succède à l'autre au pouvoir, rien de fondamental ne change dans la vie de chacun. Quelques milliers de fonctionnaires et de politiciens trouvent ou perdent des postes avantageux, des carrières commencent, d'autres s'achèvent. Bon an mal an, la politique de droite ne se distingue que très peu de la politique de gauche. Depuis 1983, c'est à peu près la même politique économique et monétaire. Les contraintes objectives sont telles qu'il est vain de rêver des virages à 180°. La politique extérieure *idem*, ou autant vaut. Nous avons eu droit, certes, à une nouvelle querelle scolaire. En 1984, la gauche voulait fondre l'enseignement privé dans un grand service nationalisé. Colère des associations de parents d'élèves, manifestations puissantes, et recul final du gouvernement. Celui-ci s'efforce d'en finir alors avec la question par un *modus vivendi* favorable au privé : mesures en faveur de l'enseignement agricole, épongement des dettes du privé par le ministre Lang... Mais la droite gagne les législatives de 1993. La voilà repartie dans une nouvelle politique de faveur en direction de l'école privée, dont les bâtiments, à ce qu'on dit, menacent ruine. Le ministre François Bayrou fait réformer la loi Falloux, pour permettre aux collectivités locales de participer aux entretiens et réparations des écoles privées au-delà de ce que prévoyait ladite loi. Colère, manifestation puissante en janvier 1994, le gouvernement recule, la loi est retirée, avec l'aide préalable du Conseil constitutionnel.

Cette querelle de l'école a cessé d'être métaphysique pour devenir un problème de société, comme on dit. D'un côté, des familles qui veulent défendre une liberté légitime, celle qui préside à l'éducation des enfants. L'école privée, pour beaucoup, joue un rôle de soupape. Elle est un recours en cas d'échec dans le public. Elle est aussi, de plus en plus, et c'est là où se noue le conflit, un instrument de ségrégation. Tandis que l'école publique prend en charge les cas les plus déshérités – enfants d'immigrés analphabètes, enfants du quart monde, enfants de pauvres en général –, le privé offre la garantie de la *bonne fréquentation*. Du point de vue individuel, les parents « menacés » sont justifiés à ne pas sacrifier l'éducation de leurs enfants. Du point de vue collectif, le libéralisme frappe à la borne de la cohésion sociale. L'urgent, pour la collectivité française, est de donner à l'école publique tous les moyens pour répondre à sa mission d'intégration nationale et sociale.

La question n'est pas simple, car l'État se trouve devant un conflit des devoirs : respecter la liberté individuelle et assurer la cohésion de la nation. L'art de gouverner n'a jamais été une partie de plaisir. On peut s'interroger aujourd'hui sur les capacités réelles de la droite à l'exercer. Nous avons tous été frappés par les reculades successives du gouvernement Balladur (loi Falloux, affaire du CIP, privatisation de Renault...) : ou bien les mesures décidées étaient erronées, ce qui prouverait l'irréflexion du gouvernement, ou bien elles étaient justifiées, ce qui démontrerait sa faiblesse. L'opinion – toujours la tyrannie des sondages ! – semble se satisfaire de ces atermoiements : c'est l'apaisement par la capitulation. Depuis, nous avons eu droit au gouvernement Juppé, sous présidence Chirac. Après plusieurs mois de sur-place où tout le capital d'estime engrangé pendant la campagne présidentielle fut dilapidé, la grande réforme de la Sécurité sociale, nécessaire, déclencha un mouvement social d'envergure, faute d'avoir été suffisamment négociée et expliquée. La droite ne peut plus imposer ses solutions à sens unique, non plus que la gauche. Nous sommes arrivés au temps où l'une et l'autre ne se donnent plus pour but de s'anéantir, mais de se montrer plus efficace l'une que l'autre. De la guerre civile à la concurrence. La loi du marché est en passe de s'imposer ici comme ailleurs, au détriment des positions acquises grâce aux vieux réflexes idéologiques. Toute la difficulté est devenue de conduire une politique cohérente sans rechercher l'appui inconditionnel de l'opinion. Jusqu'à ce jour, Alain Juppé a satisfait le deuxième terme de cette proposition, mais on ne saurait prendre son impopularité pour un gage suffisant de réussite.

20

Le centre, notre tropisme inavoué

En 1976, notre président de la République, Valéry Giscard d'Estaing, sacrifia à une manie courante chez nos chefs d'État et autres ministres : écrire des livres. La légitimité du suffrage universel ne leur suffit pas, il leur faut aussi celle des libraires. Donc, Giscard nous proposa sa *Démocratie française*. L'idée centrale en était que notre société était « en voie d'unification », qu'on assistait à « l'expansion d'un immense groupe central aux contours peu tranchés », bref que la France n'était plus « coupée en deux ».

Des journalistes, pour imager le nouvel état de la société, utilisaient la métaphore de l'omelette ou de l'oignon. Les classes moyennes occupaient largement la place, repoussant aux extrêmes une minorité de privilégiés de la fortune, et une autre restée encore dans la pauvreté.

Selon notre Président, trois facteurs avaient concouru à l'évolution, infirmant la théorie marxiste selon laquelle la polarisation était fatale entre la bourgeoisie et le prolétariat : la croissance économique, la scolarisation de masse et le triomphe des moyens audiovisuels dans la vie quotidienne. Trois causes qui expliquaient le décloisonnement social.

Si le diagnostic était juste, la coupure gauche-droite devenait absurde. Le « divorce idéologique » était en contradiction avec l'harmonisation sociologique à laquelle on assistait. La faute en incombait à « notre tempérament et à l'histoire ». En fait de tempérament, Giscard invoquait « la passion méditerranéenne », « l'absolutisme latin », ce qui concernait assez peu les socialistes du Nord ou les chouans de l'Ouest – mais, dans leur cas, sans doute l'histoire était-elle prépondérante. L'auteur ne s'avançait pas trop dans cette explication, se contentant de faire allusion à « l'ardeur des tribus franques » et à « l'individualisme gaulois ». Quoi qu'il en soit, la situation était aberrante, agaçante, antieuclidienne, anticartésienne, bref proprement irrationnelle : les Français en étaient encore à se harpailler sur des querelles antiques sans s'apercevoir qu'ils étaient réconciliés par leurs genres de vie. L'idéologie ne devait plus être en contradiction avec la sociologie : la France devait être gouvernée « au centre ».

L'analyse était un peu courte, mais non sans mérite. Elle mettait à la portée de tous l'actualisation du Tocqueville de *La Démocratie en Amérique*. Nous étions arrivés à la société démocratique dont celui-ci avait détaillé la formation aux États-Unis, et qu'il annonçait pour la France. Il avait observé là-bas une société sans aristocratie, dominée par les classes moyennes, utilitariste, éprise de bien-être matériel, où les mœurs s'adoucissaient à mesure que les conditions s'égalisaient... Avant la lettre, il avait vu ce que nous appelons depuis les années 1960 la société de consommation. Il avait aussi précisé le risque politique qui la guettait : un désintérêt croissant pour les affaires publiques, un goût excessif pour la vie privée, et du même coup les conditions réunies d'un doux despotisme. Il faut rappeler cette page, prémonitoire parmi tant d'autres, de Tocqueville :

« Je vois une foule innombrable d'hommes semblables et égaux qui tournent sans repos sur eux-mêmes pour se procurer de petits et vulgaires plaisirs, dont ils emplissent leur âme. Chacun d'eux, retiré à l'écart, est comme étranger à la destinée de tous les autres : ses enfants et ses amis particuliers forment pour lui toute l'espèce humaine ; quant au demeurant de ces concitoyens, il est à côté d'eux, mais il ne les voit pas ; il les touche et ne les sent point ; il n'existe qu'en lui-même et pour lui seul, et, s'il lui reste encore une famille, on peut dire du moins qu'il n'a plus de patrie.

« Au-dessus de ceux-là s'élève un pouvoir immense et tutélaire, qui se charge seul d'assurer leur jouissance et de veiller sur leur sort. »

Ce texte pose une question politique : la société égalitaire ou démocratique – ou si l'on veut la *médiocratie* au sens aristotélicien du mot – ne commande-t-elle pas au-dessus d'elle la « puissance paternelle » ? En d'autres termes, gouverner au centre, ne serait-ce pas imposer ce despotisme feutré qui est aussi le fruit d'une dépolitisation généralisée ? Sous une forme plus atténuée, nous retrouverions dans la formule le principe du bonapartisme : des égaux dirigés par un tyran, qui ne s'opiniâtrerait plus dans la gloire des armes, mais dans l'organisation du bonheur général.

En fait, le gouvernement au centre n'est pas une nouveauté. On peut même dire que c'est la formule de gouvernement qui s'est répétée le plus souvent chez nous depuis la Révolution. Les extrêmes idéologiques règnent, mais le centre gouverne. Le centre, c'est sa faiblesse, n'a guère de références intellectuelles. Il souffre de ses synonymes péjoratifs : le marais, la plaine, le ventre... La démocratie chrétienne – le PDP avant la guerre, le MRP après la guerre – s'appliqua à lui donner quelque consistance formelle, mais l'identité chrétienne en excluait trop de monde, et le MRP fut rejeté à droite, avant de mourir.

Et pourtant... Dès 1830, le centre prend le pouvoir. Il s'appelle juste-milieu, récusant les nostalgiques des Bourbons d'un côté et les républicains de l'autre. Que fait Guizot, théoricien de la monarchie limitée et ministre de Louis-Philippe ? Rien de moins qu'une politique centriste, qui tournera sans doute au conservatisme, mais qui dans son principe est d'accorder l'héritage social de la Révolution – avant tout l'égalité civile – avec une monarchie parlementaire et censitaire. Que mène Émile Ollivier, à la tête du gouvernement de Napoléon III, à la fin du Second Empire, sinon une politique centriste – oui aux réformes libérales et démocratiques, non au rétablissement de la république ?

Les Troisième et Quatrième Républiques ont été presque tout au long de leur existence gouvernées au centre. La carrière de Gambetta est exemplaire à ce sujet. Il commence comme radical sous l'Empire. En 1869, candidat député à Belleville, il défend un programme qui devient pour longtemps celui du parti républicain. Mais, la république établie, et toujours menacée par une restauration monarchique, on voit le grand orateur rentrer ses grands mots, ses envolées démocratiques, son jacobinisme lyrique. Il voyage à travers les provinces, et comme un fermier qui appelle ses poules il apprivoise les paysans qui se méfient des partageux, qui ne détestent pas Badinguet, et qui, dans beaucoup de départements, vont encore à la messe. Il rassure les financiers, fait mille concessions aux bourgeois, donne toutes garanties aux possédants de toute espèce. Mais non ! nous ne sommes pas des rouges ! Ses adversaires taxèrent Gambetta d'opportunisme, et l'opportunisme, de ce jour, n'a guère cessé de gouverner la France... Le centre n'existe pas, mais on gouverne au centre.

Au fond, les idéologues de la gauche n'ont jamais eu la société qui leur permît de réaliser leurs idéaux : trop de paysans, trop de professions indépendantes, trop de catholiques... De même, les idéologues de la droite : trop de salariés, trop de fonctionnaires, trop de libres penseurs... Il fallait bien gouverner au centre, si l'on voulait garder la paix civile dans une société diversifiée. Du reste, derrière le mur de la vie privée, la plupart des familles étaient elles-mêmes gouvernées au centre. L'homme, esprit fort, détaché des choses religieuses, acceptait que sa femme fût catholique pratiquante. Il n'avait guère le goût des confidences auxquelles elle pouvait se laisser aller au confessionnal, mais il s'accommodait assez bien du contrôle moral que l'Église exerçait sur elle. Les enfants allaient au catéchisme, et, si le garçon s'éloignait de l'église après sa communion solennelle, la fille continuait d'y accompagner sa mère. Dans la plupart des villages, le curé et l'instituteur devaient bien coexister malgré leur désaccord sur la vie éternelle.

Ces habitudes de compromis, de coexistence, de *modus vivendi*, n'avaient guère d'expression intellectuelle, tant le clivage idéologique était fort, mais elles étaient dans la vie. Dans un pays qui ne voulait plus régler ses conflits à la guillotine ou sur les barricades, il fallait bien tempérer ses passions.

Depuis les années 1980, cette situation traditionnelle : « Gouvernons au centre, mais n'en parlons jamais ! » a été sensiblement modifiée. L'arrivée de la gauche au pouvoir, après un long temps d'opposition, a démontré qu'entre la gauche et la droite, les choix politiques ne pouvaient plus être radicalement différents. Cette démonstration étant faite assez vite, on a assisté à deux phénomènes politiques nouveaux. Le premier est ce qu'on a appelé la cohabitation.

En 1986, la droite gagnait les élections, alors que le président de la République, François Mitterrand, était socialiste. Le cas de figure était sans précédent dans la Cinquième République. Autorisé par la Constitution, il n'était pas pensable par le père de celle-ci.

Cependant la cohabitation satisfait l'illusion du gouvernement au centre, les deux membres de l'exécutif se corrigeant l'un l'autre de leurs excès partisans. La cohabitation serait ainsi une résultante de nos penchants contradictoires. En fait, si elle a une fonction symbolique utile – faire valoir la pacification de notre vie politique –, elle conduit trop naturellement à l'immobilisme. Le Premier ministre, pour éviter la censure du président, freine ses propres initiatives. Le président, qui ne dispose plus de relais parlementaire pour imposer ses vues, tend à redevenir malgré qu'il en ait, et selon l'expression consacrée, un inaugurateur de chrysanthèmes. L'attelage du bœuf et du chameau n'est pas le meilleur pour tirer le char de l'État. Le gouvernement au centre auquel la cohabitation semble prédisposer risque d'être un non-gouvernement.

L'autre nouveauté, selon nos politologues, est le résultat de la décompression idéologique. Bon nombre de Français refusent désormais de se classer à gauche ou à droite; bon nombre jugent que ces notions sont dépassées. Ils deviennent alors ce qu'on a appelé des « électeurs stratèges » ou des électeurs consommateurs, c'est-à-dire des citoyens qui se prononcent au coup par coup, examinant dans chaque circonstance quel candidat répond le mieux à leurs intérêts. Cette masse flottante de voix peut se porter à gauche comme à droite; elle ne se reconnaît plus dans les familles historiques. Ces électeurs sont le contraire d'extrémistes, ils sont toujours prêts à rétablir un équilibre rompu, et servant du même coup un gouvernement au centre.

Les années 1980 ont vu aussi s'ébaucher une autre perspective, ce qu'on a appelé « la France à deux vitesses » ou la « société duale ». Les mutations économiques suivies d'une période de récession ont créé, en effet, une nouvelle dualité. Non plus celle des classes – bourgeoisie contre prolétariat –, mais celle des individus parfaitement intégrés, à quelque niveau que ce soit, et se séparant des exclus, des marginaux, des nouveaux pauvres, des chômeurs, et même de tous les titulaires d'un emploi précaire dont le nombre augmente chaque année.

Les élections du Parlement européen, en juin 1994, ont profilé la menace. Déjà, en septembre 1992, le « oui » au traité de Maastricht a été remporté de justesse par cette partie de la société qui s'estime encore du bon côté du manche. Les votants « non » se sont recrutés chez ceux qui avaient le sentiment de subir déjà ou de subir bientôt la marginalisation : agriculteurs craignant la concurrence étrangère, employés et ouvriers sans perspective de promotion sociale pour leurs enfants, habitants des banlieues tristes, jeunes sans avenir, petits cadres guettés par la retraite anticipée, laissés-pour-compte redoutant de devenir des SDF (sans domicile fixe).

Les rues des villes connaissent ce que je n'avais jamais vu dans mon enfance : des mendiants, des gosses qui font la manche, des chômeurs qui tentent de vendre leurs journaux... A Paris, on ne fait pas un seul voyage en métro sans être sollicité par un vagabond racontant à haute voix ses malheurs, essayant de tirer quelques notes d'un instrument de musique, tendant la main de wagon en wagon. Spectacle dont notre société n'est pas fière et qu'elle ne parvient plus à éliminer de son paysage familier.

L'assistance, faute de mieux, devient la règle. Le gouvernement Rocard a créé le RMI – revenu minimum d'insertion – qui est plutôt un RMS – revenu minimum de survie. Au début de l'année 1994, le nombre des allocataires supplémentaires croissait chaque mois de 8 000. On comptait alors près de 800 000 « RMistes ». D'aucuns, l'esprit formé au libéralisme économique, s'indignent : l'État habitue ses ressortissants à l'assistanat, la partie dynamique du pays en fait les frais, les entreprises sont enchaînées par les charges sociales, le poids des prélèvements obligatoires bat tous les records – la Suède mise à part –, les actifs sont victimes des passifs... Mais les contempteurs des politiques d'aide n'ont pas de solution de rechange. La droite remplace la gauche, la même politique suit.

Quel est l'avenir, dans ces conditions, de la « société démocratique » ? A peine s'est-elle épanouie, qu'elle risque de se décomposer, faisant renaître chez les uns l'angoisse et chez les autres la peur sociale. Non plus la peur des rouges et de la révolution, mais cette vieille peur des anciens temps devant le mendiant, l'errant, le délinquant, dont on maintenait les écarts et les débordements par la milice ou la garde nationale. L'idée giscardienne serait alors exactement inversée : nos divisions deviendraient ou redeviendraient plus sociologiques qu'idéologiques.

Il en résulte une incapacité générale à penser la société de l'avenir. Les libéraux et les socialistes opposaient leurs idées. Pour les uns, la richesse et la concurrence devaient créer la société d'abondance. Pour les autres, la socialisation des moyens de production devait fonder la Cité radieuse. Nous voici en plein brouillard. Les certitudes de jadis étaient « difficiles » – elles exigeaient des sacrifices, de la lucidité, du courage –, mais elles motivaient les énergies. Les incertitudes d'aujourd'hui sont appréciées des esprits modérés qui ont fait du scepticisme un synonyme de la sagesse. Un esprit « centriste » comme celui de Montaigne y trouverait son compte. Mais en même temps la dissolution des repères dans la brume présente provoque l'irrésolution de ceux qui nous gouvernent et risque de réveiller les pires de nos inclinations, populisme et millénarisme, ces fruits vénéneux de l'ignorance et de la peur.

La dureté des temps nous ramène à une vision pessimiste de l'Histoire. Le centre pourrait y trouver l'occasion de s'affirmer, non plus comme résultante gouvernementale, mais comme pensée politique. Débarrassée des postulats invérifiés sur la bonté naturelle de l'homme qui appelle l'harmonie, récusant tout autant les malédictions dont la droite philosophique l'accable et qui commandent la soumission au plus fort, une pensée centriste vivifiée pourrait inspirer le Parti de la réforme qui nous manque.

Reste le problème politique : quand le centre domine, la gauche et la droite ont tendance à se radicaliser. Le centrisme devient facteur d'extrémisme. De surcroît, si le centre gouverne, quelle alternance devient possible ? La gauche et la droite ont beau avoir été vidées de leur contenu idéologique traditionnel, elles demeurent, fonctionnellement, indispensables – comme est indispensable en démocratie une majorité et une opposition. D'où cette ruse nécessaire de la raison : la politique réformiste du centre devra passer par la droite ou par la gauche.

21

La mémoire lourde

La politique n'est réductible ni à la pensée rationnelle ni à la défense des intérêts. L'imaginaire est son royaume. Et celui-ci ne cesse d'être stimulé par le travail de la mémoire. Nous sommes un pays de mémoire lourde. Nous passons une partie de notre temps à commémorer nos libérations et nos victoires, mais aussi nos haines civiles, à remuer le couteau dans la plaie vive de nos rancunes, à reconstruire le passé au gré de nos passions.

Un jour, je suis monté au mont Lozère – un lieu de toute beauté, surtout à l'automne quand les châtaigniers s'empourprent. J'allais y effectuer un enregistrement pour une émission de radio, avec un vieux paysan, un protestant, un descendant des Camisards. Il est allé me chercher dans un coffre un livre de raison datant de la fin du XVIIe siècle, où il était question des galères du roi auxquelles les huguenots récalcitrants étaient expédiés, après la révocation de l'Édit de Nantes. L'homme m'en parlait comme si c'était d'hier.

Pendant la guerre, il avait caché des Juifs; sa ferme était ouverte aux résistants. A travers les siècles, lui et les siens avaient appris à ne pas obtempérer. Les spécialistes de la géographie électorale connaissent la continuité avec laquelle les villages protestants des Cévennes ont voté pour les républicains, pour la gauche, voire pour l'extrême gauche. Depuis l'Église du Désert, ici, on résiste. A la droite catholique, à Vichy, à tous ceux qui paraissent historiquement liés aux persécuteurs de leurs ancêtres [1].

A l'opposé, le Souvenir vendéen est lui aussi toujours vivant. Les massacres perpétrés par les armées de la Convention, les colonnes infernales du général Turreau, la poursuite des prêtres réfractaires, ces images lugubres de la guerre civile de 1793-1794 ont été transmises de génération en génération; elles sont encore aux vitraux de certaines églises. Et aussi les souvenirs épiques de la Virée de Galerne, cette longue marche des Vendéens entraînant des familles entières, plusieurs dizaines de milliers d'individus, au nord de la Loire, jusqu'à Granville, et s'achevant en déroute, après combien de souffrances causées par la faim et la dysenterie, autant que par les soldats de Kléber, sur les bords de la Loire à nouveau, entre Ancenis et Savenay. Je pense immanquablement à tout cela quand je me rends à l'île de Noirmoutier, en traversant les villages, une fois quittée l'autoroute Paris-Nantes. La continuité du vote à droite du département de Vendée et des départements voisins ne trouve aucune explication d'ordre économique. Une tradition s'y est établie de longue date. Mais les communes « bleues » restent, elles aussi, fidèles à leur tradition : en 1988, Mitterrand obtenait plus de 58 % des suffrages à La Roche-sur-Yon, contre 42 % à Chirac, alors que l'ensemble du département vendéen plaçait le maire de Paris largement en tête. Mémoire oblige [2].

La mémoire communiste vaudrait à elle seule une étude approfondie. Le plus vif reste le souvenir de la Seconde Guerre mondiale. On a très vite occulté dans les rangs du PCF les acrobaties cyniques de la diplomatie stalinienne, on y a même justifié le pacte

1. Voir Philippe Joutard, *La Légende des Camisards. Une sensibilité au passé*, Gallimard, 1977.
2. Jean-Clément Martin, *La Vendée de la mémoire (1800-1980)*, Seuil, 1989.

germano-soviétique de l'été 1939, si encourageant pour les projets de Hitler. Il fallait que les communistes fussent des résistants de la première heure, même si pour beaucoup la pendule ne s'est mise à sonner qu'après l'entrée de l'armée allemande en URSS, à la fin de juin 1941, qui les jeta alors sans équivoque dans la lutte antinazie. Grâce à ses qualités d'organisation, le parti communiste passa pour le cœur de la Résistance intérieure. Au lendemain de la Libération il s'autoproclama le « parti des 75 000 fusillés » – chiffre sans rapport avec la réalité, mais les militants y crurent dur comme fer. La légitimité du parti communiste bénéficiait de cette mémoire de parti, mémoire sélective comme toutes les autres, mais sans arrêt entretenue et éventuellement corrigée par le discours officiel du mouvement.

Cette mémoire retint longtemps bien des militants au PCF qui les décevait tant par ailleurs. Ils étaient du parti des héros, quand bien même à partir des années 1970 ils furent conduits par un anti-héros, Georges Marchais, ancien travailleur volontaire en Allemagne pendant l'Occupation. Pour certains, à l'instar de Charles Tillon, ancien chef des FTP, pareil manquement à la mémoire des martyrs fut insupportable. Mais la machine communiste, elle, n'a pas de mémoire. Ou plutôt elle réécrit sans arrêt l'histoire au gré de ses intérêts de l'heure. Comme Orwell l'a imaginé dans *1984*, la maîtrise du passé est un des atouts maîtres de la domination du parti. Staline a passé une partie de sa vie au pouvoir à éliminer ceux qui avaient ou pouvaient avoir trop de mémoire.

L'émoi provoqué par le livre de Pierre Péan consacré aux jeunes années de François Mitterrand[3], en septembre 1994, a illustré la charge d'émotivité que porte le souvenir des années d'Occupation. Certains, voulant défendre à tout prix

3. Pierre Péan, *Une jeunesse française*, Fayard, 1994.

celui qui fut le chef du parti socialiste après avoir nagé dans les hautes eaux de l'administration pétainiste jusqu'en 1943, n'ont pas reculé devant l'explication latitudinaire : rien que de très normal, les Français ont été pétainistes « à 100 % » (*dixit* le porte-parole du parti socialiste sur les ondes de la radio). Je me révolte contre ce lieu commun méprisable. J'étais trop jeune alors pour en porter témoignage aujourd'hui, mais je connais des réfractaires de la première heure, des jeunes gens qui se sont moqués de Vichy, de sa fausse vertu, de son ridicule, et d'autres, et parfois les mêmes, qui n'ont pas attendu le grand vent d'ouest américain pour entrer dans la Résistance. Le vrai est que Pétain a entretenu longtemps l'illusion : n'était-il pas « le vainqueur de Verdun » ? Le titre était historiquement contestable, mais l'expression serinée *ad nauseam* : comment pouvait-on imaginer qu'un tel héros fût animé d'une autre passion que de lutter – à sa place, de son poste – contre l'envahisseur ? Dans la débâcle, les Français, dans leur immense majorité, s'étaient ralliés à ce bâton de maréchal comme des condamnés à la Vierge de Lourdes. Depuis Jeanne d'Arc, nous aimons les sauveurs suprêmes. Après la guerre, les avocats de Pétain entretinrent la légende de l'épée et du bouclier. De Gaulle eût été « l'épée » à Londres et à Alger ; Pétain, à Vichy, « le bouclier ». Cette idée ne fut pas une pure invention de la défense lors d'un procès politique. L'illusion devait être partagée par nombre de Français, disons jusqu'au débarquement des Alliés en Afrique du Nord, en novembre 1942. Ils pensaient que Pétain était plus ou moins de mèche avec de Gaulle, que les deux défendaient la même cause, française et patriotique. Cette idée de complémentarité a abusé un certain temps les esprits les moins politisés du pays – malgré le statut des Juifs, la fermeture des écoles normales d'instituteurs, la dissolution de la franc-maçonnerie, toutes choses qui n'étaient pas dans le droit fil de l'histoire républicaine. Tout de même, quand le gouvernement de Vichy, en novembre 1942, donna l'ordre à ses troupes de tirer sur les soldats américains qui débarquaient, il fallait être bien naïf pour croire encore que Pétain et de Gaulle, que de Gaulle et Pétain, c'était le même amour de la patrie que séparait seule la division du travail. Le 8 novembre, Pétain avait répondu au message de Roosevelt : « Nous sommes attaqués, nous nous défendrons. » Ainsi parlait le fameux bouclier, qui prenait les libérateurs pour des envahisseurs, tandis que les vrais envahisseurs passaient à ce moment-là la ligne de démarcation et occupaient la zone dite « libre ».

Que François Mitterrand n'ait rallié la cause – non gaulliste, du reste, mais giraudiste – que quelques mois plus tard, passe encore ! Nous dirons que ce jeune homme n'était guère précoce. Il termina résistant, c'était mieux que beaucoup d'autres. Mais que le même homme, devenu entre-temps un chef socialiste, un président de la République, vienne nous dire à la fin de sa carrière, devant les caméras de télévision, que tout cela ne prête guère à conséquence, qu'il ignorait tout de la malfaisance du pétainisme, qu'il n'avait jamais entendu parler du statut des Juifs du temps qu'il émargeait à Vichy, et que, de surcroît, il ne voyait pas pourquoi il n'aurait pas fréquenté après la guerre, et jusqu'en 1986, René Bousquet, cet homme charmant, ancien secrétaire général de la police de Vichy, qui avait seulement commis l'inadvertance de prêter son zèle et son savoir-faire à la rafle du Vel'd'Hiv', au cours de laquelle plus de 12 000 Juifs furent arrêtés avant d'être déportés à Auschwitz (plus de 4 000 enfants étaient du voyage, dont aucun ne revint) – n'avait-il pas été relevé de sa peine ? –, cette façon de se justifier sans le moindre effort d'autocritique, sans le moindre remords, comme si, ma foi, il n'y avait guère là de quoi fouetter un chat, alors je grince des dents [4].

Il eût été si simple de dire : j'étais un béjaune, je me suis fourvoyé, puis je me suis repris. Non ! Mitterrand ne regrette rien de son passé ; il en ouvre les pages à nos yeux étonnés avec une arrogance de grand seigneur qui n'a de comptes à rendre qu'à lui-même. Pendant des années, il a fait fleurir la tombe de Pétain, comme s'il trouvait du dernier piquant pareil geste de la part d'un chef socialiste. Nous fûmes quelques historiens à signer une pétition pour lui demander de s'abstenir d'un tel geste qui insultait les morts de la Résistance et des camps de la mort : s'il vous plaît, un peu de décence !

Mais laissons là François Mitterrand, ce grand aventurier de notre vie politique contemporaine. Au-delà de son cas si singulier – de Pétain à l'Internationale socialiste, ce fut moins fréquent que de l'Internationale socialiste à Pétain ! –, la controverse sur Vichy ne finit pas de nous troubler, de nous tarauder, de nous culpabiliser. C'est que, seuls en Europe parmi les vaincus, nous eûmes le malheur de garder un État prétendu indépendant, qui donna un caractère officiel à toutes les formes de collaboration – de la servitude économique jusqu'à la lutte armée contre la Résistance et les Alliés, en passant par l'auxiliariat à la « solution finale ». Certains, qui avaient la vingtaine en 1940, ne se consolent pas de

4. Mitterrand a fait valoir que René Bousquet avait été relevé de sa peine de cinq années de dégradation civique. La chose avait donc été « jugée ». Depuis lors, les responsabilités de Bousquet avaient été établies, notamment par Serge Klarsfeld. Pour le quarantième anniversaire de la rafle du Vel'd'Hiv', *Le Monde* présenta René Bousquet comme l'un des trois principaux organisateurs des arrestations, avec Darquier de Pellepoix, commissaire général aux questions juives, et Jean Leguay, délégué de Bousquet en territoire occupé. C'était en juillet 1982. On ne peut pas dire qu'en attendant 1986 pour renoncer à recevoir un commensal aussi « intéressant » que Bousquet notre Président ait eu la détente rapide.

n'avoir été que les médiocres attentistes des années noires. D'autres, voulant se justifier à tout prix, en arrivent à justifier le pire. Une sourde honte pèse sur nos institutions qui continuaient à tourner comme si de rien n'était, sur nos hauts fonctionnaires qui continuaient à servir l'État sans s'apercevoir en apparence qu'il était dénaturé, sur ceux qui se sont compromis dans la prétendue Révolution nationale, ou tout simplement sur ceux qui, pour vivre, pour survivre, se sont résignés à travailler pour l'ennemi, en France ou en Allemagne... Un sondage d'opinion révélait encore en 1992 l'ignorance des Français sur les responsabilités de Pétain : 34 % seulement des réponses lui étaient nettement défavorables – les autres voyaient encore en lui « le vainqueur de Verdun » ou, encore plus accablant, celui qui « pendant la guerre a essayé de protéger les Français ». Cette impossibilité pour tant de Français à regarder la vérité en face révèle un refoulé de taille : on ne veut pas savoir.

Ces années-là brûlent néanmoins dans nos mémoires, et, pour ceux qui n'étaient pas nés, dans les mémoires transmises. Il est difficile pour un Français d'en parler avec la sérénité requise de l'historien. Vers 1965, Georges Brassens, qui avait été envoyé en Allemagne pendant la guerre dans le cadre du STO, et qui se disait anarchiste, fit une chanson pour éponger ces vieilles querelles. Il parla de ses « deux oncles » irréconciliables :

On peut vous l'avouer, maintenant, chers tontons,
Vous, l'ami des Tommi's, vous l'ami des Teutons,
Que, de vos vérités, vos contrevérités,
Tout le monde s'en fiche à l'unanimité.

De vos épurations, vos collaborations,
Vos abominations et vos désolations,
De vos plats de choucroute et vos tasses de thé,
Tout le monde s'en fiche à l'unanimité...

Ce fut un tollé dans la presse gaulliste, communiste, pour tous ceux qui, à juste titre, ne pouvaient supporter qu'on renvoyât dos à dos les résistants et les collabos. Il était manifeste que Brassens exprimait pourtant ce que ressentaient bon nombre de gens qui, comme lui, n'avaient pas été des héros.

Le même disque contenait une autre chanson qui rallia la plupart des sympathies. C'était *La Tondue*, évoquant le sort malheureux des femmes qui, pour avoir eu des relations intimes avec des Allemands, ont eu à subir la double avanie d'être tondues et promenées dans les rues de manière infamante sous les applaudissements rigolards de la foule. Brassens, qui voulait dans son autre chanson qu'on oublie ces années-là, montrait à quel point elles restaient douloureuses à sa mémoire. Qu'on imagine ces femmes, l'opprobre jeté sur elles, le déshonneur de leur famille... Nous partageons la réprobation du chanteur contre ces tristes tondeurs de toison. Mais en août ou septembre 1944, qu'aurions-nous fait ? Qui s'est alors dressé contre ces justiciers de quartier ? La honte est venue plus tard, quand elle est venue. Enfant, j'ai connu la femme tondue de mon quartier qui avait « couché avec les boches » ; j'étais l'un des camarades de son fils à l'école. Je ne me souviens pas d'avoir été bouleversé par cet épisode, ni d'avoir entendu des adultes s'en indigner. Elle avait été traînée chez le coiffeur, à cent ou deux cents mètres de chez nous, et fut promenée ensuite dans les rues le crâne rasé. Qu'en pensent aujourd'hui les survivants de cette mascarade ?

L'épuration officielle fut précédée par l'épuration sauvage. La justice populaire ne prend pas de gants, elle tue souvent à l'aveuglette. Les règlements de compte très personnels pouvaient se parer de l'esprit de justice et le crime crapuleux de patriotisme. La Résistance n'a pas toujours bonne réputation dans les villages.

Les vaincus de la Libération ont exploité de leur mieux ces souvenirs mêlés et cette mauvaise conscience lancinante. Ils entretiennent des officines du souvenir, écrivent des hagiographies, réclament le transfert des cendres de Pétain à Douaumont, s'éternisent dans la critique de la démocratie, s'allient parfois à d'autres vaincus, ceux des guerres coloniales, ceux qui furent les desperados de l'Algérie française notamment. Les lepénistes et les intégristes n'hésitent plus à brandir la photo géante du Maréchal en tête de leur cortège. La servitude volontaire, selon l'expression de La Boétie, reste au goût de certains Français.

Depuis peu, on parle en France du « devoir de mémoire ». Chacun comprend le sens de l'expression. Nous ne devons pas oublier les responsabilités de notre pays dans la Seconde Guerre mondiale ; nous sommes tenus de savoir comment une démocratie plonge dans une dictature ; nous ne devons pas fermer nos yeux sur la partie d'ombre que possède notre histoire. En même temps, nous ne pouvons pas vivre en état permanent d'hypermnésie, accablant chacun de nos pas présents du poids d'un passé qui ne passe pas [5]. Dans le *Wilhelm Meister* de Goethe, il y a une « société du Renoncement », dont les membres ont l'obligation de ne jamais penser ni à l'avenir ni au passé.

Nous aurions plutôt chez nous une vaste société du Ressentiment. La possibilité de vivre ensemble, quand tant de drames ont déchiré les Français, passe pourtant par l'amnistie. Au moment où une loi d'amnistie est votée, des rangs des vainqueurs on entend monter la protestation contre pareille clémence. L'amnistie des communards, en 1880, l'amnistie des nationalistes antidreyfusards, en 1900, l'amnistie des collaborateurs, en 1951, l'amnistie des

5. Eric Conan, Henry Rousso, *Ce Passé qui ne passe pas*, Fayard, 1994.

membres de l'OAS et des généraux putschistes, plus récemment, voilà, entre autres, quelques grands moments de notre histoire nationale où la volonté de paix l'emporte sur la rancune ou l'esprit intransigeant de justice. Certes, ces lois d'amnistie ne sont jamais innocentes d'arrière-pensées politiques. Il s'agit souvent de récupérer une fraction de l'opinion, de la rattacher au régime ou à la majorité présente. Au-delà de ces calculs, la répétition de l'amnistie dans l'histoire en prouve aussi la nécessité. Le devoir de mémoire doit être pondéré par le symétrique devoir d'oubli. A trop se souvenir, la société serait comme un vieux couple qui se ressasserait ses griefs mutuels, ses ratages, ses anciennes querelles, et n'en finirait pas de se détester. Le passé ne meurt jamais pour l'homme, mais il ne faut pas qu'il nous soit sans arrêt jeté dans les jambes.

De Gaulle est un de nos chefs d'État qui ont le mieux compris cet impératif. Il savait de quelles haines recuites nos familles politiques sont constituées. En 1944, il agit comme si tous les Français avaient été de son côté, hormis quelques défaillances. En 1962, il fait appel comme Premier ministre à Georges Pompidou, dépourvu de toute légitimité résistante. Professeur de lettres au lycée Henri-IV à Paris, pendant l'Occupation, Pompidou avait été, comme la majorité des Français, un attentiste, sans aucun goût pour l'aventure de la France libre ou la Résistance intérieure. L'homme du 18-Juin aurait été en droit d'écarter Pompidou du pouvoir, et c'est pourtant lui qui l'installe à l'hôtel Matignon. L'important à ses yeux, c'est ce que vaut alors Pompidou, ce qu'il est capable de donner à la France. Or il le connaît depuis longtemps, il a su apprécier ses qualités, son caractère, ses compétences. Il n'hésite pas. Pompidou n'est pas de la famille ? Les gaullistes historiques lui sont hostiles ?

N'importe ! De Gaulle l'appelle, parce que, pour lui, le présent importe plus que le passé. Et puis, sa propre légitimité historique suffit : on ne peut le soupçonner de complaisance envers Pétain ! Si l'on condamne aujourd'hui Mitterrand, ce n'est pas en raison de sa longue phase pétainiste, c'est pour la manière dont il en atténue l'importance, c'est pour ses relations coupables, c'est pour avoir, comme on l'a dit, « banalisé Vichy ».

Notre pays, disions-nous, est une construction de l'histoire, mais l'histoire en a reçu les dividendes, sous la forme d'apparence anodine des commémorations incessantes, et sous la forme plus profonde des mémoires vives – comme on dit un écorché vif. Les anciens combattants de toutes les guerres et de toutes les causes ont souvent fait trop de bruit dans nos rues et sur nos places. Oui, nous ne devons pas tricher avec notre passé, surtout quand il nous fait mal ; mais nous ne devons pas nous laisser étouffer sous son poids.

Pour le 14-Juillet 1994, lors du défilé annuel, François Mitterrand eut l'idée de faire marcher à côté des régiments français la division de l'Eurocorps, comprenant des Allemands. C'était une manière symbolique d'associer le vaincu d'il y a cinquante ans à notre fête nationale. Lors des cérémonies commémorant le débarquement en Normandie du 6 juin 1944, tout s'était fait en l'absence des Allemands. C'était normal, sans doute. En même temps, il y avait dans cette absence quelque chose d'incongru : n'était-ce pas sur les ruines du nazisme que l'Allemagne nouvelle s'était édifiée ? Qu'elle était devenue le principal partenaire de la France en Europe ? La libération de la France, n'était-ce pas aussi la libération de l'Allemagne ? Le chancelier Kohl n'ayant pas été invité aux fêtes du 6 juin, Mitterrand prit l'initiative du 14 juillet. Je me suis senti d'accord avec l'ensemble de l'opinion française qui approuva, comprit le geste, en sentit la portée, tout en ressentant une gêne indéfinissable : était-ce bien la meilleure manière d'enterrer nos morts et de préparer l'Europe de demain ? Une minorité fit entendre son désaccord. Le parti communiste saisit l'occasion pour se poser en vigilant gardien de la patrie outragée. La manifestation qu'il organisa n'obtint guère de succès, mais il fut indirectement encouragé par un certain nombre d'hommes politiques de droite, comme l'ancien président de la République, Valéry Giscard d'Estaing, et quelques orateurs du parti gaulliste. Et cela bien que de Gaulle lui-même n'eût pas hésité à faire défiler ensemble à Mourmelon, dès 1962, des troupes françaises et allemandes, lors de la visite d'Adenauer : « Nous allons sceller solennellement la réconciliation des deux peuples. »

On demanda un jour à Paul Claudel s'il se sentait proche de Barrès. Claudel haussa les épaules : « Barrès avait la religion du Passé, de la Terre et des Morts. Moi, je ne suis vraiment captivé que par l'Avenir, la Mer et les vivants. » Il n'était pas très représentatif. La France est un pays de cimetières éloquents.

22

L'orgueil de Paris et la revanche des provinces

Il y a un paradoxe dans l'histoire de Paris : quand la capitale sort de sa torpeur, pour grandir, s'élever ou s'aérer, on décrète sa condamnation à mort. Les travaux d'Haussmann sous le Second Empire avaient déjà provoqué la nostalgie de ce que Drumont appelait *Mon Vieux Paris* ; en 1977, Louis Chevalier publiait *L'Assassinat de Paris* – dont la couverture était illustrée par le Centre Pompidou en construction. Les amoureux de Paris voudraient sans doute figer leur ville sous les marronniers, la garder dans un écrin et l'immuniser contre la nouveauté. Les constructions, les démolitions, les innovations à Paris ont toujours suscité l'acerbe critique des esthètes, des piétons et des poètes. La tour Eiffel, élevée au cœur de l'Exposition universelle de 1889, en est un bel exemple. Quoi de plus laid ? se demandait-on, quoi de plus monstrueux ? On avait hâte, l'expo finie, de laver l'horizon d'une pareille injure de fer. Plus de cent ans plus tard, la Tour symbolise la capitale française ; chaque jour des norias d'autocars amènent les touristes de tous les continents à ses pieds. Tout ce qui s'édifie dans la Ville n'est pas *ipso facto* doué de beauté et certain de postérité ; la laideur, hélas ! n'y a jamais manqué. Le kitsch haussmannien, le pompier 1900, le n'importe quoi du Front de Seine...

Le terreau de la capitale possède une propriété que seul celui de New York peut lui disputer : chaque projet majeur qui en émerge déchaîne les passions, attire les visiteurs du bout du monde, suscite des campagnes de presse, comme si la « Ville lumière » conservait un pouvoir d'attraction inégalé. En témoignent les grands projets de l'ère mitterrandienne, à commencer par celui du Louvre, et puis la Cité des Sciences de la Villette, l'Opéra de la Bastille, le palais des Sports de Bercy, la Bibliothèque nationale de France à Tolbiac...

Cette fascination s'accompagne d'un réflexe de rejet des habitants, sur le même mode qui distingue l'idée de la France des Français. De longue date, les provinciaux ne prisent guère les Parisiens, qu'ils jugent prétentieux – « Parisien, tête de chien/Parigot, tête de veau ! » –, mais tous les Français sont fiers de Paris. Qui est parisien, du reste ? Quand, jouant dans les « minimes », j'allais encourager les footballeurs du Racing ou du Stade français au Parc des Princes, je m'étonnais que l'équipe parisienne fût beaucoup plus souvent sifflée que l'équipe visiteuse. Si c'était Rennes, les tribunes craquant de Bretons faisaient passer de bien mauvais quarts d'heure aux joueurs de la capitale. En sport, le chauvinisme parisien n'existait pas, comme à Marseille ou à Bordeaux, ou dans n'importe quelle autre ville. C'est que Paris est le lieu géométrique de la France.

J'ai soif villes de France et d'Europe et du monde
Venez toutes couler dans ma gorge profonde [1]

Paris ne s'est jamais offusqué d'être envahi par les provinciaux. Il était sûr de son charme, même s'ils amenaient dans leurs bagages traditions et associations. Par exemple, les Aveyronnais de Paris, qui ont leur journal, leurs filières, leurs bals annuels. Une bonne partie des cafés de Paris étaient tenus par des hommes du Rouergue roulant les *r*, et non des

1. Guillaume Apollinaire, « Vendémiaire », *Alcools*, Gallimard, 1920.

moindres : Lipp, les Deux-Magots, le Flore, etc. Les Auvergnats, qu'on appelle les bougnats, s'étaient fait la spécialité des Bois-charbon, ces bistrots qui livraient paquets de bois et sacs de charbon au temps d'avant le chauffage central au fioul. Ils sont toujours, eux aussi, dans la limonade. Les Bretons, très nombreux autour de la gare Montparnasse, ont des métiers moins avantageux ; ils ont été devancés par leurs sœurs et leurs cousines qui devenaient bonnes à tout faire chez les bourgeois de la capitale – et que *Bécassine* a immortalisées. Au XIXe siècle bien des ouvriers de Paris étaient des saisonniers, venant de Savoie, du Limousin et d'ailleurs, qui s'engageaient pendant les beaux mois de l'année et repartaient passer l'hiver chez eux.

Paris est « une immense délégation de toutes les provinces », comme l'écrivait Mauriac[2]. A quoi il faudrait ajouter : et de l'univers. Plus d'un quart des naissances à Paris sont de mères étrangères ; la capitale compte le plus fort pourcentage d'étrangers de toutes les villes de France. Si l'on ajoute à ces familles d'émigrants attirés par le marché du travail la somme des personnels des ambassades, les correspondants de presse, les agents des grandes firmes internationales, les travailleurs clandestins, on comprend le caractère cosmopolite de Paris, que renforcent encore les vagues incessantes de touristes.

Le travail attirait ; la Révolution aimantait. On venait aussi à Paris, parce qu'elle était une « ville libre », comme on disait sous la Commune. « On a essayé de créer un antagonisme entre lui et le reste de la France, écrivait Jules Vallès. On disait qu'il voulait être le maître orgueilleux du pays. Allons donc ! Il n'est que le fils généreux de la patrie ! Il n'est fort et il n'est grand que parce que son sang se renouvelle et se rafraîchit chaque fois que, dans le fond d'un département, un gars de volonté ou de

2. François Mauriac, *La Province*, Hachette, 1926.

courage est blessé, qui vient laver sa plaie dans l'eau de la Seine et loger son cœur dans le grand cœur de Paris ! »

De fait, Paris bat au rythme de ses grandes émotions collectives : le faubourg Saint-Antoine, tout près de la place de la Bastille, Belleville la Rouge, la butte Montmartre des communards, la place de la Nation, terminus de tant de cortèges, le Mur des Fédérés au Cimetière du Père-Lachaise... Autant de sites gardiens de l'esprit de révolte, comme un musée des espoirs humains, des combats perdus et des fiertés révolutionnaires. Auteuil et Passy réunis ont moins d'histoire que la rue la plus humble du xxe arrondissement.

La capitale a beau s'être embourgeoisée, Paris sait faire des barricades, changer des régimes, décider pour le reste du pays. Celui-ci a beau maugréer, tenter de contrecarrer la capitale, il suit.

En 1871, avant même l'explosion de la Commune, l'Assemblée nationale qui venait de se réunir provisoirement à Bordeaux décida de décapitaliser Paris. Le gouvernement de Monsieur Thiers s'installerait à Versailles. Paris, qui avait résisté plus de quatre mois au blocus des Prussiens, était puni de son héroïsme même. Une ville trop agitée ! Il lui fallu attendre près de dix ans, la victoire définitive des républicains sur les monarchistes, pour retrouver son « trône ». Dans une France dominée par l'économie rurale, les représentants du peuple siégeaient dans Paris la Rouge.

Paris ne peut se vanter d'être une cité paisible. C'est la rançon de sa gloire. C'est le prix de son exception affichée : la seule capitale au monde à rester aux dimensions d'un promeneur, rejetant sans cesse et sans vergogne son trop-plein d'hommes hors les murs. On avait déjà assisté au déplacement de la population ouvrière, à la suite des travaux d'Haussmann, du centre vers la périphérie, dans ces nouveaux arrondissements datant de 1860, du XVe, au sud-ouest, jusqu'au XVIIe, au nord-ouest, c'est-à-dire de Grenelle aux Batignolles. Les XIXe et XXe – « Belleville » ! – regroupaient à la fin du Second Empire les ouvriers révolutionnaires qui formèrent les gros bataillons des communards, derrière Gustave Flourens et autres corsaires. L'industrialisation fit naître une vraie banlieue au début du XXe siècle, qui prit son essor définitif après la Première Guerre mondiale. Administrativement, Paris resta la ville des vingt arrondissements, mais la population « parisienne » affluait de plus en plus au-delà des portes de la capitale. De sorte qu'aujourd'hui, l'agglomération compte environ dix millions d'habitants, ce qui situe Paris dans les dix plus grandes villes du monde. En même temps, les Parisiens proprement dits ont vu leur nombre décroître régulièrement, n'étant plus eux-mêmes qu'un cinquième de l'agglomération.

Paris, sous l'effet de la hausse du prix des terrains, rejette inlassablement *extra-muros*, depuis un siècle, sa population la plus pauvre et sa population la plus jeune, créant une dualité durable entre Parisiens (numéro 75) et banlieusards (78, 91, 92, 93, 94, 95). Les Hauts-de-Seine qui, de Sceaux à Neuilly, regroupent le plus grand nombre de communes prospères, restent malgré tout un morceau de banlieue car on y trouve aussi les constructions hâtives et massives des années 1960, barres et tours de médiocre qualité, HLM à perte de vue partageant le sort des « banlieues », mot qui connote toutes les maladies sociales : chômage, drogue, délinquance, émeutes, ségrégation... Dans ce domaine, les communes de la périphérie parisienne ne sont pas originales, partageant le sort suburbain des autres zones. C'est en volume qu'elles se distinguent, créant une nouvelle peur : l'arrivée brutale des vagabonds, des voleurs, des errants... Comme sous l'Ancien Régime ou Napoléon III, les Parisiens s'appliquent à repousser les « nouveaux barbares ». Désormais, toutes les manifestations de rue, que Paris capitale monopolise, sont redoutées par eux comme autant d'occasions offertes aux « casseurs » pour piller les magasins, incendier les voitures, semer la panique chez les petites gens. Peu importe la couleur politique de la municipalité, le fantôme de la « ville dangereuse » rôde toujours.

Il a tôt fait de prendre la forme du fantasme Paris-sur-crime ou de la réalité tragique des attentats politiques. Dans les années 1980, la capitale française a été la cible des terroristes du Proche et du Moyen-Orient. L'assassinat, les règlements de compte sanglants, les enlèvements, toutes ces pratiques ont défrayé la chronique depuis l'attentat de la synagogue de la rue Copernic, en octobre 1980, jusqu'aux attentats de l'automne 1995 et de décembre 1996. Comme si Paris était comptable du rôle mondial de la France.

Que Paris soit capitale économique et financière de la France compte moins qu'une évidence encore bien ancrée dans la tête des citoyens du monde : l'esprit et les arts ont leur demeure sur les bords de la Seine. Ainsi, l'École de Paris était composée d'une majorité de peintres et autres artistes étrangers : des Russes, des Espagnols, des Italiens, des Américains... A Paris, les siècles ont entassé les grandes écoles, le Collège de France, l'Institut, les grands musées, la Bibliothèque nationale et autres médiathèques, les grandes revues, les grands journaux, les maisons d'édition, les sociétés productrices de cinéma et de télévision... Il n'est de carrière artistique ou intellectuelle qui ne se fasse à Paris, ou qui ne passe un temps au moins par Paris. Il n'est donc pas étonnant que la Ville lumière attire tous les papillons de province qui veulent faire admirer leurs ailes.

Le modèle inventé par Balzac, lui-même venu de Tours, en restera à tout jamais Rastignac. « A nous deux, Paris ! » Cri de défi jeté par des générations de jeunes loups, arrivés de Briançon ou de Charleville, et qui ont conquis un public qu'ils n'auraient jamais eu la chance de gagner en province. « Tout ce qui se crée de grand à Paris, écrivait encore Mauriac en 1926, la Province l'ignore. » Il n'en est plus de même aujourd'hui, en ces temps de grande circulation et de grande communication, mais Paris reste inévitable. En même temps, Paris sans la province ne serait qu'une autre ville de province. Victor Hugo, natif de Besançon, et qui a chanté Paris sur tous les tons, écrivait de sa manière emphatique :

Cette habitation énorme des idées
Vers qui par des lueurs les âmes sont guidées
Ce tumulte enseignant la science aux savants,
Ce grand lever d'aurore au milieu des vivants,
Paris, sa volonté, sa loi, son phénomène,
Sa consigne donnée à l'avant-garde humaine...

Tout converge vers Paris, les lignes de chemin de fer, les routes et les autoroutes, les manifestants de tous les partis et de toutes les causes, les ambitions médiocres et le génie, les criminels, les libertins et les esprits libres... Car Paris fut aussi, très tôt, une ville où la liberté des mœurs s'affichait. Les amours interdites dans les départements n'ont jamais eu de peine à s'épanouir dans l'immense capitale. A Angoulême tout se sait ; à Paris, tout se fait. Les passions s'y livrent sans masques. Les moralistes ont pris depuis longtemps l'habitude de fustiger Paris, nouvelle Babylone, cité des plaisirs, capitale de la débauche, rendez-vous de toutes les perversions, association de l'amour libre et de l'amour vénal... Les confesseurs de province essayaient de retenir les jeunes gens brûlant d'aller jeter leur gourme sur les bords de la Seine, à l'odeur de soufre. Fantasme très fort chez le jeune Flaubert, écrivant à son ami Ernest Chevalier, le 25 juin 1842 :

« Ce qui me semble le plus beau à Paris, c'est le boulevard. Chaque fois que je le traverse, quand j'arrive le matin, j'éprouve aux pieds une contraction galvanique que me donne le trottoir d'asphalte sur lequel chaque soir tant de putains font traîner leur soulier et flotter leur robe bruyante. »

On comprend que la province – tout au moins la province gourmée qui restait chez elle – ait pu détester Paris, et le déteste encore. L'orgueil architectural du président Mitterrand renforce encore la conviction des provinciaux demeurés enracinés que Paris reste le siège d'un pouvoir méprisant et vampiresque. En réalité, sous la face des choses, un changement s'est produit. D'un côté, Paris est devenu une municipalité, sinon comme les autres, du moins s'alignant davantage sur le modèle général. La ville a désormais un maire, et le pouvoir politique national n'agit plus dans Paris à sa guise. D'un autre côté, les régions se sont mises à vivre. La décentralisation, réclamée depuis près de deux siècles, a accompli ses premiers pas ; le mouvement s'amplifie.

La loi de 1982, dite loi Defferre, a créé un pouvoir régional. Le législateur révolutionnaire de 1789 avait voulu en finir avec les provinces. La France de l'Ancien Régime en comptait une bonne trentaine, qui étaient toutes plus ou moins des États potentiels, rivaux du pouvoir central. On créa alors 80 départements, des unités plus petites, moins « historiques », plus soumises. Au XIXe siècle, libéraux puis nationalistes ont repris le drapeau de la décentralisation ou du « régionalisme ». Il a fallu attendre 1972, pour que soit créée une institution régionale encore timide. Ces régions – au nombre de 22 – n'étaient pas encore des collectivités territoriales ; c'étaient de simples établissements publics, mais l'élan était tout de même donné. Il y avait une dynamique régionale, et le mot région prit un sens nouveau. Au départ, elle n'était qu'une instance de coordination. Au cours des années 1970, une conscience régionale s'était peu à peu dessinée, surtout là où la région avait été tracée dans la trame d'une province historique. L'arrivée au pouvoir des socialistes a accéléré la mutation, et la loi du 2 mars 1982 a fait de la région une véritable « collectivité locale ». Un pouvoir régional s'est édifié, avec un Conseil élu au suffrage universel.

La critique n'a pas manqué de s'abattre sur la réforme. Certes, on avait décentralisé des pouvoirs, mais, en même temps on avait multiplié les clientélismes, les népotismes, la corruption. Il faut visiter les hôtels de région construits à grands frais depuis 1982 : les élus s'y pavanent dans le luxe ! Une autre objection a été lancée à propos de la Corse : les régions ne sont-elles pas les bombes à retardement de l'éclatement de la France ? La Corse, en proie aux violences nationalistes et séparatistes, jouit en effet d'un statut particulier, surtout depuis la loi de 1991 qui a élargi les compétences de la collectivité territoriale (la région a une « assemblée territoriale », un « Conseil exécutif »...) et fait mention d'une « identité culturelle de la Corse ». La république « une et indivisible » n'est-elle pas soumise désormais à des forces centrifuges ? L'Europe des régions, comme la veulent les Catalans, n'est-elle pas en train de naître, au détriment de l'Europe des nations dominantes ? La déconstruction de la France unitaire, souhaitée par les idéologues du régionalisme et autres pourfendeurs du « colonialisme jacobin », est-elle en marche ?

Quelles que soient les craintes et les critiques, le carcan centralisateur s'est relâché. Les régions lèvent des impôts, aident les entreprises, s'occupent de l'aménagement du territoire, jouent désormais un rôle capital dans la formation, s'occupent directement des lycées, financent des activités culturelles, bref recréent peu à peu une vie autonome, dont la France était privée. Signe des temps : le dessin des futures autoroutes corrige sensiblement la célèbre toile d'araignée tissée à partir de la capitale. On pourra l'éviter, elle ne sera plus un passage obligé.

Cette reviviscence provinciale implique-t-elle le déclin de Paris ? Perdu au milieu des autocars et des touristes en bande, le vieux Parisien, le lecteur de Léo Mallet, le bouliste de l'esplanade des Invalides, perd un peu son latin de Lutèce. Sa ville pousse en hauteur, les bistrots laissent peu à peu la place aux usines de « chiens chauds », les librairies sont remplacées par des boutiques de fringues, et les titis qui faisaient rire de leur gouaille tout le monde dans le métro ont disparu de la circulation. Le pire pour l'amoureux de Paris est peut-être la fin des quartiers, l'indifférenciation qui guette les arrondissements. Les écoles, l'édition, la presse, et bien d'autres activités qui avaient leur rue à elles et composaient des microcosmes singularisés, sont transférées, rejetées, dispersées, aussi bien que les lieux de plaisir. Une fois de plus, le « vieux Paris » agonise.

En février 1996, *L'Express* titrait à la une : « Faut-il fuir Paris ? » Un mois plus tard, *L'Événement du Jeudi* rouvrait le dossier : « Adieu Paris, on t'aimait bien... » Ces articles révélaient au grand public que des Parisiens de plus en plus nombreux quittent leur ville. Ce ne sont plus, cette fois, les plus pauvres, mais des représentants des classes moyennes. Paris a ainsi perdu près de 350 000 habitants depuis 1962. Le coût de la vie, et notamment le prix des loyers, la pollution, la fatigue des déplacements, l'inhumanité du nouvel urbanisme, la mort des quartiers, l'insécurité, la misère qui s'affiche à côté d'une richesse qui se mure, voilà quelques-uns des griefs que les partants ont accumulés contre une ville qui a cessé d'être heureuse.

Le tableau, pour n'être pas tout à fait nouveau, se réfère néanmoins à une réalité inquiétante : l'hémorragie humaine. Tandis que les départs, volontaires ou nécessaires, se multiplient, la ville compte 5 000 commerces fermés depuis cinq ans et près de deux millions de mètres carrés de bureaux vides.

Au demeurant, le renouveau provincial n'a pas pour corollaire obligatoire l'abaissement de la capitale. Paris et l'Ile-de-France sont les cartes maîtresses du pays dans l'Europe de demain, une base de rayonnement sans rivale dans l'Hexagone. La région londonienne et la Rhénanie-Westphalie devancent, par leur production et leur population, la région parisienne, qui est suivie de près par la Bavière, le Bade-Wurtemberg et la Lombardie. La centralité de Paris dans cet espace d'Europe occidentale constitue un atout majeur. Son cosmopolitisme, son capital culturel, la concentration des talents qui n'a guère d'équivalent au monde, la protègent du pire. Mais, contrairement à la formule consacrée, je doute que Paris soit encore « une fête ».

23

A quoi servent les intellectuels ?

C'est toujours à Paris que vivent ceux qu'on appelle depuis la fin du XIXe siècle les « intellectuels ». On montre encore aux touristes le café Procope, rue de l'Ancienne-Comédie, où les philosophes du XVIIIe siècle refaisaient tranquillement le monde devant leur tasse. La France, pays de René Descartes et de Jean-Paul Sartre, se flatte d'être la patrie des intellectuels. Pourtant, en 1983, le porte-parole du gouvernement socialiste s'est ému dans un article du *Monde* de la volatilisation des têtes pensantes. Il était étrange, selon lui, qu'elles ne fussent point aux côtés d'un gouvernement de gauche, comme jadis en 1936 ! Quelques écrivains et savants répondirent au messager que leur mission n'était pas de soutenir un pouvoir politique – surtout quand il comptait des ministres communistes, solidaires d'un système d'oppression dont étaient victimes des centaines de millions d'individus.

En 1994, changement de ton : nous nous sommes demandé en France si nous n'assistions pas au « retour des intellectuels ». La guerre interminable qui se déroule en Bosnie-Herzégovine et l'impuissance des États européens à la faire cesser ont déclenché une nouvelle mobilisation. Des gens sérieux et quelques bateleurs se regroupent sur une liste « Sarajevo » en vue des élections européennes. Tout cela finit assez mal, les uns souhaitant retirer la liste avant la clôture, les autres voulant aller

« jusqu'au bout » – et ces derniers obtenant finalement, dépités, 3,5 % des voix. Sur cet épisode, on pourrait écrire une comédie, mais il est notable que les hommes politiques, eux-mêmes candidats aux élections européennes, ont pris très au sérieux la démarche de nos intellectuels. On vit même Michel Rocard, conduisant la liste socialiste, se rendre à un meeting de la Mutualité organisé par la liste Sarajevo, s'y faire proprement conspuer, alors qu'il se ralliait aux thèses aventureuses de nos héros – et notamment à la levée de l'embargo sur les armes dans l'ancienne Yougoslavie. Le leader de droite, Dominique Baudis, se contenta de venir discuter avec quelques-uns dans un café, ce qui était moins compromettant. Tout de même ! Les deux chefs de file des deux grandes listes électorales de la France se croyaient tenus de s'expliquer, de se justifier, aux yeux de quelques agitateurs s'appropriant le monopole de la conscience morale. C'est dire le prestige de l'intelligentsia, même après sa mort supposée !

Dans les cafés et les salons du siècle des Lumières on était à la fois en dehors de la Cour, et proche d'elle. La Cour avait attiré tous les grands ; les écrivains et les artistes ne furent pas de reste. Nos encyclopédistes, qui bravèrent la religion et la morale établies, furent nos premiers intellectuels avant la lettre. Dans les autres pays, les gens de lettres, aujourd'hui les universitaires de renom, sont disséminés à travers le territoire national, alors qu'en France, pour des raisons historiques, ils sont nécessairement à Paris. C'est cette concentration qui a contribué à produire l'espèce des « intellectuels ».

Par intellectuels, il ne faut pas entendre tous les littérateurs, tous les scientifiques, tous les faiseurs de livres, mais uniquement ceux d'entre eux qui, forts de leur petite ou grande réputation dans leur domaine, se manifestent dans la vie publique : Voltaire se portant à la défense de Calas, Hugo fustigeant « Napoléon le Petit » depuis Guernesey, Zola, auteur du « J'accuse » qui lui valut une condamnation et l'exil.

L'intervention peut être collective. C'est justement au cours de l'affaire Dreyfus, relancée par Zola au début de l'année 1898, que se répand l'usage du mot « intellectuels ». Il y avait quelque raison sociologique à son essor. Les journalistes et les hommes de lettres ont vu leurs effectifs à peu près tripler entre 1872 et 1906 [1]. L'Université était devenue une réalité. La liberté de la presse était promulguée depuis 1881. La sécularisation de la société appelait au remplacement des anciens clercs par d'autres, laïques ceux-là.

Le souvenir de la Révolution ne manqua pas de favoriser l'élan des intellectuels. Aux yeux aussi bien de ses adversaires que de ses partisans, la Révolution avait pour origine les grandes œuvres qui remettaient en cause le système politique et religieux de l'Ancien Régime. C'était « la faute à Voltaire », c'était « la faute à Rousseau ». Les philosophes, les encyclopédistes, tous les publicistes qui s'étaient encouragés mutuellement dans les salons frondeurs avaient été d'une admirable efficacité, puisque la Révolution avait eu lieu. L'histoire avait sanctionné la puissance de l'esprit dans les affaires de la cité. Dans les années 1930, Daniel Mornet en fera le bilan éclatant dans un livre resté longtemps un classique, *Les Origines intellectuelles de la Révolution française*. Il écrivait :

« Assurément, s'il n'y avait eu que l'intelligence pour menacer effectivement l'Ancien régime, l'Ancien régime n'aurait couru aucun risque. Il fallait à cette intelligence, pour agir, un point d'appui, la misère du peuple, le malaise politique. Mais ces causes politiques n'auraient sans doute pas suffi pour déterminer, du moins aussi rapidement, la Révolution. C'est l'intelligence qui a dégagé, organisé les

1. Voir Christophe Charle, *Naissance des intellectuels. 1880-1900*, Éd. de Minuit, 1990.

conséquences, voulu peu à peu les États généraux. Et des États généraux, sans d'ailleurs que l'intelligence s'en soit doutée, allait sortir la Révolution. »

Référence extraordinaire. N'importe quel plumitif peut s'enorgueillir de cette généalogie : en France, on s'est convaincu que les écrits abattent les Bastilles. De la plume d'oie au micro-ordinateur, les gens de lettres disposent d'un pouvoir, au moins de fascination, redouté et envié.

Un peu plus d'un siècle après la chute de Louis XVI, il y eut cette deuxième étape, l'affaire Dreyfus, qui renforça encore la légitimité des intellectuels. L'engagement par voie de pétitions d'écrivains, de professeurs, de savants, en faveur du capitaine Dreyfus – « innocent châtié » –, ne se faisait derrière aucune organisation politique : ni la gauche radicale ni l'extrême gauche socialiste n'étaient – à de rares exceptions près – intéressées à la cause d'un capitaine d'artillerie, juif ou non, convaincu d'espionnage. Les intellectuels s'imposaient en groupe autonome, situé hors du champ politique habituel, et entraînant au terme de leur bataille une majorité parlementaire – au nom des valeurs universelles de justice et de vérité, mais aussi parce qu'entre-temps les ligues d'extrême droite et les forces antidreyfusardes menaçaient le régime – à soutenir la révision du procès, prélude à la réhabilitation du soldat injustement dégradé et déporté.

Cette action de longue haleine, menée par des écrivains et des universitaires (les dreyfusards de la première heure étaient rares chez les hommes politiques, à part Scheurer-Kestner, Clemenceau, puis Jaurès), provoque la réaction d'autres écrivains, d'autres littérateurs, d'autres savants, au premier rang desquels Maurice Barrès, qui fustige la prétention des cuistres et des romanciers à en savoir plus long sur les affaires publiques que les autres citoyens. Cet anti-intellectualisme est repris, développé, explicité par Ferdinand Brunetière, directeur de la *Revue des Deux Mondes*, mais la réaction même de ces censeurs ne fait qu'élargir à leur corps défendant le cercle des intellectuels.

Polémiques, manifestes, procès en chaîne, « séparations brutales », duels au soleil, schismes sur les canapés, salon contre salon, journal contre journal, l'Université (dans une large mesure) contre l'Académie (à l'exception d'Anatole France), le pays a connu une guerre d'idées légendaire, dont les enjeux s'appellent droits de l'homme et raison d'État. La victoire finale des dreyfusards confirme en définitive le rôle majeur des intellectuels dans la vie publique française. Après la Révolution, l'affaire Dreyfus fut leur second baptême collectif.

Face à eux, aux intellectuels proprement dits, une autre intelligentsia avait pris force : Maurras, relayant Barrès, refuse au nom de l'intelligence positive, au nom des « différences » comme on dirait aujourd'hui, l'universalisme et l'individualisme qui, formant système, nient la réalité charnelle de la patrie, préfèrent l'Homme abstrait aux hommes concrets, et ignorent le machiavélisme des États nécessaire à la survie des nations. Les champions de l'universel doivent compter avec ces défenseurs du particulier et du relatif.

En 1927, un ancien dreyfusard, Julien Benda, lance, dans *La Trahison des clercs*, une diatribe contre ces intellectuels qui, en abandonnant le point de vue de l'universel, se sont mués en « clercs de forum », prenant fait et cause pour des passions politiques ; il vitupère surtout les nationalistes, mais aussi les partisans de la lutte des classes : « Notre siècle aura été proprement le siècle de l'organisation intellectuelle des haines politiques. Ce sera un de ses grands titres dans l'histoire morale de l'humanité. » Le pauvre Benda n'avait encore rien vu ! Car les années 1930 prodiguent toutes les conditions des dérapages, dénoncés par lui, de l'ordre intellectuel au tumulte politique : crise économique, scandales financiers, crise institutionnelle, montée des fascismes, dictature stalinienne, fronts populaires, guerre civile en Espagne, menaces de guerre généralisée... Ce fut le temps des mobilisations, des serments, des résolutions, et des nouveaux déchirements. Aujourd'hui, on peut découvrir, en lisant la presse de gauche, la nostalgie de bien des intellectuels pour ces années 1930. Ce ne fut pourtant pas vraiment glorieux.

Entre 1934 et 1939, plusieurs intrigues entrecroisent leurs fils. En simplifiant : 1. une intrigue fasciste (pour ou contre Mussolini, pour ou contre Hitler, en France pour ou contre Doriot et autres imitateurs des chemises noires) ; 2. une intrigue communiste (pour ou contre l'URSS, pour ou contre Staline, pour ou contre la pertinence de l'anticommunisme en des temps d'antifascisme...) ; 3. l'intrigue de politique intérieure (pour ou contre le Front populaire, pour ou contre la politique de Léon Blum...) ; 4. l'intrigue du pacifisme (pour ou contre la fermeté face à la conquête de l'Éthiopie par Mussolini, pour ou contre la mobilisation face aux provocations et aux conquêtes hitlériennes...). Il suffit d'énumérer ces quatre pommes de discorde pour comprendre la complexité des fronts : les intellectuels se déchirent à pleines dents, non pas seulement gauche contre droite, « fascistes » contre « communistes », mais, à l'intérieur même de chaque groupe, « bellicistes » contre « pacifistes », quitte à troubler le combat si simple en apparence qui, vers 1934, a mis face à face les défenseurs du régime démocratique et ses ennemis.

Un Gide, converti, sinon au communisme, du moins à la sentimentalité et à l'espérance communistes au début des années 1930, revient d'URSS en 1936 consterné : ce qu'il a vu lui a fait perdre toute complaisance. Mais, en 1936, c'est le grand affrontement gauche-droite en France, c'est bientôt la guerre civile en Espagne : Gide peut-il dire son fait à Staline *cette année-là ?* Gide n'écoute que lui-même, et publie *Retour de l'URSS*, quitte à désespérer Barcelone.

Autre cas de figure : Bernanos, catholique, royaliste, porte une sympathie spontanée aux franquistes, contre les républicains espagnols qui massacrent les bonnes sœurs. Mais le voilà témoin à Majorque des cruautés et des assassinats commis sur les populations civiles au nom du Christ-Roi. Outré, Bernanos écrit *Les Grands Cimetières sous la lune*, contre les nantis, les archevêques, les amis de l'ordre. Dans le même temps, Simone Weil, philosophe gauchiste, témoin des crimes perpétrés par l'Internationale communiste sur les militants du POUM et les anarchistes d'Espagne, élève une protestation véhémente contre Moscou et ses affidés. Georges Bernanos, Simone Weil, les voici à front renversé, ils s'écrivent, chacun protestant contre son propre camp, sa propre famille.

La belle partie, rouges contre blancs, est chahutée par les contradictions de chaque camp. A droite, des nationalistes deviennent pacifistes, parce qu'ils trouvent du génie aux dictateurs étrangers qu'on désigne comme ennemis ; parce que ceux-ci sont un rempart contre le communisme ; parce que la guerre qui se prépare est la guerre des Juifs (ceux qui le disent s'appellent Céline, Brasillach, Béraud, Jouhandeau, la revue *Combat* de Thierry Maulnier, toute une littérature antisémite qui dénonce chez les Juifs persécutés par Hitler une volonté de vengeance brûlant d'entraîner les démocraties au « casse-pipe »). A gauche, les antifascistes musclés de 1934, qui faisaient du moindre « Croix-de-Feu » une graine de nazi, s'amollissent face au déploiement de force de Hitler. Les uns, dont la base d'appui est le PCF – du moins jusqu'à la signature du pacte germano-soviétique d'août 1939 –, intègrent la nécessité du réarmement et l'hypothèse d'un rapport de forces avec les fascismes, si Hitler dépasse la mesure. Les autres, au nom de la paix, font passer leur antifascisme à l'arrière-plan, ou se contentent d'en dénoncer les signes... dans les gouvernements français qui ont entamé – avec quel retard ! – une politique d'équipement militaire. « Plutôt nazifiés que morts ! » disent à peu près les « munichois » de gauche. « Plutôt Hitler que Blum », se répètent les munichois de droite.

On assiste, au moment de la conférence de Munich – la capitulation anglo-française devant Hitler –, à d'étonnants chassés-croisés. Romain Rolland, le pacifiste de la Grande Guerre, est désormais décidé à faire barrage au nazisme par tous les moyens. La revue *Esprit*, pacifiste depuis ses débuts (1932), publie sous la plume de son directeur, Emmanuel Mounier, un long éditorial contre la défaite morale et politique de Munich. Montherlant, qu'on ne qualifierait pas d'antifasciste, écrit sa répugnance de la France capitularde dans son *Équinoxe de septembre*. Le Comité de vigilance des intellectuels antifascistes, lui, est en pleine crise. Un de ses fondateurs, le philosophe Alain, en compagnie de Giono, a demandé à Daladier par la voie du télégraphe, lors de la sinistre conférence, de sauver la « paix » à tout prix. Au sein du comité, les pacifistes sont finalement les plus nombreux ; les antifascistes résolus – ceux qui considèrent Hitler comme l'ennemi n° 1 – démissionnent les uns après les autres [2].

Une troisième catégorie d'antifascistes refusent de

2. Il est plaisant de noter sous la plume de Jean Daniel, éditorialiste du *Nouvel Observateur*, à la date du 14 juillet 1994, dans un éloge des intellectuels, une allusion au « glorieux » Comité de vigilance des intellectuels antifascistes. Quand on connaît son histoire, ses déchirements, son aplatissement devant Hitler, on se demande ce que cette association a eu de « glorieux ». En France, les mythes ont toujours eu plus de poids que l'histoire.

s'aligner sur les munichois et les antimunichois : ce sont les antistaliniens qui ne veulent pas d'une alliance avec le dictateur rouge ; ce sont les antihitlériens qui n'ont pas envie de défendre le capitalisme anglo-saxon. Bref, l'intelligentsia raffinée des « ninistes » – ni Hitler, ni Staline ; ni le capitalisme, ni les totalitarismes : « Nous refusâmes, écrit Raymond Abellio, adepte de Marceau Pivert, de trancher entre les deux blocs, anglo-français d'une part, germano-italien de l'autre, considérés par nous comme également " impérialistes ". Nous n'avions pas, disions-nous, à choisir entre les loups gras et les loups maigres. Au sein d'événements si convulsifs, cette neutralité témoignait de notre absence [3]. »

La guerre fut une épreuve redoutable, et pour certains effectivement une longue absence. Bien des écrivains et des intellectuels tombèrent sous la fascination du vainqueur ou ne surent résister aux câlineries qu'il leur prodiguait. Aux fascistes, Drieu, Brasillach, Rebatet et Cie, qui prenaient leur revanche, s'ajoutaient les néophytes de l'ordre européen, les Chardonne, les Montherlant, les Fabre-Luce, les opportunistes et les antisémites, style Jouhandeau ou Céline (qui fit rééditer ses *Bagatelles pour un massacre*). Tout ce monde assez répugnant, malgré le talent littéraire, allait subir à la Libération les foudres de la Némésis épuratrice. Les intellectuels qui étaient du côté des juges n'avaient pas tous été pour autant des héros de la Résistance ; les ouvriers de la onzième heure y étaient les plus nombreux, Malraux en tête, pour ne pas parler de Sartre. En tout cas, sous l'égide du parti communiste triomphant, il y eut désormais en France les « bons » et les « méchants », les « résistants » et les « collabos », dont les noms étaient portés à la connaissance publique par des listes officielles. L'unité des « bons » se brisa vite sur la

3. R. Abellio, *Ma Dernière Mémoire*, II, *Les Militants*, Gallimard, 1975.

question de l'épuration, en particulier sur le cas Brasillach, condamné à mort. François Mauriac et Jean Paulhan défendirent le principe de clémence, heurtant la conscience de Camus, qui finit par rallier ses adversaires contre les intransigeants. Le tout était de savoir si les intellectuels devaient payer pour les autres collabos. Drieu, qui n'avait pas attendu la conclusion, s'était tiré une balle dans la tête.

Il appartint à Jean-Paul Sartre d'écrire que les mots étaient chargés, eux aussi, comme des pistolets. Dans « Qu'est-ce que la littérature ? », il lança en 1947 l'un des manifestes les plus tonitruants de l'après-guerre : qu'il le veuille ou non, l'écrivain est engagé par la moindre de ses phrases et par ses silences mêmes ; la période de l'Occupation venait d'en faire la démonstration.

Les listes en double colonne de la Libération volent en confettis lorsque, à partir de l'automne 1947, s'ouvre la guerre froide. La question communiste devient le centre de toute préoccupation. Beaucoup de jeunes intellectuels ont succombé au prestige du Parti (qu'on désigne au singulier, dans sa vocation à l'unicité, malgré l'étymologie). Les grands « noms » de la littérature et de la philosophie y répugnent pour la plupart, mais bon nombre se tiennent dans une position de sympathie ou de courtoisie que de nombreux organismes comme le Mouvement de la Paix permettent au parti communiste de récupérer. En 1948 le schisme du Yougoslave Tito, puis en Hongrie le procès Rajk en 1949 causent des défections, parfois éclatantes, chez les compagnons de route. Ainsi, Jean Cassou, Vercors, qui protestent contre la diabolisation de Tito dans la revue *Esprit*. Aux *Temps modernes*, revue concurrente, que Sartre dirige, la question du communisme, mêlée à d'autres plus subalternes, fait des ravages : brouille Sartre-Camus, brouille Sartre-Étiemble, brouille Sartre-Claude Lefort, brouille Sartre-Merleau-Ponty... Jean-Paul

Sartre, prenant carrément parti pour Staline et ses successeurs en 1952, et déclarant au retour de son premier voyage au pays des soviets : « La liberté de critique est totale en URSS. »

L'autorité communiste et progressiste qui a tenu en respect le monde intellectuel jusqu'en 1956 n'empêche pas les oppositions. Outre les anciens collabos, pétainistes et fascistes qui n'ont rien appris et qui remâchent leurs souvenirs dans des publications qui sentent l'hospice, une poignée de libéraux refusent et l'alignement derrière le PCF et les facilités du neutralisme entre les deux blocs qui donne bonne conscience mais n'ouvre aucune perspective politique. Leur leader incontesté est Raymond Aron qui, dès 1948, dans *Le Grand Schisme*, analyse la nature de ce nouveau conflit rendant la « paix impossible et la guerre improbable ». L'ancien « petit camarade » de Sartre, dont le nom a figuré au sommaire du premier numéro des *Temps modernes*, devient pour la gauche progressiste « l'intellectuel organique » par excellence, un « chien de garde » comme aurait dit Nizan. Aron publie, sans éclat de voix, des analyses serrées dans *Le Figaro*, dans la revue gaulliste *La Liberté de l'esprit*, puis à partir de 1951 dans *Preuves*, soutenue par les Américains aux fins de maintenir un pôle intellectuel international face aux revues et à la littérature prosoviétiques ou neutralistes. En février 1949, Malraux, l'ancien compagnon de route, a donné le ton, définissant la Russie soviétique « la plus vaste entreprise d'organisation du mépris connue depuis Hitler... ». Ce genre d'affirmation passe alors aux yeux de la majorité des intellectuels comme une ignominie. Le rapport Khrouchtchev du XXe congrès du parti soviétique, en 1956, ouvre brutalement les yeux de beaucoup sur ce que le jugement de Malraux pouvait avoir de juste. La démystification de Staline par Khrouchtchev, suivie bientôt par la répression de l'insurrection hongroise par les chars soviétiques, ouvre une brèche, qui n'a plus cessé de s'élargir dans les murs de la forteresse communiste : les intellectuels et les compagnons de route perdent leurs illusions et renoncent à leurs complicités.

La démobilisation n'est pourtant pas de saison. Face aux professeurs de littérature engagée, il y a bien eu des résistances, parfois brillantes, chez les écrivains. Les Hussards, dont Roger Nimier reste une figure emblématique, récusaient la théorie sartrienne en des romans légers, brillants, et insolents. Jacques Laurent a mis un moment les rieurs de son côté par un article, « Paul et Jean-Paul », où il comparait le barbifiant Bourget, professeur de morale bourgeoise, et le docte Sartre, enseignant la morale prolétarienne. A vrai dire, tous ces écrivains « buissonniers » n'étaient pas si étrangers à la politique : la majorité d'entre eux devaient se battre, plume en main, en faveur de l'Algérie française. Précisément, l'anticolonialisme qu'ils pourfendaient devint la cause sacrée des intellectuels de gauche au moment même où le communisme amorçait sa débâcle. On s'affronta à coups de pétitions, de comités, de manifestes. Les camps de la guerre froide se décomposaient. Une des polémiques les plus vives opposa Aron, qui, dès 1957, analysait dans *La Tragédie algérienne* le caractère inéluctable de l'indépendance, et Jacques Soustelle, qui lui opposait les raisons du cœur à défaut d'autre argument. Mauriac faisait une cure de jouvence à *L'Express*, où il ferraillait en faveur des solutions libérales au Maghreb. En face, l'hebdomadaire *Carrefour,* démarqué de ses origines gaullistes, défendait la cause coloniale. Une brillante équipe suivait à *La Nation française* le panache blanc de Pierre Boutang, avant de se déchirer au temps de l'OAS. L'arrivée de De Gaulle au pouvoir redistribua un peu les cartes : Mauriac et Malraux, qui avaient protesté « contre la torture » sous Guy Mollet ou Bourgès-Maunoury, se rangèrent derrière le grand homme. Mais la guerre continuait, et en 1960 éclata le scandale des « 121 », qui avaient signé un appel en faveur de l'insoumission militaire.

L'Algérie fut ainsi sans doute la dernière grande bataille intellectuelle du siècle. On avait revu, au moment du débat sur la torture, des scènes qui rappelaient l'affaire Dreyfus; ceux qui mettaient l'armée (et la cause de l'Algérie française) au-dessus de tout, contre ceux qui défendaient en termes d'impératif catégorique les droits de l'homme au nom desquels, justement, la France prétendait éclairer les peuples colonisés. Mais une affaire Dreyfus qui ne se bornait pas aux murs d'un prétoire, aux salles de rédaction, aux portes des universités : les larmes et le sang des victimes en étaient l'enjeu.

La fin de la décolonisation, la détente internationale, la mode des structuralismes, autant de faits qui ont peu à peu assourdi la voix des intellectuels engagés. La pseudo-révolution de mai 68 a relancé pour quelques années le rêve utopique d'une société promise, dont l'espoir avait été trahi par le communisme d'appareil. Le gauchisme à son tour fit long feu, la traduction de *L'Archipel du goulag* de Soljenitsyne donne le coup de grâce, en 1974, à ces philosophies du Bien qui font tant de mal. Au début des années 1980, Sartre et Aron nous quittent, à peu d'intervalle. Depuis leur mort, nous sommes comme des orphelins. Les petites querelles d'aujourd'hui entretiennent un dernier souffle de vie : l'affaire des foulards, le pacifisme pendant la guerre du Golfe, l'intervention en Bosnie... Le théâtre médiatique, entre-temps, a imposé ses exigences : Messieurs les penseurs sont priés de rester assis au fond, place aux stars ! place aux saltimbanques ! Certes, des philosophes et des écrivains rompent encore des lances dans les journaux, mais leurs écrits sont devenus insignifiants, jetés le lendemain à la poubelle avec les épluchures. Pour ceux qui croient encore à la vie de l'esprit, rien ne paraît plus désolant sans doute que cet immense Café du Commerce que représente aujourd'hui le débat « intellectuel » : on y entend la « colère » des uns, on enregistre « la peur » des autres, on prend acte des « convictions » de ceux-ci, des « espoirs » de ceux-là... Mais peut-être les intellectuels n'ont-ils jamais été que l'écho plus ou moins savant des passions ordinaires ? Ils ne seraient pas là pour nous éclairer, mais pour sonoriser nos débats.

Je ne le souhaite pas. Leur mission, à mon sens, existe bien. C'est d'être les gardiens à la fois organiques et critiques de la démocratie – régime fragile entre tous, régime inachevé, inaccompli, toujours perfectible, mais seul régime humain. Ils ont à rappeler ses principes contre ceux qui travaillent à les nier, à les saper, à les subvertir. Le désir de gloire en fait dérouter trop de leur vocation : donner sens et finalité à notre vouloir-vivre ensemble. Il ne faut pas désespérer Saint-Germain-des-Prés, la République aura toujours besoin de savants.

24

La fièvre missionnaire

Au printemps 1994, alors que je me trouvais en compagnie internationale à la table de notre ambassadeur dans un pays d'Europe centrale, la conversation partit à un moment sur le Rwanda, où la France, seule, venait de décider d'envoyer des troupes dans un dessein humanitaire. Des images insoutenables en provenance de cette ancienne colonie belge, en proie à des massacres génocidaires, apparaissaient depuis des semaines sur les écrans de télévision du monde entier, mais le monde entier ne manifestait aucune envie de bouger. Hormis la France. Quelqu'un s'interrogeait sur cette manie de son pays à se mêler de tous les malheurs du monde : au Rwanda, il y avait tout à perdre, et rien à gagner. C'est alors qu'un des convives, citoyen du pays où nous nous trouvions, le regarda et lui dit, un brin solennel : « Mais vous êtes le pays de la Révolution ! »

A ses yeux, il n'y avait plus que deux États qui pouvaient exprimer une conscience mondiale, c'étaient les États-Unis et la France. L'URSS, qui avait eu pendant trois quarts de siècle une ambition planétaire, n'existait plus. Restaient les deux autres peuples révolutionnaires – et eux seuls.

La vocation américaine à l'universalisme est, du reste, récente. Quand les colons britanniques se sont soulevés contre leur mère patrie et ont déclaré leur indépendance, à la suite d'une guerre (où, soit dit en passant, ils avaient reçu l'appui des Français), les

États qui s'unirent pour former une Fédération souveraine eurent à cœur de faire précéder leur Constitution d'une déclaration de principe qui établissait les droits des citoyens. Et cela avant la Révolution française.

Cette antériorité américaine n'empêche pas l'originalité et, si l'on veut, la prétention française. Lorsque l'Assemblée constituante discute à son tour le préambule de la Constitution – qui sera la Déclaration des droits de l'homme et du citoyen –, les députés s'inspirent à coup sûr de certains textes américains, et notamment de la Déclaration de la Virginie. La différence est néanmoins éclatante : là où des colons émancipés de leur métropole promulguaient la charte de leurs libertés, les Français se croyaient tenus de légiférer pour l'univers. L'habitude ne les quittera plus.

Comme l'avait dit Dupont de Nemours en la séance du 8 août : « Il ne s'agit pas d'une déclaration des droits qui doive durer un jour. Il s'agit de la loi fondamentale des lois de notre nation *et de celle des autres nations*, qui doit durer autant que les siècles. »

Nos ancêtres n'ont pas fait la Révolution contre un despote particulier, mais au nom des droits naturels – ceux de tous les hommes. C'est parce que 1789 est « lié aux intérêts de l'humanité », comme disait Kant, qu'elle eut son retentissement et qu'elle changea la face du monde.

Les Américains, pendant longtemps, ont préféré l'isolationnisme. Ils ne sont entrés dans la Première Guerre mondiale qu'en 1917, à cause de la guerre sous-marine que l'Allemagne faisait à leurs navires. Ils ne sont entrés dans la Seconde qu'en 1941, lorsque les Japonais eurent frappé leur marine à Pearl Harbor, dans une action de guerre préventive. Ce n'est vraiment que depuis cette époque que les États-Unis sont devenus une puissance véritablement mondiale, portés à jouer ce nouveau rôle moins en fonction de leurs principes qu'en raison de leur puissance matérielle. Les Français, au contraire, eurent la conviction très tôt, nous le savons, d'être un peuple élu, dont le monde attendait les lumières.

En 1790, les députés à la Constituante avaient publié aussi une retentissante « déclaration de paix au monde ». Pour eux, il n'était plus qu'une guerre légitime, la « guerre défensive ». On devait en finir avec les conquêtes, les invasions, les conflits en chaîne résultant de la volonté de puissance des monarques ! La France serait désormais pacifique. En fait, la Révolution, qui remettait en cause les principes sur lesquels la plupart des États monarchiques s'étaient enracinés ; qui proclamait à la face de l'Europe les droits de chaque nation ; et qui, de surcroît, devait compter avec un chef de l'exécutif – le roi Louis XVI – qui finit par ne voir plus d'autre moyen de reprendre ses anciens pouvoirs qu'à la faveur d'une guerre étrangère, dans laquelle l'Autriche de sa belle-famille alliée à quelques autres puissances pourrait mettre la pile aux « patriotes », la Révolution pacifique, donc, portait la guerre dans ses flancs.

Les guerres de la Révolution et de l'Empire, qui retournent l'Europe de 1792 à 1815, ont confirmé – et cette fois par les armes – le goût présomptueux des Français à régenter les autres pays. Ils défont et refont la carte du continent ; ils annexent les uns ; ils légifèrent pour les autres ; partout ils apportent avec leurs *impedimenta* leurs « immortels principes », ceux-ci se révélant souvent les meilleurs supports de la conquête. L'Europe était civilisée à la baïonnette.

Tout parut rentré dans l'ordre ancien après Waterloo. La contre-Révolution avait repris le pouvoir partout. La Sainte-Alliance tuait dans l'œuf les moindres manifestations libérales. Ce n'était qu'apparence. Les idées françaises continuaient à faire leur chemin, souterraines mais impérieuses : les principes de liberté, d'égalité, de nationalité, s'enfonçaient jusque dans les caboches les plus obscures de la chrétienté. Les anciens régimes étaient condamnés à terme – et ce terme en fut la défaite des empires centraux en 1918.

Pendant tout le XIXe siècle, les Français s'étaient senti l'âme universelle. La révolution de 1848 alluma un nouvel embrasement dans toute l'Europe. Des mouvements insurrectionnels se produisirent en Autriche, en Prusse, dans le grand-duché de Bade et à Francfort. A Vienne, l'empereur dut promulguer une constitution, tandis que les Tchèques et les Hongrois se soulevaient. A Berlin, le peuple insurgé obtint du roi, lui aussi, une constitution. En Italie, un soulèvement général éclata dans toutes les possessions autrichiennes, à Milan, à Venise, à Parme, à Modène... Le pape Pie IX dut fuir Rome, prise par les républicains. Ce fut un « printemps des peuples » qui ne fut pas suivi d'un été immédiat. Mais, une fois encore, la France avait donné le ton ; Paris avait été de nouveau le brasier à partir duquel l'Europe avait pris feu.

L'ambivalence de la tentation missionnaire, qui s'était révélée surtout au moment des conquêtes napoléoniennes, connut une nouvelle étape avec l'entreprise coloniale. La Troisième République s'y lança avec un bel entrain. Jules Ferry en fut un des grands inspirateurs, malgré l'opposition de Clemenceau et des nationalistes lui reprochant de se laisser distraire par Bismarck – en somme, un second abandon de l'Alsace-Lorraine, médiocrement compensée par le Tonkin ! L'opinion fut longue à s'enthousiasmer pour ces aventures lointaines. Mais Ferry était pénétré de cette idée qu'avait exprimée à sa place son collaborateur Alfred Rambaud, en 1881 : la France ne pouvait se résigner « à jouer dans le monde le rôle d'une grande Belgique ».

Sans doute la France, comme les autres puissances colonisatrices, avait-elle des intérêts à défendre outre-mer, des débouchés à s'assurer, des sources de matières premières à contrôler. Mais elle avait aussi une « mission civilisatrice » : « Les races supérieures, disait Jules Ferry en 1885, ont un droit vis-à-vis des races inférieures. Je dis qu'il y a pour elles un droit parce qu'il y a un devoir pour elles. Elles ont le devoir de civiliser les races inférieures. »

A dire vrai, chez les contemporains de Ferry – un Paul Leroy-Beaulieu, par exemple, auteur d'une *Colonisation chez les peuples modernes* (1874) qui influença beaucoup le futur président du Conseil –, la naïveté patriotique ne s'embarrassait pas de nos scrupules anti- et post-colonialistes. Il allait de soi que la France était en droit de conquérir des territoires lointains pour sa plus grande puissance, économique, militaire, diplomatique. La justification humanitaire et civilisatrice venait en second. Pourtant, une évolution tout au long du XXe siècle est perceptible, le devoir de civilisation passant de plus en plus au premier plan, au fur et à mesure que se développait la contestation du colonialisme.

C'est ainsi que les manuels de classe ont exalté avec de plus en plus de ferveur une présence française favorable aux indigènes : pacification, abolition de l'esclavage, progrès sanitaires, construction de barrages, de ports, de voies de communication... Savorgnan de Brazza, Gallieni, et surtout Lyautey sont présentés comme de grands coloniaux civilisateurs.

Civiliser, c'était aussi, pour d'autres, convertir, propager le christianisme, baptiser les fétichistes et les païens. Il est remarquable que dans l'œuvre de colonisation, la république laïque et la fille aînée de l'Église aient si harmonieusement été solidaires. Parfois, l'Église préparait le terrain à l'Armée. C'est ainsi que les manuels des frères des écoles chrétiennes font l'éloge d'« un illustre prélat français, le cardinal Lavigerie, archevêque de Carthage, [qui] avait préparé la conquête de Tunisie en faisant aimer la France par sa charité ». Pères blancs, pères du Saint-Esprit, trappistes, complétaient le travail des officiers, des ingénieurs, des administrateurs coloniaux. La France était alors doublement missionnaire, au nom des Lumières et au nom de la foi chrétienne. Longtemps sceptique, l'opinion se rallia. On admira les planisphères sur lesquels s'allongeait la superficie rose des terres conquises ; on se pressa à l'Exposition coloniale, à Paris, en 1931. Les trois couleurs flottaient sur tous les continents.

Notre esprit contemporain rejette l'idée de colonisation, qui nous paraît contradictoire avec l'idéologie même des droits de l'homme. Cette conception de « races supérieures » et de « races inférieures » nous est odieuse. Mais nous ne devons pas tomber dans l'anachronisme. Les républicains, tout comme les catholiques, étaient convaincus du bien-fondé de l'œuvre impériale. Que la France tirât profit matériellement de ses colonies n'était que la juste compensation des efforts qu'elle y déployait pour élever les indigènes à la « civilisation ». Les Français ne voulaient pas être absents de la compétition internationale qui poussait les pays d'Europe à mettre la main sur toutes les terres connues, mais ils avaient, en plus, la certitude de se faire les agents du progrès dans les terres arriérées.

La décolonisation fut d'autant plus douloureuse dans le cas français. Comment était-il pensable que des peuples auxquels on avait tant apporté pussent ressentir le désir de vivre sous leur propre drapeau ? Le cas de l'Algérie fut le plus dramatique, en raison de la présence là-bas d'une forte minorité chrétienne et juive. Au cours de la guerre d'indépendance, qui fut ouverte par les attentats de la Toussaint 1954, on vit des laïques convaincus, des radicaux, des socialistes, proclamer leur volonté de maintenir l'Algérie à la France, parce que la France des droits de l'homme offrait aux Arabes et aux Berbères plus de garantie pour leur avenir que l'obscurantisme médiéval de l'Islam.

Forte de ce passé – les guerres de la Révolution et de l'Empire, les entreprises coloniales –, la France s'est accoutumée à penser l'universel, comme si l'univers lui était à charge. Trop persuadés de leur « supériorité », les Français sont devenus des conquérants humanitaires – quitte à armer intellectuellement les colonisés contre eux-mêmes, car on ne peut impunément enseigner « le droit des peuples à disposer d'eux-mêmes » et les garder sous la menace des canons.

La France a cessé d'être une puissance coloniale. Il lui reste quelques possessions outre-mer, buttes-témoins d'un empire disparu, transformés en départements ou territoires d'outre-mer. Elle n'a pas perdu pour autant sa propension à intervenir dans les affaires du monde, comme si, sur la lancée du XVIIIe siècle, elle cultivait interminablement la nostalgie d'une grandeur perdue. De Gaulle voulut toujours parler de pair à compagnon avec les chefs d'État des plus grandes puissances, et nombre de nos partenaires occidentaux sont fatigués de voir notre pays leur faire des leçons de morale, comme s'il était l'instituteur universel.

Ces leçons se faisaient en français. Or le recul de celui-ci est un autre sujet de préoccupation. A la fin du siècle dernier, on pouvait lire dans les manuels : « En Europe, la langue française l'emporte sur les autres, car elle est la langue diplomatique et elle est parlée parmi les classes instruites de toutes les nations européennes. » Aujourd'hui, malgré les efforts des Instituts français et des Alliances françaises à l'étranger, force est de constater son déclin au profit de l'anglais, quelles que soient les vertus d'une vaste francophonie trop souvent apparentée à une cacophonie. Réduits à la défensive, nous en sommes venus, lors des discussions sur le GATT, au début de 1994, à parler d'« exception culturelle » pour protéger nos productions audiovisuelles. Les barrières douanières ne sont jamais un très bon signe, *a fortiori* pour les œuvres de l'esprit ; elles révèlent une faiblesse, elles invitent au repliement. Si la France manque de moyens et de capitaux pour rivaliser avec les productions américaines, n'est-il pas de toute nécessité de contre-attaquer dans le cadre européen ? Rechercher à construire des structures internationales pour relancer les créations nationales ? Quand tout passera sans autorisation sur les petits écrans, notre « exception culturelle » aura bonne mine !

Et que dire de l'extrême timidité de notre politique à l'égard de la Francophonie ? Du monde entier nous arrivent les œuvres d'écrivains qui, ou de langue maternelle française, ou de langue française par choix délibéré, restent généralement méconnus, et notamment de nos programmes scolaires et universitaires. Serait-ce le fruit paradoxal de notre complexe d'ancien colonisateur ? Défendre le français est devenu réactionnaire aux yeux de nos médias ordinaires ; ce sont les Québécois, les Belges, les Suisses romands, les Maghrébins, les Libanais, les Africains, etc., qui nous donnent la leçon.

Dans un autre domaine, les Français continuent cependant à jouer un rôle international majeur, démontrant une nouvelle fois leur vocation à assumer des responsabilités planétaires. Il s'agit de l'aide humanitaire, où ils prêchent d'exemple. Sous l'impulsion d'anciens soixante-huitards, dont Bernard Kouchner est la figure emblématique, on a vu la fondation de « Médecins sans frontières », puis, une scission survenant en leur sein, de « Médecins du monde » – ces *French doctors* comme on dit aux États-Unis et en Angleterre. Médecins, infirmiers, pharmaciens, de jeunes Français, loin de leur pays, exercent leur savoir-faire dans les zones les plus démunies, sur le terrain des guerres africaines. Que font-ils loin de leurs pénates ? Et, tout aussi bien, pourquoi la France a-t-elle fourni le plus gros contingent des forces de l'ONU en Bosnie – cette Bosnie qui ne paraissait préoccuper que la seule France lors de la campagne électorale des « européennes » ?

Je sais bien, et la presse étrangère suffirait à tempérer notre autosatisfaction, que toutes nos actions à l'étranger ne sont pas désintéressées. La France, comme tout État, a des intérêts à défendre. Ce serait pourtant se tromper que de méconnaître la dimension généreuse de tant d'interventions. Nous rejoignons ici, sans aucun doute, notre propos sur les intellectuels. Ceux-ci sont souvent ridicules, à force de présomption. Mais ne leur retirons pas cet esprit de responsabilité qui les anime. Ils se leurrent assurément sur l'influence qu'ils peuvent avoir, mais ils ne se résignent pas au Mal. L'Histoire témoigne que le démon du Bien est tout de même un démon et que les meilleures intentions pavent les chemins de l'enfer. Je ne suis pas ici pour juger, mais pour tenter de comprendre. Le slogan : « la France seule » ou « la seule France », qui fut celui de nos nationalistes et de nos pétainistes, n'a jamais été suivi d'effet que sous les quelques années d'un régime d'occupation étrangère. On peut s'irriter de cette incapacité des Français à rester dans leur pré carré, de vouloir toujours se mêler de tout, et de se poser si souvent en modèles. On peut s'en louer.

En 1942, c'est une illusion qui pouvait rendre moins lâche ou moins désespéré. Le résistant Stanislas Fumet écrivait alors, dans une publication qui arrivait clandestinement de Suisse : « Cela fait toujours une sensation désagréable de se dire qu'il pourrait un jour ne plus y avoir de France dans le monde. Il y a là quelque chose qui répugne, et même à des gens qu'on ne doit pas soupçonner de nationalisme. Ce sentiment, les étrangers cultivés le partagent et ils l'ont proclamé naguère avec force. Pourquoi ? C'est que la destinée d'un pays comporte un mystère que le matérialisme historique ne nous expliquera jamais, fût-il très habile à nous en révéler les contours. On en vient à supposer que la France, quels que soient les erreurs, les crimes des Français, est jusqu'à un certain point " réservée ". On ne peut pas bien dire à quoi, ou alors on le dit sans prudence et tout passionnément comme Léon Bloy et Péguy – et il en est que cela choque – mais on a du mal à refouler cette idée que le monde ne peut pas se passer de la France, que sans la France le monde périrait. Impression toute gratuite, irrationnelle, je ne le nie pas. Mais l'expérience le confirme [1]. »

Fumet, en chrétien, était sans doute convaincu que Dieu a de tout temps réservé un sort particulier à la France. Mais Michelet, l'adversaire des jésuites, avait sur la nécessité de la France une idée assez proche : « Supposez un moment qu'elle s'éclipse, écrit-il dans *Le Peuple*, qu'elle finisse, le lien sympathique du monde est relâché, dissous, et probablement détruit. L'amour qui fait la vie du globe en serait atteint en ce qu'il a de plus vivant. La terre entrerait dans l'âge glacé où déjà tout près de nous sont arrivés d'autres globes. »

Je livre ces mots, non pas comme des explications, mais comme des illustrations de ce qui fut pensé par des hommes d'esprit en des siècles différents, savoir que le génie de la France était vital pour le reste du monde. Suffisance ou naïveté qu'on peut s'obstiner à proscrire, les poètes l'ont transmise jusqu'à nous.

1. Stanislas Fumet, « La France du monde », *Les Cahiers du Rhône*, nº 5, novembre 1942, Neuchâtel. Écho du général de Gaulle, janvier 1963 : « La magistrature de la France est morale. En Afrique, en Asie, en Amérique du Sud, notre pays est le symbole de l'égalité des races, des droits de l'homme et de la dignité des nations. » Cité par A. Peyrefitte, *C'était de Gaulle*, Fayard, 1994, p. 283.

25

Le complexe d'Athènes

La France, fière de son passé et de sa culture, mais de plus en plus relativisée dans l'« américanosphère », cela nous fait penser mélancoliquement au sort d'Athènes. Prévost-Paradol, sous le Second Empire, imaginait déjà un avenir semblable pour la France, si sa population restait « obstinément attachée au sol natal » et continuait « à s'y accroître avec une extrême lenteur », voire « à rester stationnaire ou à décroître ». Alors, disait-il, « nous pèserons, toutes proportions gardées, dans le monde anglo-saxon, autant qu'Athènes pesait jadis dans le monde romain. Nous serons toujours la plus attrayante et la plus recherchée des sociétés de l'Europe, et nous brillerons encore de la plus vive lumière dans cet assemblage d'États vieillis, comme jadis Athènes parmi les cités de la Grèce déchue... [1] ».

Avant donc que la démographie ne soit constituée en science, un penseur libéral sous Napoléon III pouvait craindre que l'abaissement de sa population ne provoquât l'abaissement tout court de la France, et, partant, sa marginalisation dans les affaires du monde. Son livre, *La France nouvelle,* date de 1868. Qu'eût-il dit trente ou quarante ans plus tard ? C'est au tournant du XIXe siècle que la question du peuplement du pays s'est posée avec gravité. Au point qu'Émile Zola lui-même crut devoir publier un

1. Anatole Prévost-Paradol, *La France nouvelle*, rééd. Garnier, 1981, p. 286.

roman, en 1899, intitulé *Fécondité*. Une sorte de conte pieux et nataliste.

Des mauvaises langues ont répandu l'idée malveillante que Zola avait écrit ce roman sous l'empire du démon de midi. Il avait eu deux enfants, un peu tardivement, après sa rencontre avec la femme de sa vie, Jeanne Rozerot, qui avait vingt-huit ans de moins que lui. Passons sur cette explication biographique sans intérêt. La vérité est que le sujet était dans l'air : depuis une dizaine d'années, la jeune science démographique lançait des cris d'alarme, et Zola a repris le mot qui faisait peur : dépopulation.

Ce mot-là a surtout été prononcé dans des conférences, aux sociétés savantes ; il a été écrit par des sociologues, des anthropologues, des médecins, dans leurs revues de spécialistes. Zola, lui, veut alerter l'opinion. Il s'en prend à la morale bourgeoise, pour laquelle l'*avoir* a remplacé l'*être*. Il défend l'*esthétique* de la femme féconde, « la femme qui a beaucoup d'enfants ». Il s'en prend à la virginité, à « la religion de la mort » ; il milite pour « une natalité augmentée en France ».

Le roman-manifeste de Zola est écrit dans une situation de baisse démographique inquiétante. Entre 1890 et 1914, avant les ravages de la Première Guerre mondiale, les décès sont plus nombreux que les naissances – seule l'immigration permettant un solde positif. Le pire, aux yeux des observateurs, est que le phénomène n'affecte que la France en Europe. Seuls dans le monde, les Français ne faisaient plus d'enfants. L'ennemi héréditaire, lui, continuait, de l'autre côté du Rhin, à s'accroître chaque année de 500 000 habitants.

Nous savons aujourd'hui que l'« exception française » n'était pas dans cette baisse de la fécondité – puisque tous les pays d'Europe et hors d'Europe ont été appelés à la connaître – mais dans sa précocité. La première de toutes les nations, la France avait fait sa « transition démographique », selon le terme des démographes, passant d'un Ancien Régime où les taux de mortalité élevés se conjuguaient avec les taux de natalité également élevés à un nouveau régime caractérisé par la baisse de la mortalité et de la natalité. Dans les autres pays, la chute de la mortalité précédant largement la « grève des ventres », il en résultait des accroissements de population tels qu'en Allemagne. La France, au contraire, a vu le nombre de ses naissances baisser parallèlement au nombre des décès, parfois même celui-ci fléchissant moins vite que celui-là, d'où résultait la panne.

On a voulu comprendre, et l'on a brodé à qui mieux mieux sur les causes d'un tel malheur. On a parlé d'un « affaiblissement de la race française », dû aux guerres qui avaient fauché les éléments les plus sains et les plus robustes. On a parlé d'une culture « trop raffinée », qui aurait détraqué le système nerveux des Français et entraîné leur stérilité. Le constat de dépopulation s'accompagna d'une révélation affreuse, la *dégénérescence* de la « race française ». Quelques penseurs hardis, tel Vacher de Lapouge, virent l'origine de tout cela dans le mélange des races, qu'avait déjà flétri Gobineau. A quoi Arsène Dumont répondit que les chiens des rues, « croisés de bouledogue et de levrette, de caniche et de terre-neuve », étaient très féconds. On imputa les jachères maternelles à la « propagande criminelle » des néo-malthusiens. On en arriva à l'explication la plus évidente : les Français faisaient moins d'enfants, et, dans certains cas, n'en faisaient plus du tout, parce qu'ils ne voulaient plus en faire, ou en faire moins. C'était une étape de franchie, mais on se contentait de déplacer la question. Restait à savoir d'où venait cette volonté des particuliers qui tranchait avec le bel entrain nataliste des autres peuples ?

Aucun débat ne doit nous trouver moins indifférents, car il pose toute l'originalité française. On a avancé que le Code civil, en supprimant le droit d'aînesse, avait poussé le paysan français à raréfier sa progéniture, contrairement au serf russe ou au misérable tenancier irlandais ; bref, on mettait ici en accusation la place de la petite et moyenne propriété en France en même temps que le droit napoléonien. On a dit que le service militaire obligatoire retardait l'âge du mariage et inculquait au jeune homme les habitudes des plaisirs inféconds de la ville. Certains, à la manière de Zola, ont parlé de l'esthétique décadente, « la femme aux formes longues et grêles, aux flancs rétrécis ». On a invoqué les carences de la loi en faveur des familles nombreuses. Certains n'ont pas reculé devant une explication psychologique et intellectuelle : c'était la morale pessimiste qui était cause de tout, et cette morale nous venait d'Allemagne, il ne fallait pas en douter. On lisait trop Schopenhauer, « le phylloxéra germanique ».

Les démographes les plus avisés donnèrent deux explications principales étroitement liées. La première, d'ordre économique et social, c'était que l'élévation progressive du niveau de vie entraînait les gens à *calculer*. Ils avaient des ambitions pour leurs enfants, donc ils ne devaient pas avoir trop de marmots. Mais ce calcul, c'est-à-dire pour parler concrètement, cette limitation des naissances, n'était possible qu'en raison d'une émancipation morale au regard de la tutelle religieuse. On taxa alors « l'irréligion » de cause principale ; elle avait supprimé « un frein puissant ». C'était donc la France voltairienne et la France possédante qui s'étaient associées pour tarir la source du peuplement.

Par la suite, rien ne s'est arrangé avant la Seconde Guerre mondiale. La saignée de 14-18 avait été terrible, répétant à un siècle de distance la saignée des guerres napoléoniennes. Des morts à n'en plus finir, des reports de naissances aux calendes grecques, le tout se répercutant vingt ans plus tard, en taillant de larges brèches dans la pyramide des âges : la France était désormais affligée de classes creuses. L'État républicain réagit, sans grande efficacité. Une loi de 1920, qui réprimait l'avortement et rendait illégale la publicité des produits contraceptifs ; une première loi encourageant les assurances sociales au début des années 1930 ; un Code de la famille, en 1938... La défaite militaire de 1940 paraissait sanctionner un pays malthusien glissant vers sa propre disparition. Et puis, il y eut cette espèce de miracle. Cette reprise très inattendue de la fécondité, en pleine guerre, sans explication vraiment, car le phénomène était constaté en même temps dans plusieurs autres pays d'Europe. La fin de la guerre accentua la reprise. Le général de Gaulle, en 1945, avait appelé les Français et les Françaises à donner à leur pays « douze millions de beaux bébés » en dix ans. Son vœu fut presque accompli. Aux classes creuses d'avant guerre succédèrent les classes profuses de la Libération – les phalanges qui allaient allonger les cortèges de Mai 68.

Depuis 1965, la courbe s'est inversée. Peu à peu, notre pays a vu sa natalité s'aligner sur les autres pays d'Europe. A nouveau, les Français ne font plus d'enfants. Du moins, pas assez. Toutes les familles politiques sont d'accord sur le constat, sinon sur les remèdes. L'indice de fécondité (1,7 environ) est au-dessous du minimum assurant le strict remplacement des générations (2,1). En 1994, la France s'est enrichie de 711 000 naissances, soit 50 000 de moins qu'en 1990.

Évidemment, nous pouvons nous consoler en pensant que l'ensemble de la planète risque de souffrir de surpeuplement. En 1994, l'ONU a lancé un cri d'alarme : le monde devrait voir sa population passer à 6 milliards avant 1998, et 10 milliards en 2050 selon les prévisions « moyennes ». Ce qui n'empêche pas l'obstination du pape Jean-Paul II, appuyé par les intégristes de toutes les religions, à vitupérer *urbi et orbi* la contraception. « Croissez et multipliez-vous... », l'intendance suivra. Du moins, la planète ne sera pas surpeuplée par les Français, pas même par les catholiques français, rétifs dans leur majorité aux homélies démographiques du souverain pontife. Cependant, le différentiel de fécondité entre l'Europe et le reste du monde, entre la France et le reste du monde, est préoccupant. Là-bas, trop d'enfants; ici, pas assez.

Parallèlement, l'espérance de vie continue à progresser. En 1950, celle des hommes était d'un peu plus de 63 ans (à la naissance) et celle des femmes de 69 ans. En 1993, ces chiffres atteignaient respectivement 73,3 et 81,5. En d'autres termes, la population française vieillit. En 1965, les moins-de-20-ans constituaient pas loin du tiers de la population globale; ils en représentent moins de 28 % en 1993. Le Français moyen grisonne, un peu plus âgé chaque année.

De ce vieillissement, on a jusqu'à ce jour évoqué surtout deux conséquences. D'abord une implication financière : comment allait-on assurer leur pension de retraite aux vieux quand la population active ne serait faite que des classes creuses? Ensuite, un problème d'une autre taille : privée d'enfants, la France ne pourrait survivre que par une immigration accrue, d'où résulteraient selon les uns une altération continue de l'identité nationale et, selon les autres, un danger de type national-populiste (à défaut d'être national-populationniste) infiniment plus redoutable qu'aujourd'hui. Submersion maghrébine, menace d'*apartheid*, quelles que soient les couleurs du cauchemar, l'avenir paraît bien maussade.

La classe politique au complet semble s'accorder sur un impératif: Mesdames et Messieurs les Français, faites-nous des bébés! La difficulté est d'accorder l'intérêt individuel (on situe aujourd'hui le vœu des Français à deux enfants par couple, à peine) et l'intérêt collectif (que le taux de reproduction soit atteint, donc que les couples aient en moyenne entre deux et trois enfants). L'État peut-il s'introduire dans les draps des particuliers ? Oui, disent les volontaristes et les répressifs : qu'on offre un salaire minimum aux mères de famille ! Qu'on en finisse avec l'IVG remboursée par la Sécurité sociale !

Il est douteux que la gendarmerie et la magistrature assurent en France la reprise de la natalité. Les femmes d'aujourd'hui ont acquis le pouvoir de maîtriser leur fécondité, elles ne renonceront pas à l'une des plus profondes révolutions de l'histoire anthropologique. Ce n'est donc que par des mesures positives d'encouragement que les gouvernements peuvent agir. On a vu ainsi Simone Veil, ministre de la Santé, faire voter par le Parlement une loi accordant prime et statut protégé à la mère dès son deuxième enfant. Reste à savoir si ce genre de mesures peut changer l'univers mental des citoyens, et surtout des citoyennes. Celles-ci peuvent parfaitement comprendre la nécessité de relever le taux de fécondité *général* ; elles ne sont pas forcément disposées à en faire *personnellement* les frais. Quelle politique pourrait donc parvenir à ce que la logique des comportements de chacun puisse coïncider avec la logique d'une solidarité nationale ?

Il m'est arrivé d'en discuter avec Philippe Ariès, qui fut un spécialiste de ce qu'on appelle l'histoire des mentalités, particulièrement attentif aux « attitudes devant la vie ». L'interventionnisme de l'État le faisait rire. La diminution du taux de natalité n'avait pas attendu l'invention des moyens anticonceptionnels modernes et l'autorisation de les vendre. Dans son livre *La Dépopulation de la France*, qui date de 1911, Jacques Bertillon avait établi, après enquête auprès des médecins de famille, que ce n'étaient ni « le préservatif de Condom » ni le pessaire féminin qui faisaient les pires ravages : c'était ce qu'il appelait

« le crime d'Onan ». Les gens décidés trouvaient déjà et trouveront toujours le moyen de limiter le nombre de leurs enfants, ou de ne pas en faire. Inversement, les incitations étatiques n'atteignent jamais le seuil qui déciderait vraiment les femmes à quitter leur travail salarié pour mettre au monde le troisième enfant que la République attend d'elles.

Ce qui est décisif reste le modèle social, le climat ambiant, on fait toujours peu ou prou « comme les autres ». Depuis le milieu des années 1960, la tendance pour les familles est à borner leur descendance à deux unités. Toutes n'y arrivent pas, vu l'âge de plus en plus tardif des mères à leur premier accouchement. D'après les chiffres de l'INED, seules 37 % des femmes nées en 1965 étaient déjà mère à leur 25e anniversaire ; au lieu de 55 % pour les femmes nées en 1955, et 65 % pour celles nées en 1945. L'État libéral dispose de peu de moyens pour changer les mœurs. Comment sortirons-nous de cette impasse – si nous en sortons –, personne n'en sait rien. La reprise souhaitée arrivera peut-être sans qu'on sache pourquoi, comme cela s'est passé à partir de 1942-1943. En attendant, nous touchons là un des points sensibles de notre inquiétude sur l'avenir – une inquiétude qui dépasse le cadre de l'Hexagone, puisque c'est toute l'Europe qui voit chaque année sa population s'affaiblir relativement en regard du reste du monde.

Le vieillissement de la population pose, lui, une autre sorte de problème, dont on parle moins : celui du renforcement des attitudes conservatrices. Le démographe Alfred Sauvy avait montré, en son temps et dans maint ouvrage, l'effet indirect du déficit de jeunesse dans une population : manque de dynamisme, repli sur soi, prudence excessive... Quand les vieux schnocks dominent, la vie devient plan-plan. Les enquêtes de sociologie électorale nous donnent une petite idée de cela. Tous les chiffres s'accordent : la corrélation est constante entre le vote à droite et l'âge avancé des électeurs. Les sondages portant sur les votes aux élections présidentielles de 1965, 1969, 1974, 1981 et 1988 indiquent la « sur-représentation » du vote « vieux » (les plus-de-50-ans) dans l'électorat du candidat de la droite.

Cette observation électorale n'est qu'un indicateur. Après tout, le vote à gauche ne produit pas nécessairement le progrès et le vote à droite, la régression. La France dynamique des années 1960, par exemple, n'était pas une France votant à gauche. Néanmoins, ces comportements politiques révèlent au moins une tendance : une certaine peur de l'avenir, un besoin d'autorité, la crainte de l'innovation, la demande exigeante de sécurité. Un vieillissement accru de la population risque bel et bien de détruire l'équilibre fécond entre les penchants conservateurs et les aspirations progressistes de la société. Ainsi, par un paradoxe qui n'est pas rare dans l'Histoire, ceux qui auraient poussé le plus au progrès (en l'occurrence à l'émancipation des femmes du modèle patriarcal) risquent de faire les frais de leur propre victoire (gérontocratie, obsession sécuritaire, demande d'État renforcé).

Nous n'en sommes pas encore là. Les femmes, devenues dans l'ensemble plus autonomes par le travail salarié, sont en train de changer politiquement. Longtemps, elles ont formé les gros bataillons du vote conservateur. Plus nombreuses que les hommes dans la société (52 % contre 48), elles étaient en majorité dans les suffrages de droite. Les dernières élections, depuis 1988, ont démontré l'évolution : le 8 mai de cette année-là, elles étaient aussi nombreuses à voter pour le candidat de la gauche que les hommes, à la suite d'un chassé-croisé historique : les électrices à voter Mitterrand étaient passées de 49 à 54 %, tandis que les électeurs du même candidat avaient régressé de 56 à 54 %. Nous n'en sommes plus au temps de la Troisième République, quand les radicaux-socialistes refusaient obstinément au « sexe faible » l'accès aux urnes : la sacristie et le confessionnal avaient trop de prise sur les jupons. La femme, qui était déjà « l'avenir de l'homme », serait en passe d'être aussi l'avenir de la gauche.

Une des héroïnes du film de Woody Allen *Intérieurs* – qui date de 1978 –, se découvrant enceinte, dit à son mari qu'elle refuse de faire un enfant avant de savoir ce qu'elle fera de sa vie. Le malheur est qu'en général nous n'en sommes conscients qu'à la fin de celle-ci. Dans la génération précédente, avoir des enfants allait de soi ; on s'ingéniait simplement à en fixer le nombre optimum. L'impératif a été brisé, il faut d'abord réussir sa vie. Les moralistes pourront toujours geindre ou gronder, ils n'auront pas prise sur les mœurs. Changeront-elles avant qu'il ne soit trop tard ?

26

Ingérer n'est pas digérer

Le déficit de la natalité peut-il être comblé par l'immigration sans perturber en profondeur les bases de notre communauté historique ? La question est devenue aiguë depuis les années 1980. Auparavant, le pays avait connu des vagues migratoires importantes, à la fin du XIXe siècle, dans les années 1920, après la Seconde Guerre mondiale. Au recensement de 1954, la France comptait officiellement 1,7 million d'étrangers, mais combien de citoyens n'étaient-ils pas issus de parents ou de grands-parents qui avaient immigré en leur temps ! C'étaient des descendants d'Italiens, d'Espagnols, de Belges, d'habitants de l'Europe centrale : 84 % des ressortissants étrangers étaient encore des Européens, dont la plupart étaient baptisés catholiques. Leur assimilation ne présentait pas d'obstacles insurmontables.

Certes, rien n'était facile, pour le mineur ou le maçon venu du Piémont ou de Sicile. Il se heurtait à la suspicion des travailleurs français, toujours prompts en cas de crise et de chômage à protester contre sa présence. La concurrence du travail donnait lieu parfois à des affrontements sanglants, comme à Aigues-Mortes, en août 1893, où travailleurs français et journaliers italiens des salines se livrèrent une bataille, transformée en tuerie, laquelle provoqua en retour le siège du palais Farnèse, l'ambassade de France à Rome, ainsi que des bris de vitrines contre des magasins français à Messine, à Turin et à Naples.

D'autres troubles suivirent dans le Midi de la France dans les années suivantes, sur le thème : « A la porte, les Italiens ! Faisons comme à Aigues-Mortes ! » « Ritals », « macaronis », c'était la manière habituelle dont les enfants de la péninsule étaient désignés à l'école par leurs condisciples. Dans son beau livre *Voyage en Ritalie* (1993), Pierre Milza nous a conté quelques affres de l'acculturation dont eurent à souffrir ces familles venues d'outre-monts. C'était aussi vrai des autres nationalités, jusqu'aux Portugais, arrivés en masse dans les années 1960 et longtemps condamnés à vivre dans les bidonvilles.

Le fait est néanmoins qu'en deux ou trois générations, ces Méditerranéens s'intégraient, s'assimilaient, et devenaient parfois plus français que les Français, surtout quand ils avaient réussi à troquer leur condition prolétarienne pour devenir des petits notables, établis à leur compte. Les ouvriers eux-mêmes, notamment à Longwy et dans la vallée de la Moselle, étaient solidement encadrés, et certains devenaient des cadres du syndicat ou du parti communiste quand celui-ci eut été fondé. Il y avait une façon de miracle français, de machine à intégrer les venus d'ailleurs qui fonctionna assez bien : l'Église, l'école, le service militaire, le syndicat, le parti politique, l'entreprise elle-même, tous ces rouages se révélaient à la longue très efficaces. Les premiers temps étaient durs mais, vaille que vaille, tous ces gens-là – à tout le moins ceux qui restaient dans leur pays d'accueil – faisaient finalement, comme disait la chanson, « d'excellents Français ».

Dans la banlieue parisienne où je vivais avec mes parents, nous vîmes débarquer au début des années 1950 et s'installer tout près de chez nous deux familles siciliennes qui ne parlaient pas un mot de notre langue. Elles avaient trouvé un logis dans un vieil immeuble insalubre, désaffecté, menaçant de s'écrouler chaque jour, les murs péniblement soutenus par des poutres en bois – logis que les hommes eurent vite fait de transformer en lieu habitable grâce à leur savoir-faire. Bientôt leurs enfants scolarisés ne se distinguèrent plus de nous. Plus tard, ils convolèrent sans souci du clocher de l'autre. Aujourd'hui, je ne sais pas même si leurs enfants savent que leurs racines sont en Sicile. Une fois installé à Paris, j'observai la métamorphose encore plus rapide de familles espagnoles : en quelques années de scolarité leurs filles et leurs fils étaient des Français à part entière, dont on ne pouvait soupçonner, si ce n'est à leur patronyme, la souche étrangère. Il suffit de lire aujourd'hui les listes annuelles des admis à Polytechnique et autres grandes écoles pour vérifier l'extraordinaire brassage que notre pays a réussi, comme aucun autre en Europe. Les Français ne quittaient pas leur pays, mais bon gré mal gré ils avaient su accueillir des millions et des millions d'étrangers, poussés hors de chez eux par la misère ou la persécution.

Tout a vraiment changé dans ces années 1980 avec le poids de plus en plus lourd et de plus en plus mal supporté de l'immigration issue d'Afrique, dont la plus grosse part était composée d'Arabo-musulmans. Leur présence sembla bientôt indésirable en raison de ce qu'on appelle encore « la crise économique ». Pour s'en tenir aux chiffres officiels des recensements, on constate que la part prise par l'Afrique s'accroît à chaque coup, d'autant que les autres pays européens, entraînés dans l'ère de la croissance et du développement, avaient tendance à retenir chez eux leurs citoyens. En 1975, ils sont 35 % d'origine africaine (principalement l'Afrique du Nord); en 1982 (date à laquelle on comptait 3,6 millions d'étrangers), 43,5 % ; et en 1990, ils sont désormais les plus nombreux, atteignant près de 47 %. Chiffres purement officiels, auxquels il faut ajouter tous les immigrés clandestins qui par définition ne sont pas recensés.

Or cette nouvelle immigration se prête apparemment moins bien à l'intégration que les précédentes. La principale cause, pour l'opinion, en revient à la religion musulmane. Un sondage indique ainsi que 58 % des Français considéreraient que l'islam ne permet pas l'exercice de la démocratie, contre 22 % d'un avis contraire. Le préjugé anti-islamique est massif, la religion serait l'explication de tout.

Dans un livre très éclairant, Christian Jelen attire notre attention sur d'autres réalités [1]. Il nous montre d'abord qu'une petite minorité d'enfants de familles arabo- ou berbéro-musulmanes parviennent à conquérir des places dans l'élite des grandes écoles, que beaucoup d'autres font des études suffisantes pour s'intégrer dans la classe moyenne française, bref que la machine à intégrer n'est pas impuissante. En même temps, l'auteur nous montre qu'un écart grandit entre ces nouveaux intégrés français et « le gros d'un sous-prolétariat », selon le modèle des Noirs américains.

A la recherche d'une explication, l'enquêteur observe une donnée élémentaire qu'on n'évoque jamais au Café du Commerce : le niveau culturel des familles considérées. Le taux d'alphabétisation de l'Italie en 1930 était de 77 % ; celui du Portugal en 1970, de 71 %... Alors qu'en la même année 1970, les taux étaient respectivement pour l'Algérie et le Maroc de 26 et 21 %. En forçant la note, nous dirions que la nouvelle immigration a été le fait de travailleurs ruraux, analphabètes, étrangers aux mœurs européennes, qui ont été plongés dans une société industrielle et bientôt post-industrielle dont la complexité échappait aux outils d'entendement dont ils pouvaient disposer. Leurs enfants ont d'abord à surmonter ce handicap initial. Ceux qui évitent le déterminisme familial sont le plus souvent des jeunes

1. Christian Jelen, *La Famille, secret de l'intégration*, Robert Laffont, 1993.

gens qui, à un moment donné de leur scolarité, ont pu rencontrer un adulte, généralement un instituteur ou un professeur, lequel a su les mettre en confiance. L'école, qui fut et qui reste le principal outil de la promotion sociale des pauvres, des modestes, des petits, et qui, à ce titre, est valorisée dans les familles juives ou vietnamiennes, cette école française fait peur souvent aux parents maghrébins. Ils n'en comprennent pas la subtilité des différentes sections, la mécanique des cycles successifs, ils ne savent pas très bien ce qu'on y apprend. La coupure est totale entre parents et enfants. Qui plus est, le modèle patriarcal pèse lourdement sur les femmes et sur les filles. Celles-ci, destinées au mariage et à la maternité, ne sont pas encouragées à prolonger leurs études ; les garçons, éduqués dans un esprit de supériorité masculine, ne sont guère mis en condition de peiner dans les travaux scolaires.

Une apparente fatalité pèse sur de nombreuses familles des banlieues : le père est au chômage, la mère est dépourvue de toute autorité, les enfants, d'échec scolaire en échec scolaire, passent leur oisiveté dans la rue, apprenant à chaparder, commençant à se faire repérer par la police. C'est la faute aux autres, à « la France raciste ».

Nous tombons alors dans un cercle vicieux. Il est indéniable qu'une majorité de Français ont un préjugé nettement défavorable envers la population arabo-musulmane. Selon les sondages de la SOFRES, un peu plus des trois quarts des Français « estiment qu'il y a trop d'Arabes en France » (par comparaison : 34 % pour trop d'Ibériques). Cette opinion repose sur la corrélation entre immigration maghrébine et délinquance : vols de voiture, vols à la tire, cambriolages, comportements de bandes, agressions en tout genre... Sans éducation, sans autorité parentale, sans travail, les « beurs » (enfants d'Arabes nés en France) fournissent effectivement une bonne partie des petits délinquants, ceux qui empoisonnent la vie quotidienne des Français, en particulier de ceux qui n'ont pas les moyens de vivre dans les beaux quartiers protégés.

Les Français ne sont pas plus racistes que d'autres. J'aurais tendance à croire qu'ils le sont même moins que la moyenne des peuples, si l'on en juge par le taux des mariages mixtes par exemple. On a tôt fait de qualifier de « racistes » de simples attitudes de défense, de simples revendications de sécurité dans un voisinage menaçant. Or la gauche – la gauche en général, je ne veux pas être injuste – a toujours fermé les yeux devant ce problème social, plaquant par un réflexe conditionné l'étiquette « raciste » sur toute manifestation de lassitude ou de colère à l'endroit de tel ou tel groupe d'« immigrés ». Du même coup, il a suffi aux démagogues de se présenter pour recueillir des suffrages qu'ils n'auraient jamais dû obtenir si la gauche au pouvoir, si une certaine droite intimidée par la culture de gauche, avaient su appeler les choses par leur nom.

Les encouragements donnés par les socialistes à un mouvement comme SOS-Racisme relèvent de cette erreur. Au départ, il y a la naissance d'un bel élan. Des jeunes gens, qui en ont assez du racisme ambiant, mettent sur pied une organisation et lancent un insigne qui, un moment, fait fureur : « Touche pas à mon pote ! » On donne des concerts, on décrète la fraternité ; des comédiens, des artistes, des intellectuels, appuient cette belle générosité, subventionnée par l'Élysée. Mais, à les entendre, tout se passe comme si le seul malheur des Arabes et des beurs venait du « racisme » – une espèce de maladie endémique, qu'on finira par éradiquer par les beaux discours, le rock sur les places publiques, un moralisme mis à la sauce moderne. Pendant ce temps, les handicaps culturels des familles maghrébines ne se sont pas dissipés, la délinquance continue à défrayer la chronique des banlieues grises, les petites gens répondent de mieux en mieux aux offres de l'idéologie sécuritaire. Puisqu'on les qualifie de « racistes », ils s'assument : 41 % des Français avouent aujourd'hui avoir une tendance raciste (SOFRES). On ne règle pas des problèmes de société aussi graves, aussi profonds, par un mot, par une injure, ou par un concert.

Un récent rapport international éveille notre attention sur notre système scolaire : celui-ci, trop élitiste, rejetterait trop de monde dans les marges. De fait, notre école a toujours fixé des objectifs de niveau aux élèves, considérant comme « normaux » les mieux adaptés aux exercices scolaires, et renvoyant les autres en enfer. Les enfants venant de familles plus ou moins analphabètes, parlant chez eux une autre langue qu'à l'école, ont un immense effort d'adaptation à fournir, et ils ne le fournissent qu'en raison d'une aide particulière, où l'affection joue son rôle. Dans la réalité, les choses se passent autrement. La concentration géographique freine le processus d'intégration. Dans certaines classes de collèges et de lycées même, la majorité des élèves sont d'origine étrangère. Un mécanisme infernal se met alors en route : les familles de souche française, constatant que leur enfant se trouve dans une classe composée en majorité d'Arabes et de Noirs, le retirent souvent de l'établissement où il se trouve pour le faire inscrire ailleurs. Un processus de « ghettoïsation » s'accélère : restés entre eux, ou dominant largement la classe, les beurs et autres enfants d'Afrique donnent le ton, et ne sont en rien stimulés. Il n'est plus du tout exceptionnel que des classes de collège soient composés, non seulement en majorité, mais *en totalité* d'enfants d'étrangers.

Si donc nous sommes bien convaincus que l'école est la pièce maîtresse de l'appareil d'intégration, nous devrions nous aviser qu'il faut tout mettre en œuvre pour la rendre efficace – ce qu'elle a cessé d'être dans les conditions présentes.

La question religieuse reste une autre différence de taille entre l'ancienne et la nouvelle immigration. N'oublions pas qu'il existe un contentieux séculaire entre l'islam et l'Europe, « un ressentiment de tous les maux et injustices passés, réels et imaginaires, infligés par l'Occident à la société arabe, depuis les Croisades jusqu'au XIXe siècle [2] ». Un affrontement qui dure depuis plus d'un millénaire, et qui est suivi par la colonisation, c'est-à-dire par la domination des Européens. L'Europe et l'islam n'ont pas été en relation de partenariat politique, d'interdépendance politique, mais d'éternel conflit, y compris au terme de la décolonisation. La guerre du Golfe, en 1991, a montré l'écart des sentiments et des réactions qui existait en France, notamment au sujet d'Israël, entre Français de souche et Maghrébins ou Français musulmans. Une charge historique de frictions, de malentendus et de conflits ouverts, qui s'étend sur plus de dix siècles, ne peut s'évaporer sur le décret des bons sentiments. En d'autres termes, les bonnes relations entre les Français et les immigrés et enfants d'immigrés en provenance des pays arabes sont tributaires de la conjoncture internationale. De ce point de vue, le processus de paix engagé au Proche-Orient depuis la fin de la guerre du Golfe ne peut être qu'un facteur positif.

La religion musulmane pose néanmoins un problème, celui de la non-séparation du religieux et du politique. Ce fut le génie du christianisme, coulé dans le moule gréco-romain, que d'avoir fourni les armes intellectuelles de sa propre relativisation, en tant que religion, pour faire naître l'autonomie du politique, au bout de laquelle pouvait s'instituer la laïcité de l'État et de l'école. La laïcité pose en principe qu'il n'est pas dans un État de vérité absolue, nécessaire, obligatoire. Elle admet que diverses visions du

2. P.J. Vatikiotis, *L'Islam et l'État*, Le Débat/Gallimard, 1992, p. 190.

monde peuvent coexister, n'ayant pas de certitude, refusant toute certitude métaphysique officielle. Elle favorise donc le pluralisme, inconnu des sociétés islamiques, où la séparation de la religion et de la philosophie, de la religion et de la politique, où la notion même de liberté politique ne sont pas conformes à la règle et à la tradition. Entre les droits de l'homme – et en particulier les droits de la femme – et la Charia, la loi islamique, les compromis sont difficiles à trouver.

La République, selon ses principes mêmes, respecte toutes les religions, jusqu'au moment où celles-ci troublent l'ordre public ou s'opposent à la loi. Hier, elle s'est nécessairement heurtée à une Église catholique qui refusait le pluralisme, au nom de l'unicité de la Vérité. Pour s'intégrer pleinement dans la République, les catholiques ont dû en passer par la laïcité, qui impliquait leur relativisation : pour vivre ensemble, il fallait que la religion fût une affaire privée. C'est à ce prix qu'elle était assurée du respect public. Il faut que la religion islamique, minoritaire en France, suive cet exemple, que les musulmans français se considèrent comme des Français de religion musulmane et qu'ils refusent de suivre l'enseignement de cet imam de Nantua déclarant naguère que « la loi d'Allah » était au-dessus des lois de la République.

L'exigence de la laïcité, qui nous paraît la meilleure solution dans une société multireligieuse, n'a pas toujours été comprise par nos gouvernants. Au nom de la « tolérance », certains ministres ont cru devoir admettre le port du foulard islamique dans les établissements scolaires publics. Le Conseil d'État, désarmé ou mal inspiré, a cru devoir énoncer une règle d'autonomie des établissements du plus grand flou, provoquant le désarroi de maint enseignant en proie à l'islamisme montant et resté sans défense devant le verdict des tribunaux administratifs. S'agit-il de sectarisme ? Non, d'une simple fidélité aux quelques principes sur lesquels se fonde notre vie commune dans la diversité.

A la rentrée de septembre 1994, le ministre de l'Éducation nationale, François Bayrou, a pris l'initiative d'adresser à tous les chefs d'établissement une circulaire dont le contenu était à la fois net et modéré. Le ministre défendait le principe de la tolérance : les insignes religieux « discrets » pouvaient être portés à l'école ; il était d'autant plus ferme sur la laïcité : pas de signes « ostentatoires ». Des remous ont suivi, à Goussainville, à Mantes-la-Jolie..., où l'on vit manifestations et piquets de grève aux portes des collèges où des jeunes filles la tête revêtue du foulard n'avaient pas été admises à suivre les cours. Proviseurs et professeurs n'ont pas cédé. Il serait désastreux que les médias, les élus, les syndicats, l'opinion, ne leur prêtent pas un appui sans faille. L'enjeu est de taille : il s'agit pour nous de continuer à faire vivre notre République, pour laquelle la pluralité des convictions et des croyances repose sur le principe de la laïcité. Celui-ci permet à chacun, quel qu'il soit, de vivre en France dans la liberté reconnue et définie par la loi. C'est en raison de ce principe laïque que l'école reste le creuset d'une nation en reformation incessante, au-delà des particularismes, et contre toutes les ségrégations. La laïcité est, pour nous Français, le gage d'un respect mutuel entre les religions, de même qu'entre les croyants et les incroyants.

Le port du foulard islamique pose une autre question, celle de la place de la femme dans notre société. Les musulmans d'origine africaine et maghrébine doivent connaître notre loi et la respecter : ici, les femmes ne sont pas inférieures aux hommes. L'égalité juridique et la liberté qu'elles ont acquises enfin ne peuvent être remises en question.

Qui veut être français doit obéir à la loi française. Et si la loi est imprécise, au point de laisser le Conseil d'État donner des avis mi-chèvre mi-chou, alors une nouvelle loi de laïcité s'impose. Les scrupules de gauche – genre MRAP – comme les arrière-pensées de droite – genre nouvelle droite – ne doivent pas intimider le législateur : le racisme, ce n'est pas de réaffirmer les implications concrètes de la laïcité, c'est au contraire de favoriser l'enfermement des communautés, la construction des ghettos, et la haine entre les habitants de notre pays.

La circulaire Bayrou qui avait quasiment mis fin à l'affaire des foulards a été remise en question par les tribunaux administratifs. A la rentrée scolaire de 1996, celui de Grenoble ordonnait la réintégration de deux élèves exclues d'un lycée d'Albertville – ce qui déclencha du reste une manifestation devant la sous-préfecture. Imperturbable, Renaud Denoix de Saint-Marc, vice-président du Conseil d'État, justifiait les arrêts des tribunaux contre la direction des établissements scolaires au nom de la « liberté de conscience ». Les principes républicains se trouvent ainsi mis en question par ceux qui devraient en être les défenseurs officiels. Le libéralisme à l'anglo-saxonne est-il en passe d'enterrer l'esprit républicain ? On doit à la vérité de dire que le président Chirac a réaffirmé à plusieurs reprises sa fidélité aux « principes républicains » à la fois contre le discours d'exclusion du Front national et le fanatisme religieux – désavouant implicitement le Conseil d'État dans l'affaire du foulard islamique. *Wait and see...*

27

Où est passé l'ennemi ?

Si l'immigration arabe est aujourd'hui une obsession *intérieure* pour beaucoup de Français, d'une manière générale l'ensemble des pays musulmans – surtout l'Iran et l'Irak, mais aussi l'Algérie menacée d'un régime islamiste – est considéré par eux comme le principal ennemi potentiel *extérieur*. Cependant, la France n'est pas l'Espagne ; elle a fait les Croisades, mais non la *Reconquista*. Si une nation prend conscience d'elle-même face à une puissance étrangère, il faut dans notre cas chercher celle-ci ailleurs.

Pendant des siècles, d'Azincourt à Fachoda si l'on veut évoquer plus de cinq siècles d'hostilité, de la guerre de Cent Ans aux rivalités coloniales, les Français n'ont eu pire ennemi que les Anglais. Une tradition d'anglophobie, plus épanouie dans la marine, fut cultivée jusqu'au pitoyable Henri Béraud, éditorialiste de *Gringoire*, multipliant en pleine Occupation les articles contre l'Angleterre. Dans un même état d'esprit, le régime de Pétain se hasarda à utiliser la figure sainte de Jeanne d'Arc au moment où les Alliés bombardaient les positions allemandes sur le territoire français : les Anglais restaient nos ennemis depuis le bûcher de Rouen. Cette antipathie a aujourd'hui à peu près disparu, sauf dans quelques familles de la Royale où l'on n'a toujours pas digéré « Mers el-Kébir », forfait décidé de sang-froid par Churchill contre la flotte française y mouillant, après l'armistice conclu par Pétain avec Hitler.

Les Anglais ne nous font plus peur. Depuis l'Entente cordiale de 1904, les points de friction n'ont pas manqué, mais au total – la parenthèse de Vichy mise à part – les deux peuples ont été solidaires dans les deux guerres mondiales. Du reste, l'anglophobie a toujours été compensée dans notre pays par une anglomanie, qui domina fort longtemps dans les classes dirigeantes. L'Angleterre reste encore le pays qui offre les meilleurs *tweeds* et les meilleurs terrains de golf. Un jeune Français est tenu d'y passer une ou plusieurs saisons, pour se familiariser avec ce qu'on appelle approximativement la langue de Shakespeare, et il en garde un souvenir globalement positif, l'attention à son égard des « petites Anglaises » rachetant la médiocrité culinaire des hôtes chez qui il a été hébergé. Cela dit, les Anglais, depuis la retraite des Beatles, ont cessé d'occuper une grande place dans l'imaginaire des Français. Ceux-ci ont la conviction qu'ils ont retourné le rapport des forces en leur faveur : le niveau de la livre sterling, le PNB, le commerce extérieur, tous ces indicateurs sont désormais à l'avantage de la France, qui s'est débarrassée – sauf peut-être au football – de son complexe d'infériorité devant la « perfide Albion ».

Les Anglais ont-ils perçu cette évolution ? Toujours est-il que leur presse – et surtout les journaux populaires à sensation – déchire à pleines dents les *Frogs*, pauvres grenouilles souffre-douleur de l'Anglais moyen. Ces ruades, ces injures parfois grossières, laissent nos compatriotes impassibles devant leur pastis, sachant bien que si la France était aussi infernale qu'on le prétend dans les colonnes du *Sun*, on compterait moins de sujets de sa Gracieuse Majesté ravis de s'installer dans le Nord, la Normandie, ou le Périgord. Les Britanniques restent à nos yeux une espèce exotique, insulaires impénitents, mauvais coucheurs dans le grand lit de l'Europe, mais qui forcent notre sympathie, comme d'anciens rivaux fringants tombés dans la débine, un gardénia à la boutonnière.

Avec les Allemands, notre deuxième ennemi héréditaire, les choses sont plus compliquées. Sur le terrain politique, ils sont devenus nos alliés et même plus, nos partenaires privilégiés dans la construction européenne. Il demeure que le contentieux de trois affrontements armés successifs, dont deux guerres mondiales, ne s'efface pas d'un coup de chiffon. Dieu sait si l'Allemagne, jusqu'en 1870, avait été prisée en France. C'était la patrie des poètes, des philosophes, et des savants en tout genre – Mme de Staël avait largement contribué, avec son fameux *De l'Allemagne*, à en convaincre les Français. Il est vrai que l'Allemagne n'existait pas. Elle n'était pas un pays, elle était une culture. Du jour où elle fut unifiée sous la poigne de la Prusse, tout s'est gâté. Après la défaite de 1871, la France fut obsédée par elle. Le titre d'une thèse de Claude Digeon est très suggestif à ce propos : *La Crise allemande de la pensée française 1870-1914*. On se mit à détailler ce qui expliquait *leur* victoire militaire de 1871, on se persuada d'une supériorité germanique. Ernest Renan, habituellement plus inspiré, n'allait-il pas jusqu'à expliquer la défaite par le fait qu'en France la part germanique – le sang bleu de l'aristocratie – avait été subordonnée à la part celtique et méditerranéenne – à la démocratie ? En même temps, on préparait la Revanche, on voulait reprendre « les provinces perdues » d'Alsace-Lorraine, et dans mainte famille on se refusait à toute relation pacifique au-delà de la ligne bleue des Vosges.

Après la Grande Guerre, l'échec de la République de Weimar fut une tragédie, à laquelle nos hommes politiques ont contribué. Au lieu d'aider le nouveau régime, démocratique et libéral, à prendre place dans le concert européen, nos nationalistes, Poincaré en tête, n'eurent de cesse de faire payer l'Allemagne au lendemain de sa défaite de 1918. On sait à quel point le *Diktat* de Versailles a favorisé la formation des groupes nationalistes dans l'Allemagne vaincue, ces groupes d'où allait sortir un Hitler tout casqué. C'est une chance qu'après 1945 les Alliés n'aient pas renouvelé l'erreur des années 1920 vis-à-vis de l'Allemagne à nouveau terrassée. La guerre froide y a contribué, sans aucun doute. En tout cas, malgré les blessures qui ne se sont jamais cicatrisées, les Français ont rapidement choisi de tendre la main à leurs voisins d'outre-Rhin. Le général de Gaulle était bien placé pour donner le plus beau lustre à la réconciliation franco-allemande : la façon dont il s'est adressé au peuple allemand en septembre 1962, en présence du chancelier Adenauer, restera gravée dans l'esprit de tous les témoins, témoins directs et téléspectateurs. Le cycle des guerres était clos, nous entrions enfin dans l'ère de la concorde.

Au fond, notre véritable ennemi n'est pas un ennemi, n'a jamais été un ennemi, puisque ce serait plutôt les États-Unis. C'est contre eux que nous sécrétons le maximum de fiel, alors que nous ne cessons de nous américaniser. Ceci explique peut-être cela.

En tant que citoyen français, je ne puis oublier la dette contractée envers les Américains par la France. C'est grâce à eux, à leur entrée en guerre aux côtés des forces de l'Entente en 1917, au moment même où les Russes flanchaient sur le front Est, que l'Europe a échappé à une domination allemande. C'est grâce à eux, débarqués en Afrique du Nord en 1942, en Normandie en juin 1944, que notre pays a été libéré d'une double tyrannie : celle d'une armée d'occupation appartenant au régime national-socialiste et celle d'un régime fantoche inspiré par l'esprit de capitulation et de réaction. On doit à la vérité de dire que le coup décisif avait été porté à Hitler par les Russes ; que la victoire de Stalingrad avait été le tournant de la guerre, et que nous savons gré aux soldats soviétiques de leur incroyable courage qui nous a sauvés indirectement. Mais chacun sait ce qu'il en a coûté aux peuples directement « libérés » par l'Armée rouge.

Depuis cette date, nous avons bénéficié de la protection américaine. Il fut assurément agréable pour notre amour-propre de voir le général de Gaulle dans les années 1960 revendiquer l'autonomie de la défense nationale, doter la France de la force nucléaire, quitter l'OTAN et prier Messieurs les Américains de retirer leurs garnisons de notre sol. Il serait pourtant mal venu d'en être dupes. Les allures d'indépendance que la politique extérieure du général de Gaulle se donna furent rendues possibles par une conjoncture de détente. Lui-même savait très bien, tout en essayant d'échapper à la logique d'un état de fait humiliant pour la grandeur française, que face aux divisions soviétiques l'Europe occidentale ne pesait pas lourd sans le parapluie américain.

Avoir été en quarante ans sauvés de la nazification et épargnés par la stalinisation grâce aux États-Unis devrait suffire largement à notre reconnaissance. Quand il m'arrive, l'été, de passer du côté d'Arromanches, d'entrer au cimetière américain de Saint-Laurent, de regarder les alignements de croix à perte de vue, sur lesquelles viennent s'incliner chaque année des familles du Wisconsin, des Dakotas ou du Missouri, je me souviens à qui je dois d'être un homme libre.

Comme les Américains, nous tenons notre démocratie d'une rébellion. Eux se sont rebellés une première fois en tant que croyants, ce fut l'émigration des Pères pèlerins fuyant le régime religieux d'Angleterre, désireux de fonder leur propre communauté sur une terre libre. Plus tard, ce furent leurs descendants qui prirent les armes pour arracher leur souveraineté à la métropole anglaise et fonder leur république. Les traditionalistes, les contre-révolutionnaires, ne pardonnent pas plus aux Américains la double rupture par laquelle ils ont créé leur Fédération, qu'ils ne pardonnent aux Français l'effraction historique qui, rompant les sceaux qui unifiaient l'Église catholique et l'État monarchique, a finalement, elle aussi, créé la république.

Quelles que soient nos différences – et elles sont nombreuses –, nous appartenons à un même espace historique, à une même espèce idéologique, dont les principes de liberté et d'égalité ont guidé les pas de nos pères, des deux côtés de l'Atlantique. Depuis deux siècles, nous nous sommes convaincus, ici et là-bas, que le pouvoir sur les hommes ne pouvait plus s'exercer sans contrôle ni adhésion de ceux-ci.

Alors, pourquoi tant de nuages au-dessus des relations entre deux pays dont la sympathie mutuelle était si forte au XIXe siècle qu'un poète comme Whitman pouvait en 1871 compatir à la défaite de la France – « Symbole de lutte et d'audace, de divine passion de liberté » – comme à celle de sa propre patrie ?

En essayant de répertorier un tant soit peu les discours et les sentiments antiaméricains, on rencontre d'abord, solide, variable dans son intensité mais permanent dans sa conviction, l'antiaméricanisme des communistes. On ne saura jamais trop insister, en effet, sur le rôle majeur que les communistes ont exercé, disons entre 1947 et 1953, dans la formation du corpus antiaméricain. La puissance du PCF dans ces années-là, son rayonnement qui débordait largement les rangs de ses affiliés, l'intimidation qu'il savait imposer au nom des exploités, au nom de la paix, ou au nom de la justice, aux âmes naïves, aux esprits généreux, ou tout simplement à ceux qui avaient à faire oublier leur attitude pendant l'Occupation, il faut en avoir idée pour comprendre l'imprégnation d'antiaméricanisme que l'on constate encore aujourd'hui chez des personnes qui ont rompu depuis belle lurette avec le PCF. Le préjugé demeure : des centaines de manifestations, des milliers de pages, des millions de mots l'ont nourri. Au fond, l'antiaméricanisme, c'est ce qui reste du communisme quand on a tout oublié.

Il faut dire qu'à cette époque on ne faisait pas dans la nuance. Un des leitmotive de la propagande communiste était de présenter les Américains comme de nouveaux fascistes, désireux, comme disait Jacques Duclos, « de continuer la guerre de Hitler en vue d'anéantir le pays du socialisme, de détruire le mouvement ouvrier international et d'assurer la domination des impérialistes d'outre-Atlantique sur l'univers entier ».

La comparaison entre les Américains et les nazis devint courante. Au début des années 1950, des historiens, agrégés de l'Université, expliquaient sérieusement dans *La Pensée* – « revue du rationalisme moderne » – que « le département d'État [avait préparé] consciemment la guerre et la défaite du peuple français » ; que, pendant la guerre elle-même, notamment en retardant l'ouverture du second front, « les actes antifrançais de l'impérialisme américain ont pris la proportion d'un plan d'anéantissement du peuple français, des peuples soviétiques amis du peuple français et de l'univers entier épris de paix ». Les romans d'André Stil, destinés aux masses moins éduquées que les lecteurs rationalistes, suivaient avec passion la lutte des dockers qui, dans *Le Premier Choc*, prix Staline 1951, mobilisaient le prolétariat français contre la nouvelle *Occupation* : « Les Ricains, c'est la misère ! » « l'Amérique, c'est la guerre ! »

Au début du mois d'août 1990, Saddam Hussein ayant fait main basse sur le Koweït, *L'Humanité* s'indigne au nom des principes. Pas pour longtemps. Huit jours plus tard, le président Bush décide d'envoyer des troupes en Arabie Saoudite, en exigeant du dictateur irakien qu'il lâche sa proie. Tout devient clair pour les communistes : un nouvel épisode de l'impérialisme américain est entamé. Désormais, toute la crise du Moyen-Orient sera lue à travers cette grille simpliste. Le 18 janvier 1991, étaient dévoilés par *Révolution* les buts de guerre de « l'administration américaine » : « Son objectif maintenant ouvertement affirmé est moins la libération du Koweït, promis à n'être qu'un champ de ruines et de mort, que la défaite totale de l'Irak, l'occupation de ce pays, la capture des dirigeants, l'instauration d'un ordre américain dans cette région où se trouvent les principales sources d'approvisionnement du pétrole. »

Lorsque, à la fin de février, le Koweït une fois libéré, Bush décide de ne pas faire avancer ses forces sur Bagdad, de ne pas capturer Saddam Hussein, de s'en tenir aux résolutions de l'ONU, a-t-on lu la moindre autocritique de l'hebdomadaire communiste ? Nenni.

Quand un communiste en France ne sait plus quoi dire, il montre le poing à l'Amérique. Réflexe pavlovien garanti. C'est que celle-ci incarne non seulement la puissance militaire, mais aussi l'Argent. L'Américain parle d'argent sans détour, sans vergogne, sans cette réserve doublée souvent d'hypocrisie qui est de nos habitudes. La diabolisation de l'argent si forte dans la culture catholique n'empêche nullement l'âpreté au gain, mais à condition de n'en pas parler. Le mot capitalisme en France a quelque chose d'obscène. Des sondages d'opinion réguliers révèlent ainsi que nos concitoyens, tout en ayant rallié le « libéralisme », restent farouchement hostiles au « capitalisme », même si celui-ci est le régime économique sous lequel ils vivent et ont connu l'élévation générale des niveaux de vie.

Ces habitudes de pensée contribuent à alimenter

un antiaméricanisme de gauche au-delà des cercles communistes, où l'on voit les chrétiens de gauche fraterniser avec les trotskistes. Un journal comme *Le Monde diplomatique*, lu sur les cinq continents, a été longtemps dirigé par Claude Julien (il y écrit toujours), qui s'est fait un nom en 1968 par un réquisitoire publié sous le titre *L'Impérialisme américain*. Ce mensuel, qui a donc la caution du *Monde*, journal sérieux par excellence, diffuse régulièrement et sur tous les sujets – la télévision, la montée du chômage, les fantasmes du département d'État... – les idées prêt-à-porter sur le monstre. Une Amérique décadente, belliciste, décrite par des auteurs américains eux-mêmes (impartialité garantie !), ou des reporters au-dessus de tout soupçon : « Le rêve américain n'est plus ce qu'il était », « Chômage en hausse, salaires en baisse », « Écoles fermées, chaussées en ruine », « La classe moyenne principale victime », « Première puissance ou république bananière ? » Toutes ces formules assez ordinaires ont été concentrées dans le numéro d'octobre 1990 du distingué journal, en pleine crise du Golfe.

Il n'y a pas lieu de s'attarder sur une autre mouvance antiaméricaine, qui est celle de certains « gaullistes », parfois dits « de gauche », et qui ne représentent qu'eux-mêmes. Si de Gaulle ne s'est jamais *aligné* sur les États-Unis, ni du temps de Roosevelt, ni du temps de Kennedy ou de Johnson ; s'il a tenu à faire respecter l'indépendance de la France face au colossal allié d'outre-Atlantique, et, au besoin, lui faire la nique quand il le jugeait égaré (ainsi pendant la guerre du Vietnam), on ne sache pas que de Gaulle ait jamais parlé des Américains dans les termes méprisants qui sont ceux de ses menus épigones. De Gaulle a toujours prôné l'alliance avec les États-Unis, et, dans tous les moments cruciaux, il n'a pas hésité à se porter ostensiblement à leurs côtés, soit lors de la seconde crise de Berlin en 1961, soit pendant la crise des fusées en 1962, etc.

Il est, en revanche, plus intéressant de s'arrêter un peu à l'américanophobie d'extrême droite, parce qu'elle est, dans la fraîcheur même de son expression, capable de nous faire saisir la nature du phénomène.

L'extrême droite, à tout le moins une forte majorité de ceux qui la représentent ordinairement, caresse un rêve que Maurras a formulé jadis en trois mots : « la France seule », qui peut éventuellement se moderniser sous le label : « l'Europe seule ». Telle l'autruche qui enfouit sa tête dans le sable pour ignorer le danger, le nationaliste français rêve d'une France clôturée, inaccessible à toutes les formes d'altérité, protégée à tous les sens du mot contre l'Étranger. Son obsession est depuis longtemps l'Étranger de l'intérieur – l'immigré, le Juif, l'importateur. Or à ses yeux, il existe une connivence, parfois occulte, parfois déclarée, entre l'étranger de l'intérieur et l'Amérique. Dans la crise du Golfe, il est patent que cette connivence passe par Israël. Le Pen a évoqué naguère « l'internationale juive », comme au temps des persécutions nazies : un lobby, un complot, lie les Juifs du Proche-Orient aux États-Unis, en raison de la puissante minorité juive de la côte Est américaine. Le 14 septembre 1990, *Rivarol*, hebdomadaire post-pétainiste, menaçait Bush d'une « humiliation pire que celle du Vietnam », et s'inquiétait d'une « cinquième colonne » qui n'était pas seulement celle des « musulmans ». Plus franc du collier, François Brigneau, ancien combattant de la Milice, dénonçait dans *National Hebdo* la collusion judéo-américaine : « En avant pour l'Aramco, les trusts du pétrole, *l'or anonyme et vagabond, les financiers qui mènent le monde, généralement vers les tranchées...* » Je souligne ces expressions, car elles sont presque mot pour mot celles qui, cinquante ans plus tôt, faisaient des Juifs des fauteurs de guerre. Pour être bien compris, Brigneau, dans un autre numéro de l'hebdomadaire lepéniste, s'exerçait à un pastiche de *L'École des cadavres* publié en 1938 par Céline, qui prônait alors une entente avec l'Allemagne de Hitler, en vue d'une « Confédération des États aryens d'Europe ». On voit la référence. Et la continuité :

« L'Amérique !... Bénisseuse, pourrisseuse, hypocrite, conformiste, dégueulasse, conne avec un K comme Khonn, l'Amérique puritaine et marchande d'obscénités, libérale et sectaire, l'Amérique du tiroir-caisse et des hypermarchés, [...] l'Amérique mégalo, psychiquement malade, la Mecque de la psychanalyse, merde, non, le dégoût vous saisit, l'horreur, l'envie de dégobiller l'abject... »

Dans une confession publique [1] François Brigneau a dit clairement ce qui lui faisait horreur : la liberté, l'égalité, la révolution de 1789, l'idée de bonheur, l'étranger qui vient en France, et qui se mêle au « sang français », et encore : « J'ai horreur des villes, j'ai horreur des cités ouvrières, j'ai horreur du mécanisme... » En revanche, il se sent bien « écologiste », Brigneau, car « les écologistes, et tout ça, c'est “ le retour à la terre ” du maréchal Pétain ».

Dans *Les Idées à l'endroit*, Alain de Benoist, doctrinaire de la nouvelle droite, énonce une conviction simple : les États-Unis ne forment pas une patrie. « Il y a une patrie vietnamienne, une patrie cambodgienne. Il ne peut y avoir de patrie américaine. » Et pourquoi donc ? On reconnaît ici la vieille idée barrésienne de l'enracinement : la communauté historique qui s'appelle « patrie » ne peut avoir d'autre fondement que l'appartenance de tous ses membres à une *terre natale* et le souvenir gardé des *morts* qui l'ont fécondée. Ce que Barrès et Benoist après lui remettent en question, c'est la filiation démocratique issue des Lumières : l'idée qu'une patrie rassemble non seulement des gens qui se retrouvent ensemble

1. *In* André Harris et Alain de Sédouy, *Qui n'est pas de droite ?*, Seuil, 1978.

par le hasard biologique et l'héritage des traditions, mais des citoyens qui ont accepté de constituer une Cité, qui ont fait acte d'adhésion volontaire à des valeurs communes.

L'évocation des cas les plus flagrants d'américanophobie nous invite à chercher une explication qui ne soit pas seulement conjoncturelle. Pour la tenter, je me servirai de deux concepts, en disant que l'antiaméricanisme est la formulation d'un double rejet : celui de la *société démocratique*, décrite par Tocqueville, et celui de la *société ouverte*, défendue par Karl Popper.

Tocqueville, aristocrate de naissance, s'est convaincu après la révolution de 1830 que l'avenir appartenait à l'égalité des conditions et à l'uniformité des mœurs. Son voyage aux États-Unis l'a confirmé dans l'idée que le ton serait donné en France comme c'était déjà le cas en Amérique du Nord par une classe moyenne absorbant peu à peu le gros de la population. Dans *La Démocratie en Amérique*, prémonitoire, il décrit la société de consommation, dont nous connaissons aujourd'hui les réalités : utilitarisme, production de masse largement standardisée, littérature « industrielle », dépolitisation généralisée, fin de la morale héroïque, etc. Cette société, dont il pressent l'avènement, Tocqueville ne l'aime pas, mais il en accepte la nécessité, car on ne peut tout à la fois établir une collectivité sur les principes de liberté et d'égalité, et maintenir les canons d'une civilisation aristocratique dont les hautes vertus et les avantages seraient réservés à un petit nombre.

Autrement dit, la démocratie américaine préfigurait la société de masse. Du même coup, si l'on appelle « américanisation » le processus de démocratisation – ou si l'on préfère de « massification », celle des produits et des pratiques –, on comprend le mépris ressenti par celui-qui-n'est-pas-du-commun. Non seulement le fils de famille blasonnée, mais surtout l'intellectuel. En France, les intellectuels sont foncièrement antiaméricains parce que leur statut autrefois privilégié subit de plein fouet les assauts de la culture de masse. En écrivant en 1930, au retour d'un voyage aux États-Unis, *Scènes de la vie future*, Georges Duhamel résumait tout. Les turpitudes qu'il énumère ne sont pas seulement celles de l'Amérique du président Hoover, ce sont les abominations qui nous attendent : la musique mise en disques, le théâtre détrôné par le cinéma, le *fast-food* qui remplace le petit bistro du coin, etc. – toutes choses qui rendent accessibles au grand nombre les arts, le tourisme, les commodités de la vie urbaine... Évidemment, ce n'était rien encore. L'avènement de la télévision a accéléré le processus, rabaissant l'intellectuel, l'écrivain, le philosophe au rôle dérisoire d'un chien savant.

A la manière de Tocqueville, on peut regretter l'ancienne hiérarchie des valeurs – mais lui, sans gaieté de cœur, en acceptait la ruine. Car le paradoxe est que nos intellectuels – de gauche – sont foncièrement hostiles à une évolution qui est le résultat de la promotion des masses. Ah, certes ils n'étaient pas hostiles à cette promotion, mais ils la rêvaient d'une autre qualité et par d'autres moyens : l'école généralisée, le théâtre national populaire, les cours du soir et la vulgarisation noble de la culture savante. Hélas ! Tocqueville avait mieux compris que nous ce que signifierait aujourd'hui la convoitise d'un Soviétique moyen pour le *jean* et le *rock*.

L'Amérique, sans passé aristocratique, a offert la première les objets nouveaux et les mœurs nouvelles de la société démocratique. Notre hostilité contre elle, qui remonte loin, vient de là. Cette culture de masse est pour le Français bien né une anticulture, ou une sous-culture – que tous les partis politiques ont flétrie, dans leur phase antiaméricaine ou dans leur idéologie anticapitaliste. Car, en définitive, la seule culture de masse pensable par la gauche ne pouvait et ne peut vraiment s'imposer que par le truchement de l'étatisme : celui des maîtres d'école, celui du monopole télévisuel, celui des subventions tous azimuts... Mais une société libérale enrichie – même dotée d'un État-providence – tombe inévitablement sous le gouvernement de l'opinion. Le vulgaire est plus puissant que le raffiné, le franglais détrône le latin, et quand on laisse à un roi du béton le soin d'une télévision populaire, on sait ce qui arrive : le cher homme n'impose pas son goût, mais celui du public.

Les États-Unis sont-ils responsables de la société démocratique ? Non, mais ils en ont été les pionniers. L'antiaméricanisme apparaît ainsi comme une colère dérivée contre une évolution que tous les pays connaissent – et qui a fait entrer l'idée d'égalité dans le champ culturel, au détriment des cultures savantes. L'amour du peuple n'a souvent été chez nos idéologues que l'amour d'un peuple rêvé, occupant ses loisirs dans les musées ou sur les bancs des universités du dimanche.

L'antiaméricanisme exprime aussi le rejet de la société ouverte. Ce concept de Popper désigne le remplacement des anciennes communautés à base ethno-culturelle, religieuse, héréditaire (les « sociétés closes ») par une société libérale, concurrente, individualiste, dans laquelle l'homme a rencontré conjoints le bonheur et le malheur de la liberté. La Réforme, les révolutions démocratiques, la révolution industrielle ont été à l'origine, en Occident, de ce bouleversement historique, qui a fait triompher l'idée de progrès.

Un Alain de Benoist est, mieux que personne, le nostalgique lettré de la société close – celle de nos ancêtres, celle des sociétés structurées autour de leurs mythes et de leurs chefs, celles des temps organicistes où tous les éléments de la collectivité, tenus serrés, subordonnaient à sa vie la vie et les caprices des individus. En un certain sens, l'utopie communiste partage la même phobie de la société ouverte, rêve aussi l'instauration d'une société close, quoique d'un nouveau style – celle où le principe d'égalité aura définitivement triomphé du principe de liberté. L'aventure individuelle, la promotion sociale, tout ce qui peut nuire à l'homogénéité de la société est à bannir.

Cette nostalgie d'un monde ordonné, qui fait régner l'anti-hasard, soit par la fidélité à la loi du père, soit par la planification universelle, a un ressort psychologique évident. Elle traduit le besoin de protection, le désir de dissoudre les responsabilités individuelles dans un Tout collectif, mais aussi la révolte contre la solitude sécrétée par la civilisation urbaine, ce qu'on pourrait appeler, après avoir lu Maurice Bardèche, le syndrome de la steppe – espace illimité, sans enclos, sans forteresse, sans muraille de Chine. Autrement dit « la liberté anarchique des démocraties », [qui] « nous fait une vie ouverte de toutes parts à toutes les inondations, à tous les miasmes, à tous les vents fétides, sans digue contre la décadence, l'expropriation et surtout la médiocrité ». (*Qu'est-ce que le fascisme ?*)

Or l'Amérique a produit les figures symboliques de la société ouverte : le *self-made man*, l'esprit d'entreprise, l'immigration, l'absence de hiérarchie religieuse, le rôle relatif de l'État central, l'individualisme, le nomadisme... Les États-Unis ont connu les premiers les développements rapides des deux principes sur lesquels reposait le consensus de leurs habitants. Sans entrave due au passé, ils ont vu le principe d'égalité donner naissance à la société démocratique, et le principe de liberté, à la société ouverte.

Tout ce qui chez nous, en nous-mêmes, répugne aux effets de cette double évolution, incline à se révolter contre « l'Amérique ». Au-delà des antipathies dues à la surpuissance militaire et économique, l'antiaméricanisme plonge ses racines dans un attachement viscéral à une identité aristocratique ou/et anti-individualiste. Les délires de l'américanophobie ne doivent pas cependant nous cacher qu'en cette fin de siècle, la société moderne est confrontée à un double défi : éviter que la société démocratique ne suive ses pires tendances sans contrôle (le bac pour tous ! Sécurité sociale pour le pain et jeux télévisés pour le cirque), et dégénère dans l'insignifiance (« l'ère du vide ») ; éviter, d'autre part, que la société ouverte ne se décompose en une mosaïque d'individualités perdant de vue le bien commun. Mais, dans les deux cas, c'est la raison et la volonté politiques qui en décideront, et non les imprécations contre une Amérique métaphorique. Le danger est en nous-mêmes, il est vain de le chercher hors les murs.

Il serait souhaitable qu'on en finisse vraiment avec les facilités de l'américanophobie. Les Européens ont des ressources suffisantes en eux-mêmes pour bâtir ensemble un espace de liberté et d'égalité, où les citoyens compteront au moins autant que les consommateurs, et sans être obsédés par le cousin d'Amérique, copié ou haï. A moins qu'il nous faille un modèle-repoussoir, pour mieux nous définir nous-mêmes. Mais l'Amérique est fille de l'Europe : peut-on se définir contre son enfant ?

28

Notre maladie endémique

A le bien penser, le principal ennemi du Français n'est pas ailleurs qu'en lui-même. Le pessimisme est une maladie nationale qu'on n'hésite pas à soigner avec des ordonnances médicales : aucun peuple au monde ne favorise autant l'industrie pharmaceutique. Notre système de Sécurité sociale y entre pour une bonne part ; le prix de nos cachets et gélules, moins élevé que dans les autres pays, autorise aussi une automédication active, moyennant conseils du pharmacien ou du dernier adepte de la dernière drogue. La chimie, substitut de la prière, est là pour « tranquilliser ». Des pays où la protection sociale est aussi, voire mieux, assurée qu'en France, comme l'Allemagne ou le Danemark, ont une consommation pharmaceutique entre deux et cinq fois moindre que la nôtre. Ces chiffres corrigent singulièrement l'image stéréotypée du Français léger, insouciant, heureux de vivre. L'inquiétude est devenue une maladie endémique du pays.

Nous avons déjà évoqué le thème démographique, qui n'est pas nouveau – thème qui est double : le déficit des naissances et son corollaire, l'immigration. Tandis que la gauche a longtemps nié tout problème à ce sujet, la droite, quant à elle, aiguillonnée par la xénophobie de l'extrême droite, n'a pas su éviter de reprendre à son compte une partie du délire de celle-ci. On a ainsi lu sous la plume d'un ancien président de la République, peut-être en quête d'une nouvelle audience, le mot : « invasion » – une invasion arabo-musulmane qui nous menacerait si nous n'y mettions pas bon ordre. Arrivée au pouvoir, cette droite a voulu rassurer sa clientèle en faisant voter le changement du Code de nationalité. L'article 14 – l'innovation est de taille – ne reconnaît plus la nationalité française aux enfants de parents étrangers nés en France, que s'ils en font, entre 16 et 21 ans, explicitement la demande. Il ne me paraît pas scandaleux que l'adhésion volontaire puisse se manifester au moment où l'enfant d'étrangers, né et vivant en France, arrive à l'âge d'homme : c'est une façon de lui faire prendre conscience de ses droits et de ses devoirs. Mais, cet enfant, cet adolescent, que sera-t-il, quand il aura passé par mégarde l'âge de se prononcer ? Veut-on fabriquer des apatrides ? Il m'est difficile de comprendre comment cette brimade peut faciliter l'intégration, mot que chacun répète à qui mieux mieux. Je ne vois qu'un intérêt à pareille décision : rassurer les consommateurs d'antidépresseurs qui ont le droit de vote.

Le thème de l'Europe suscite à son tour des épanchements languides. En raison de l'incapacité de nos dirigeants à promouvoir l'idée européenne, à la forger en mythe-force, à en expliquer la nécessité tout en précisant à quelles conditions – parfois douloureuses – elle peut être réalisée, on en est arrivé à présenter l'Union européenne comme responsable de nos difficultés économiques, du chômage, de la nouvelle pauvreté, et *tutti quanti*. N'est-il pas paradoxal de constater que nos agriculteurs, auxquels l'ouverture des frontières et la politique agricole commune ont offert des marchés inespérés, indispensables, aient répondu en masse par un vote négatif au référendum sur le traité de Maastricht ? En cet automne 1992, le vieux protectionnisme soufflait partout comme une idée neuve. Notre pays a beau être le quatrième pays exportateur du monde – ce qui est remarquable, vu le chiffre de sa population –, cela n'a pas empêché les orateurs de la France recroquevillée, de la France barricadée, de la France seule, de faire salle comble partout où ils passaient. Serrons-nous les uns contre les autres, il fait froid dehors.

Le vieux dada du déclin hante notre pays, à tous les niveaux d'intelligence et d'activité. Un tableau présenté par *Le Monde* du 30 juillet 1994 exposait l'évolution de la richesse relative des nations entre 1960 et 1991, à partir du PIB par tête d'habitant. En 1960, la France se situait à la 14e place ; en 1991, elle s'était hissée à la 7e. On devrait s'en réjouir, mais qui s'en doute ? Dans le même temps, le Royaume-Uni était tombé de la 8e à la 17e. Que dirions-nous si nous étions britanniques ? Nous ne connaissons pas nos propres performances, préférant fixer nos yeux sur nos échecs, réels ou supposés.

L'Allemagne, qui n'est plus une ennemie, comme nous le disions, continue néanmoins à nous donner tous les complexes en économie. Il est de bon ton de dire qu'à côté des Allemands « nous ne faisons pas le poids ». Notre indiscipline, notre prétendue paresse (Pétain flétrissait déjà notre goût de la jouissance), notre inaptitude au commerce international, la frilosité de nos banques, la dispersion de nos efforts, que sais-je encore, tout pousse à conclure à notre nullité.

Il y a quelque temps, je me trouvais dans un colloque organisé par l'université allemande de Fribourg. Nous parlions de l'image que nous avions les uns des autres, Allemands et Français. Quelle ne fut pas ma surprise d'entendre dans la bouche d'un professeur d'Outre-Rhin que ce qui l'inquiétait, lui, c'était notre *hybris* technologique : le nucléaire, les fusées, les avions supersoniques, le TGV, le char Leclerc, et ainsi de suite, où était donc la France de Chaminadour ? Il y a décidément un malentendu entre ce que nous pensons de nous-mêmes – une vieille patache tirée par un bidet poussif – et ce qu'en redoutent les autres.

Pourtant, nous sommes un peuple chauvin, on le sait bien ! Comment expliquer cette contradiction ? Il vaudrait mieux dire que nous cultivons le maso-chauvinisme, une sorte de dégoût glorieux ou de fierté malheureuse que nous traînerions depuis des lustres. Je m'amuse, par exemple, en lisant chaque semaine le *Courrier international*, journal très bien fait, composé d'articles parus à l'étranger et traduits dans notre langue. Dans les trois ou quatre pages consacrées à l'Hexagone, c'est une avalanche, invariable, des vacheries qui peuvent être écrites sur les cinq continents et dans toutes les langues contre la France. Si, telle ou telle semaine, la presse anglo-saxonne, allemande, ou méditerranéenne, n'a rien produit d'un peu fielleux sur notre politique, nos écoles, nos paysages, nos corrupteurs et nos corrompus, nos vins surfaits, nos villes polluées, notre littérature déliquescente, notre mégalomanie, notre hypocrisie et la qualité douteuse de nos préservatifs, ledit journal trouve toujours dans la presse de Bogota ou de Kaboul un méchant papier sur notre diplomatie ou notre racisme. Voyageant un peu hors de France et hors d'Europe, m'informant toujours de la presse des pays visités, je ne vois jamais une telle concentration d'hostilité. Je peux même dire que j'ai lu les articles les plus favorables sur les grands chantiers de la capitale dans le *New York Times*. Ceux-là ne sont pas traduits. Mais que *Newsweek* publie un numéro spécial acrimonieux, désobligeant, outré, sur la France, il n'est bruit que d'un forfait qu'on apprécie comme une macération bienfaisante : « Affreux, sales et méchants », voilà ce que nous sommes comme le résume le respectable *Express*, entraîné avec ravissement au Jardin des supplices. Il y a un dolorisme français : on savoure les morsures comme dans le cirque le saint martyr offert aux lions.

Les écrivains et les intellectuels ne nous remontent pas le moral. Un Jean Dutourd, académicien patriotard s'il en est, empile les livres pour maugréer contre notre époque – une interminable lamentation qui, du reste, ne l'empêche nullement d'afficher au quotidien une mine réjouie. A le voir, les joues roses et l'œil émerillonné, un étranger conclurait au bonheur des Français ; à le lire, malheureux, maudissant le temps présent, nostalgique en un mot, il comprendrait notre déréliction nationale. La nostalgie est le péché mignon des gendelettres.

Il est vrai que nous ne vivons pas des temps héroïques – ces temps de disette, où seuls les BOF prospéraient, comme nous l'a raconté Dutourd lui-même dans *Au bon beurre*. Nous ne prenons plus l'Hôtel de Ville avec des armes de poing, nous ne sommes plus à Valmy, et nous attendons la découverte chaque jour mais en vain d'un nouveau Monet ou d'un nouveau Proust. Péguy, pour nous faire comprendre cela – et pourtant Péguy ne décolérait pas lui-même, déjà, contre le « monde moderne » –, distinguait les *époques* des *périodes*. On peut difficilement mettre en doute que nous soyons dans une « période », c'est-à-dire un moment, sans grandeur. Mais on ne peut tout de même pas vivre toujours sur le mode majeur. Henri Heine, qui avait tant admiré la Révolution française et Napoléon, eut le malheur d'arriver à Paris au début de la monarchie de Juillet, sous le roi bourgeois qui se promenait dans les rues de Paris avec son parapluie. On peut imaginer sa déception. Les héros étaient fatigués, la Grande Nation s'enlisait dans l'agriculture et le commerce, tandis que le reste de l'Europe piaffait d'impatience. Ajoutons cependant qu'en 1848, quand les Français, éveillés de leur torpeur, se remirent aux barricades pour une nouvelle révolution, notre cher Henri ne trouva pas cette nouvelle convulsion parisienne à son goût. Il faut savoir ce qu'on veut.

Nous imaginons fort bien les récits de deux Français qui auraient vécu longtemps loin de leur pays natal jusqu'à ce qu'ils y reviennent en cette fin de siècle. Le premier l'aurait quitté pour la forêt amazonienne à la veille de la Seconde Guerre mondiale. Dans un nouveau tour de France, il écarquillerait les yeux, découvrant partout l'eau courante, l'électricité, des salles de bains ou simplement des WC à l'intérieur de chaque maison, de chaque appartement, des fermes propres, le travail des campagnes mécanisé, des villes envahies par les autos, cinq semaines de congé payé pour les salariés, des gens habillés gaiement, une protection sociale de haut niveau... J'en passe. Nul besoin pour lui d'être le Pangloss de Voltaire pour tirer quelques conclusions flatteuses sur ce qui était arrivé à ses compatriotes.

L'autre aurait quitté la France après l'effervescence des années post-soixante-huitardes, et se serait réfugié au Yémen ou au fin fond de l'Afrique. C'est justement l'histoire que nous raconte Olivier Rolin, dans *Port-Soudan*. Le héros revient brusquement, en apprenant la mort d'un de ses anciens amis, militant jadis comme lui dans un groupe maoïste. Lui aussi s'étonne, mais pas dans le même sens. Tout a changé à ses yeux, mais en mal, jusqu'à la couleur des wagons du métro. Pour lui, la notion de « période » – et l'on pourrait dire de basse période, un étiage historique, un marais politique doublé d'un marécage politicien – lui est d'emblée évidente. Où sont-ils donc, les enthousiasmes de nos vingt ans ?

Sans aller jusqu'au catastrophisme, cultivé par certains, l'écrivain est toujours porté à flatter le passé contre un présent invivable. Souvenirs de guerre, souvenirs de révolution même si ce n'était pas la révolution, souvenirs, souvenirs, que reste-t-il de nos amours et de nos rages ? Un esprit rassis pourrait faire modestement observer que la France est enfin en paix, depuis qu'en 1962 s'est achevée la guerre d'Algérie. Que les institutions, malgré tout ce qu'on en a dit depuis 1958, ont résisté au temps et à la manie nationale d'en changer sans arrêt. Que l'économie et le niveau de vie ont fait des progrès sensibles (voir plus haut). Que les hommes et les femmes s'usent moins au travail. Qu'ils sont mieux logés. Qu'ils vivent plus longtemps. Que l'accès aux études secondaires est donné à tous ; et déjà c'est la majorité d'une classe d'âge qui ayant obtenu le baccalauréat, peut entrer à l'Université. Mais tout cela et bien d'autres choses encore ne comptent pour rien, puisqu'il y a : le chômage, l'immigration, la criminalité, la peur de l'avenir...

Un de nos hommes politiques disait : il nous manque un grand dessein. Cela me paraît faux, car nous avons l'Europe, qui n'est pas un petit programme d'arrondissement. Mais force est de constater que l'Europe n'a jamais été une passion, sinon pour quelques-uns, les pionniers. Nous sommes en panne de cause et d'évangile. Du moins en apparence, car, sans parler des causes humanitaires qui nous appellent chaque jour, la politique a toujours besoin de dévouement et d'intelligence. Malheureusement, nous avons confondu l'engagement politique avec sa version « héroïque ». Être Malraux ou rien, comme disait l'autre. Justement, Malraux n'a pas passé sa vie au sein des Brigades internationales ; il a su avoir la modestie de devenir ministre. Ma conviction est que la démocratie est un appel permanent, parce que c'est, de tous les régimes, le plus fragile et le plus exigeant. Si l'on pouvait mettre aujourd'hui dans la défense de la démocratie contre ses ennemis – la corruption, l'incivisme, l'indifférence, l'ignorance – l'ardeur qu'on mit naguère dans les causes chimériques rassemblées en gerbe dans le vase Révolution, nous aurions sans doute une vie politique en meilleure santé.

Les tâches ne manquent pas dans la France d'aujourd'hui : reconstruire notre système éducatif, répondre au chômage par des solutions originales, associer notamment les sans-emploi à une politique de l'environnement dans tous les sens du mot, assainir en profondeur le climat des « banlieues », freiner la spirale de tous les individualismes, avoir la volonté d'en finir avec le scandale des SDF comme jadis un Chaban-Delmas décida d'en finir avec les bidonvilles... La liste n'en finirait pas de s'allonger. Un grand dessein ? Mais la lecture quotidienne du journal nous suggère un millier de desseins qui en s'additionnant en font un grand. En un mot, je rêve que nous redonnions sens à la politique. Sens et dignité.

Dans ce domaine, rien ne peut être fait sans l'aide des médias de masse. Trop souvent la radio, la télévision, voire le journal écrit, nous montrent la politique par son côté accessoire, pittoresque, ou scandaleux. La pédagogie n'est certes pas le principal souci de nos directeurs d'opinion. Une concurrence malsaine, la quête du *scoop*, l'obsession de l'*audimat*, ont fait de nos moyens d'information des moyens de désinformation permanents. La morosité des Français est largement entretenue, sinon éveillée, par la tristesse des émissions, le coq-à-l'âne des nouvelles jamais approfondies, l'absence ou la rareté de ce qui va bien. Par définition, il est vrai, la presse qui est éphémère s'intéresse plus à la conjoncture qu'à la structure, à ce qui est fugace, dont on ne parlera peut-être plus dès le lendemain, plutôt qu'à ce qui est lent. Or la vie d'un peuple dépend beaucoup plus des mouvements quasi invisibles, de longue durée, du travail des choses en profondeur, que des pseudo-événements au jour le jour. L'histoire de la Bourse peut en être la métaphore. Quand on écoute la radio, on a toujours l'impression qu'elle baisse. Si on suit l'évolution des cours sur plusieurs mois, ou plusieurs années, on voit qu'elle monte presque toujours. De même, l'équipement des ménages ou les progrès de l'espérance de vie ne sont pas des événements, les médias n'en parlent pas. Il faut prendre du recul pour constater le chemin parcouru. On souhaiterait que dans chaque journal télévisé il y ait un moment consacré au temps long, on pourrait y trouver des motifs de consolation après qu'on aura entendu le récit de la sempiternelle « bavure » qui a suivi l'habituel « rodéo » de voitures volées à Mantes-la-Jolie ou à Montfermeil.

On peut sourire d'un tel vœu. La société libérale se prête mal à ce genre d'impératif, plus familier des régimes totalitaires : le travail dans la joie, la semaine de la gaieté, une fleur-au-chapeau-à-la-bouche-une-chanson... Je suggère seulement qu'un peu de conscience politique et démocratique inspire les diffuseurs d'information. Les historiens ont renoncé à l'histoire strictement événementielle, celle des apparences ; les journalistes, à leur tour, pourraient concevoir que la vie des gens ne se résume pas en trois incendies de forêt, un viol de petite fille et la descente en deuxième division de l'Olympique de Marseille. Aleksander Petrovic avait rencontré des « Tsiganes heureux » ; on pourrait nous montrer de temps en temps des Français dans le même état d'esprit. Au moment où j'écris ces lignes, je découvre par un débat du *Figaro* qu'il nous faut un observateur étranger – en l'occurrence Théodore Zeldin – pour nous dire : « Messieurs les Français, cessez de vous lamenter ! », concluant ainsi son article : « Les Français, lorsqu'ils se regardent dans le miroir, le font à travers des lunettes sombres. Ils sont moroses parce qu'ils hésitent à les retirer [1]. »

« J'ai mal à l'Espagne », disait jadis Unamuno. De la même façon, nos compatriotes diraient volontiers aujourd'hui qu'ils ont mal à la France. A dire vrai,

1. Dans le même ordre d'idée, ne passons pas sous silence l'ouvrage de Jacques Marseille, professeur d'histoire économique à l'Université de Paris-I, *Que c'est beau la France !* Ayant rappelé quelques réalités vérifiables sur le bonheur relatif d'être français, l'auteur n'a pas manqué de déclencher des protestations indignées, comme s'il avait écrit des obscénités.

chacun n'invoque pas les mêmes raisons. Pour les uns, notre pays est menacé par un néo-fascisme dont les succès électoraux de M. Le Pen fourniraient une nouvelle preuve. Pour les autres, au contraire, la France souffre d'un libéralisme tous azimuts qui encourage aussi bien la délinquance, l'immigration clandestine, la pornographie, la corruption et la perte des valeurs morales.

A vrai dire, on ne s'accorde que sur un fléau, le chômage. Celui-ci est la terrible réalité de notre temps et la source intarissable d'autres maux qui s'appellent mendicité, drogue, délinquance juvénile, démoralisation ambiante, inquiétude sourde pour les générations nouvelles et incertitudes sur les retraites futures. Tout le monde en parle, tous les candidats aux élections proposent des recettes, mais le cauchemar continue au fil des années.

La nouveauté est que personne ne croit plus au remède miracle. Les quatorze années de présidence socialiste n'ont produit – y compris dans les phases de cohabitation – que du bricolage social. L'imagination est à bout de souffle ; la croissance a beau repartir, les plus optimistes de nos économistes n'envisagent qu'une résorption lente et partielle du sous-emploi.

Les Français sentent, plus ou moins confusément, que nous vivons une de ces grandes époques (et, cette fois, c'est une *époque*, pas une *période* !) de mutation, que nous sommes arrivés à un point de non-retour, que nous basculons dans une nouvelle civilisation dont nous ne percevons pas encore très bien les formes. En un mot, nous vivons douloureusement la transition d'une société industrielle, que nous connaissons bien, à une société post-industrielle encore fort mal définie.

Pendant des siècles, le travail humain, le travail manuel, l'effort physique, s'est imposé à la majorité de l'espèce pour survivre. La révolution industrielle a entamé le remplacement de ce travail des hommes par la technique machiniste. L'industrie a vidé les campagnes mais elle nécessitait de la main-d'œuvre. Le chômage de la société industrielle faisait déjà des ravages, mais il était intermittent, cyclique, saisonnier. Il résultait d'une crise, d'une récession, à l'issue desquelles l'offre d'emploi repartait de plus belle, au point que les Français devaient faire appel à la main-d'œuvre étrangère pour répondre à leurs besoins.

Le tableau a changé. Les progrès de la productivité sont tels que ces besoins s'amenuisent de jour en jour. Dans l'industrie automobile, exemplaire pour l'embauche pendant si longtemps, on compte aujourd'hui moins d'ouvriers que de cols blancs. Dans les bureaux, l'informatique généralisée détruit à elle seule d'innombrables emplois du tertiaire. Dans l'agriculture, la mécanisation a depuis longtemps entamé la désertification des villages. Le taux de croissance a beau se relever, celui du chômage résiste à désespérer toutes les politiques économiques. Notre société, de plus en plus riche, se trouve dans l'incapacité de fournir à chacun l'espoir même d'un salaire assuré.

Cette formidable mutation est loin d'être consommée, et nul n'a encore inventé le monde de demain. Les pessimistes évoquent l'inévitable société duale : d'un côté, ceux qui seront nécessaires aux productions en tout genre – les citoyens actifs –; d'un autre côté, ceux qui n'auront rien à faire, et qu'il faudra assister si l'on ne veut pas les abandonner – les citoyens passifs.

Le malaise d'aujourd'hui me paraît provenir du fait que ce schéma, plus ou moins bien formalisé, est de plus en plus intériorisé par nos compatriotes. C'est le thème des deux France nouvelles, celle des gagneurs et celle des rejetés, celle des nantis et celle des exclus. D'où résulte ce désespoir latent ou cette angoisse : si j'échappe moi-même au pire, qu'en sera-t-il pour mes enfants ? Alors que, depuis la Libération, les familles françaises et immigrées ont connu une promotion sociale et un enrichissement global sans précédent dans l'histoire, tout se passe comme si l'on assistait à un retournement copernicien de la condition humaine : la nouvelle pauvreté nous menace d'une régression dramatique.

La France va mal dans sa tête, parce qu'aucun modèle de civilisation post-industrielle ne s'impose encore. Toutes les idéologies de progrès se sont effondrées, libéralisme aussi bien que socialisme. La France ne va pas si mal dans ses forces profondes : il suffit de voyager à l'intérieur de ses frontières puis à l'étranger pour prendre la mesure du bien-être qui y existe encore. La peur du lendemain domine les esprits. D'où s'ensuivent les conduites de fuite, la recherche de boucs émissaires, le vote protestataire, la défiance envers la classe et le système politiques, la tentation de l'enfermement sur soi, et la promotion funèbre des tristes hérauts du nationalisme...

Quand Georges Pompidou analysait la crise de Mai 1968 à la tribune de l'Assemblée nationale comme une crise de civilisation, il n'avait qu'un peu d'avance sur la réalité. Le mouvement de Mai fut le point d'orgue de la société d'abondance. C'est aujourd'hui que nous vivons pleinement cette crise historique, qui dépasse de loin le seul cas français, mais que la France perçoit sans doute avec une acuité plus grande que les autres pays.

29

La fraternité au rancart

Que nous manque-t-il donc, pour être un peu moins moroses ? Nous avons la liberté, nous sommes férus d'égalité... La fraternité peut-être ?

La liberté est la valeur fondatrice de notre République. Nous la connaissons sous ses deux formes, la liberté des Anciens et la liberté des Modernes, comme les distinguait Benjamin Constant. La liberté moderne, c'est la liberté individuelle, mon indépendance, ma vie privée. La liberté ancienne est la liberté politique. S'il est vrai qu'aujourd'hui les citoyens ne participent plus directement au gouvernement de la Cité comme à Athènes, ils n'en sont pas moins la source du pouvoir légitime. Cette liberté, à nos yeux, implique les autres : liberté d'opinion, de réunion et de manifestation, liberté de la presse. Dans ce domaine, nous avons encore fait des progrès depuis les débuts de la Ve République : l'information à la télévision, celle qui a le plus d'audience, s'est dégagée de la tutelle de l'État. L'idée même qu'on ait pu créer une instance autonome de contrôle et d'observation aujourd'hui appelée CSA, va dans le même sens, malgré les couacs de ses débuts. A chaque changement de majorité, on changeait l'institution. Or voici que le gouvernement Balladur, issu d'une écrasante majorité de droite, a laissé en place cette commission créée par la gauche, ce qui lui offre pour l'avenir une garantie d'indépendance accrue.

Dans un autre secteur, la liberté politique a fait un

progrès manifeste : la fonction élargie du Conseil constitutionnel, dont la saisine a été facilitée depuis 1974, ce qui ménage notamment les droits de l'opposition. On peut se plaindre de l'origine politique de ce Conseil, dont les membres sont choisis par le président de la République, le président du Sénat et le président de l'Assemblée, et du même coup l'on peut mettre en doute le bien-fondé de telle ou telle de ses conclusions. Il n'en demeure pas moins qu'une majorité de députés ne peut plus se permettre n'importe quoi, qu'un recours est toujours possible contre tel ou tel projet de loi, comme on le fait désormais couramment.

La liberté politique est inséparable de l'honnêteté des hommes publics. On pourrait dire que, sur ce terrain-là – les multiples « affaires » dont la gestion socialiste a été embarrassée depuis 1991 – l'optimisme n'est pas de saison. Il est indéniable que des élus continuent encore de nos jours la tradition des Topaze et des Bouteiller, « chéquards » souvent moins visibles, profiteurs plus ingénieux, concussionnaires plus distingués que nos héros de théâtre et de roman. Mais la publicité d'un certain nombre d'affaires a révélé une nouvelle exigence. La presse, moins servile que jadis, a joué son rôle d'investigation – non sans zèle. Le financement occulte et illégal des partis politiques et surtout des campagnes électorales est devenu objet de scandale. Le gouvernement Rocard, ce n'est pas le moindre de ses mérites, a fait voter une loi réglementant et limitant les dépenses et les financements des partis et des candidats aux élections. Le malheur a voulu que l'arbre – l'amnistie concernant les illégalités passées – cache la forêt : l'assainissement de la vie politique.

La réalisation de l'égalité est moins évidente. On connaît le mot de Chateaubriand : « Les Français n'aiment point la liberté ; l'égalité seule est leur idole ; or l'égalité et le despotisme ont des liaisons secrètes. » Cette assertion est trop péremptoire pour être vraie, et toute l'histoire prouverait que l'amour de la liberté n'a cessé de se manifester sous tous les régimes. La formule de Chateaubriand nous suggère néanmoins une tendance notable, celle de l'égalitarisme. En France on se plaint toujours des inégalités. Et, certes, il y a chez nous des riches et des pauvres deux cents ans après qu'on a aboli les privilèges. Certains préféreraient aligner tout le monde sur un modèle de frugalité spartiate, ce serait à leurs yeux plus « moral ». La majorité cependant préfère à cette Icarie la sauvegarde de la liberté, laquelle implique que certains s'enrichissent plus vite que d'autres. L'insupportable, dans une société démocratique, c'est un écart trop grand entre les aisés et les démunis. Un terme a surgi dans les années 70 qui dit exactement ce qu'on ne devrait pas tolérer : l'exclusion. Les exclus, dont le nombre s'est accru depuis ces années-là, deviennent des citoyens de seconde catégorie. Eux ne sont plus sous l'ordre de l'égalité, la faille de notre système est évidente.

Cependant, cette faille, nous en avons conscience, nous en parlons, nous en sommes inquiétés sans relâche, ne fût-ce que par notre représentation de l'avenir, le nôtre et celui de nos enfants : moi aussi, nous aussi nous pouvons devenir des exclus.

En revanche, on ne parle guère de la fraternité, le troisième volet de notre triptyque républicain.

La révolution de 1848, contrairement à 1789 ou 1793, a inscrit la fraternité dans le texte de la Constitution dont elle fut à l'origine. Celle-ci, dans son préambule, proclame la république « démocratique, une et indivisible », et précise dans son article IV : « Elle a pour principe la Liberté, l'Égalité et la Fraternité. » C'est peu dire pourtant qu'on avait déjà parlé de fraternité entre 1789 et 1794. La fête de la Fédération du 14 juillet 1790 en est empreinte ; à cette occasion, par la voix de La Fayette, les Fédérés venus de toutes les régions françaises juraient de « demeurer unis à tous les Français par les liens indissolubles de la fraternité ». Néanmoins, celle-ci n'eut pas l'honneur des devises officielles : la liberté et l'égalité se taillaient la part du lion. Certaines déclarations, pourtant, surtout après la journée du 10 août 1792, se concluent par la formule : « Liberté, égalité, fraternité ou la mort. »

La notion de fraternité est alors indissociable de l'idée d'union. Un épisode célèbre de l'Assemblée législative en montre bien la fraîcheur et les limites : la scène du « baiser Lamourette ». Nous sommes le 7 juillet 1792, l'ennemi est aux frontières, les représentants de la Nation se déchirent entre Feuillants, Fayettistes, Girondins, Montagnards... C'est alors que l'évêque constitutionnel de Lyon, Lamourette, en appelle à l'union par un discours si émouvant qu'il désarme tous les partis. Et voici les députés de gauche tombant dans les bras des députés de droite, les ennemis de la veille se tendant la main, et tous de réclamer l'impression et la diffusion de l'appel de Lamourette. Tout cela est vécu sur le mode naïf si propre à ces premières années de vie parlementaire. Las ! l'union ne vécut même pas ce que vivent les roses : le lendemain soir, au club des Jacobins, Billaud-Varenne s'écrie : « A voir certains membres se jeter dans les bras d'autres membres, il me semble voir Néron embrassant Britannicus et Charles IX tendant la main à Coligny. » Et Brissot, le 9 juillet, de déclarer en substance à l'Assemblée : la fraternité, c'est bien beau, mais il faut être réaliste, et, en politique, il faut connaître ses ennemis.

La fraternité révolutionnaire, si souvent évoquée, pratiquait l'exclusion : des aristocrates aux prêtres réfractaires, puis des Indulgents aux Enragés, l'esprit jacobin travaillait à une fraternité centralisée et alignée, au besoin, par la guillotine. L'image d'Épinal de la Fédération laissait place à la Terreur ; l'unité et l'indivisibilité l'emportaient sur l'union fraternelle. Certes, les fêtes civiques et les discours n'oubliaient pas le principe de fraternité, mais celle-ci était réservée à ceux qui participaient à l'idéologie officielle. On était « frères », mais l'esprit de famille avait des limites.

Sous la monarchie de Juillet, le renouveau républicain et la profusion des écrits socialistes et utopiques ont préparé le retour triomphal de la fraternité dans les premiers mois de la Deuxième République. Michelet, grand prophète du peuple, écrit en 1848 : « Cette nation [française] est bien plus qu'une nation ; c'est la fraternité vivante. » Ce qui se passe dans les jours qui succèdent aux barricades de février a été appelé « illusion lyrique » par les historiens. « Illusion », en effet, quand on en sait les lendemains ; « lyrique », ô combien, quand on voit – nouvelle représentation du baiser Lamourette à l'échelle nationale – les banquiers bras dessus dessous avec les prolétaires, les athées lever le verre avec les curés, les propriétaires danser avec leurs locataires... Les socialistes eux-mêmes prônaient la réconciliation des classes dans un climat de religiosité. Le gouvernement chargea le philosophe Charles Renouvier de rédiger un *Catéchisme républicain* : celui-ci est pénétré de l'esprit de fraternité, qui impliquait de nouveaux droits :

« Il faut, disait-il, et il est indispensable qu'une République fraternelle reconnaisse et assure deux droits à tous les citoyens :

« Le droit de travailler et à subsister par son travail ;

« Le droit à recevoir l'instruction, sans laquelle un travailleur n'est que la moitié d'un homme. »

Les deux acquis de 1848 furent autres : le suffrage universel et l'abolition de l'esclavage dans les colonies. L'un et l'autre, le second surtout, ne sont pas étrangers à l'idée de fraternité. Mais la « république fraternelle » ne fut qu'un feu de paille. Dès le mois de juin 1848, une terrible lutte des classes ensanglantait Paris et amorçait la réaction, en attendant le coup d'État bonapartiste.

Le réveil républicain de 1870 amena Gambetta à la conviction qu'il fallait reformuler les grands principes républicains. Les discours éloquents qu'il prononçait lui-même, en pèlerin de la démocratie, tout au long des années 1870, lorsque le régime demeurait incertain, ne lui parurent pas suffisants. Il demanda à un disciple de Renouvier, Jules Barni, de composer un *Manuel républicain*, lequel fut d'abord publié en feuilleton dans la presse avant de paraître en livre en 1872. Dans une forme accessible au grand public, Barni consacrait un chapitre important de son manuel à la fraternité. Il montrait la faiblesse de la notion qui n'est pas « de droit strict » : la fraternité ne se décrète pas ; elle dépend plutôt des mœurs que de la législation. Cependant, « le respect du droit strict ne suffit pas dans la société » :

« Pour qu'une société d'hommes soit vraiment *humaine*, il faut qu'ils se regardent comme faisant partie, à titre d'hommes, d'une seule et même famille, et qu'ils s'aiment comme des frères. »

Pareille affirmation annonçait le dépassement des frontières. De fait, Barni achevait son chapitre sur la fraternité par ces mots :

« En s'étendant à tous les hommes, à quelque race ou à quelque nationalité qu'ils appartiennent, elle doit concourir à éteindre les haines sauvages de peuple à peuple, et à faire disparaître, par l'union des diverses branches de la famille humaine, cette atroce barbarie qu'on appelle la guerre. »

Une fois installés au pouvoir, les républicains reprirent la devise de 1848 : Liberté, Égalité, Fraternité, qu'ils firent graver ou peindre au fronton des mairies et autres bâtiments publics au début des années 1880. Cependant, le mot « fraternité » déserta progressivement le vocabulaire politique. Trop vague ? A connotation trop religieuse ? Vieilli ? Toujours est-il qu'on lui préféra le terme de *solidarité*, qui connaît une nouvelle vogue de nos jours. En des temps où les problèmes sociaux exigeaient des doctrines nouvelles et des mesures concrètes, la solidarité paraissait exiger plus que la sentimentale fraternité. Pourtant, comme le note Marcel David, le mouvement ouvrier qui prend alors son essor va, au moins un moment, user du mot « frères » à l'égal de « compagnons » et de « citoyens »[1]. La fraternité ouvrière et socialiste se posait comme solution de rechange enfin humaine au régime de l'exploitation de l'homme par l'homme ; elle était par définition internationale. Cependant, elle impliquait la guerre sociale et restait promise à l'incertitude des lendemains qui chantent plus ou moins faux.

Si je rappelle ces quelques faits, c'est pour montrer à quel point la fraternité, dont le mot brille dans l'éclat de notre devise républicaine, fait figure de parente pauvre. Elle a fait rêver encore en 1968. Loin des stratégies de pouvoir, loin des couloirs de la Sorbonne où les groupuscules s'ingéniaient à faire plus de léninisme les uns que les autres, on assista, dans les rues, dans les entreprises, dans les lieux d'habitation, à quelques jours, à quelques semaines parfois d'extraordinaire fraternité. Les langues se délièrent, les mains se tendirent, la carapace du respect humain se brisa : qui n'a connu ces rencontres entre inconnus, ces discussions entre voisins, ces émotions communes entre des gens qui ne s'étaient jamais salués, n'a peut-être pas idée de ce qu'est la fraternité.

Loin de moi l'idée des embrassades nécessaires ; c'est un état d'esprit dont je parle. La fraternité s'est imposée aux philosophes républicains comme l'indispensable complément de la liberté et de l'égalité.

1. Marcel David, *Fraternité et Révolution*, Aubier, 1987.

Elle a été le plus souvent démentie ou bafouée. Sa faiblesse est qu'elle ne ressortit pas au domaine juridique, au lieu que la liberté et l'égalité appellent immédiatement la loi. Pourtant, on ne peut penser la démocratie sans la dimension fraternelle. La république est le régime des frères, quand il n'y a plus de père. Plutôt que de se chercher toujours un père, les Français pourraient s'aviser qu'ils doivent s'entendre entre frères.

Une entente qui ne vise nullement à l'uniformisation des conduites et à la négation des intérêts contradictoires. Une société libre est toujours une société conflictuelle, répétons-le, mais qui ne nie pas une entente nécessaire sur un minimum de principes et d'institutions. Dans les années 1980, le mot « consensus », venu du latin *via* le vocabulaire anglo-saxon, est devenu à la mode. L'évolution du parti socialiste au pouvoir, renonçant de fait à son idéologie de lutte de classes, l'avait promu. Aussitôt, le terme devint une cible. On complétait en général ce substantif d'un qualificatif dépréciatif, ce qui eût inspiré Flaubert pour son *Dictionnaire des idées reçues* : « Consensus : Toujours mou. » A mes yeux, le consensus doit porter d'abord sur un carré de principes et d'institutions. Depuis deux siècles, nous n'arrêtons pas de les changer : soyons d'accord sur elles et, s'il faut les modifier, mettons-nous d'accord sur leur amendement. Le consensus doit porter aussi sur un type de régime économique. Oui, nous sommes dans un régime capitaliste. A quoi il faut ajouter ce corollaire : un régime capitaliste tempéré par la protection sociale. Enfin, le consensus doit reposer sur une éthique, et c'est là sans doute que nous retrouvons un impératif de fraternité qui a cessé d'être enseigné et de faire partie du vocabulaire politique.

Dans une société marquée par l'idéologie individualiste, défiée dans ses héritages par l'ouverture des frontières, menacée de haines ethniques et religieuses, il serait sans doute utile de redécouvrir celui des trois principes républicains qui nous permettra de vivre ensemble. L'État et la loi restent sans doute les instruments privilégiés de la lutte contre la dualisation de la société française. Mais l'action gouvernementale doit elle-même pouvoir s'appuyer sur l'adoption par le plus grand nombre de l'esprit de fraternité. « La fraternité ou la mort », disaient les révolutionnaires. Disons, en pesant nos mots : fraternité ou barbarie.

30

Un bilan

François Mitterrand aura marqué notre histoire plus de trente-cinq ans durant. A l'heure du bilan de deux septennats consécutifs, il faut d'abord s'arrêter à cette empreinte. Seul, le général de Gaulle – dont il a pris la figure de l'opposant et du rival permanent et rétrospectif – a pu agir sur nos destinées aussi longtemps. Ministre dans onze gouvernements de la Quatrième République, il n'eut pas une première saison publique à la hauteur de l'épopée gaullienne du 18 Juin et de la France libre. Mais, comme de Gaulle, Mitterrand est entré dans notre histoire par un acte de rupture, quand, en mai 1958, il s'affirma aux côtés de Pierre Mendès France l'adversaire résolu et éloquent d'une nouvelle République parrainée par l'armée proconsulaire d'Algérie. Le 13 Mai frappa les trois coups de sa carrière vers le sommet.

Une entrée en scène bientôt suivie, à l'instar du Général, par une traversée du désert – depuis la ténébreuse affaire de l'Observatoire en 1959, quand Mitterrand se laisse piéger par Pesquet, petit aventurier de l'extrême droite derrière lequel il y avait selon ses dires ultérieurs Michel Debré, jusqu'à la décision hardie de se porter candidat de la gauche lors de la première élection présidentielle de 1965. C'est à partir de ce moment-là, que Mitterrand est devenu le chef potentiel, puis le chef reconnu de l'opposition de gauche au gaullisme, Mendès France s'enfonçant dans le refus honorable mais irréaliste de l'institution présidentielle. Dès 1962, lorsque De Gaulle eut imposé la réforme constitutionnelle établissant l'élection du président au suffrage universel, Mitterrand, de son propre aveu, mit tout en œuvre pour conquérir l'Élysée. Et d'abord une stratégie qui tranchait avec les habitudes de la gauche non communiste, et que la conjoncture internationale de détente facilitait : l'alliance avec le PCF. Marx servait les plats à Machiavel.

Son attente a souffert de la crise de Mai 1968, mais la débâcle même de la gauche politicienne qui s'ensuivit – la déconfiture de la candidature Defferre à l'élection de 1969 et la mise à la retraite définitive de Mendès France qui s'était engagé aux côtés du maire de Marseille – servit ses ambitions. En 1971, au véritable congrès fondateur du Parti socialiste nouveau style à Épinay, il devenait Premier Secrétaire de celui-ci du moment même qu'il adhérait. Une jolie performance ! Personne désormais à gauche ne lui contestera sa vocation à devenir le premier président de la République de gauche, hormis son éternel rival Michel Rocard que Mitterrand saura neutraliser à sa guise. Battu de très peu par Valéry Giscard d'Estaing à l'élection de 1974, il apparaît désormais comme le représentant et le rassembleur d'un « peuple de gauche » en mal de victoire.

Cette irrésistible ascension au pouvoir, que consacre son élection du 10 mai 1981, ne s'était pas réalisée sans quelque méprise. Il y eut d'abord celle des communistes. Ceux-ci étaient demandeurs d'union autant que Mitterrand. La signature du Programme commun de gouvernement, en 1972, leur est dans un premier temps du plus grand profit. N'ont-ils pas fait admettre aux socialistes et aux radicaux de gauche un programme étatiste, dont les nationalisations seraient le meilleur instrument ? Rapidement, ils doivent déchanter, en s'apercevant que le vent de l'alliance, loin de faire claquer leur drapeau, produit l'envolée d'un Parti socialiste trop longtemps enlisé – sous le sigle SFIO – dans les marécages des alliances à droite. Selon le mot d'un des leurs, Étienne Fajon, l'union devient dès lors « un combat », jusqu'à ce qu'elle leur apparaisse suicidaire. Durcissant leurs exigences sous prétexte de réviser le Programme commun, ils provoquent la rupture en septembre 1977. Loin d'affaiblir Mitterrand, cette mésentente devait lui faciliter la montée au pouvoir : ayant fait la preuve de son indépendance, il récolte en 1981 le lot de voix centristes qui lui sont nécessaires.

Pourtant, Mitterrand, pour relancer la gauche, au-delà de l'union, avait dû avaliser les termes d'un programme socialiste cimenté de néo-marxisme, annonçant explicitement la « rupture avec le capitalisme » comme son objectif historique. Y croyait-il ? On n'aura pas fini de gloser sur sa sincérité de l'époque. Le sûr est que cet homme de soixante-cinq ans, s'il était « socialiste », faisait montre de vocation tardive. Jusqu'à la fin des années soixante, il n'avait guère cultivé les classiques du collectivisme. Cette grâce soudaine laissa bon nombre de ses adversaires et de ses partisans plutôt sceptiques. N'avait-il pas instrumentalisé la doctrine socialiste pour parvenir à ses fins, cette conquête du pouvoir qui nous apparaît, le recul aidant, sa principale raison de respirer ?

La déception de ses électeurs, les croyants, les naïfs, ceux qui avaient cru au soir du 10 mai, en fêtant l'avènement de François place de la Bastille, qu'une ère nouvelle s'ouvrait, que « la vie » allait « changer », fut cruelle. Il suffit de dix-huit mois de gouvernement Mauroy, d'un virage à 180° de sa politique économique et sociale, et d'une adaptation prétendue réaliste aux contraintes extérieures, pour enfoncer toute une partie de l'électorat de gauche dans le désenchantement. Dès la mi-janvier 1982, Jérôme Jaffret, de la SOFRES, note « une baisse de popularité spectaculaire ». En 1983, après deux ans de mandat, les jugements négatifs sur Mitterrand l'emportent nettement sur les jugements positifs : 50 % contre 37 %. Le déclin s'accentue l'année suivante. *Le Journal du Dimanche* du 11 novembre 1984 titre : « Jamais un président de la République n'a été aussi bas. » On recense alors 2,4 millions de chômeurs : une catastrophe.

Cela n'empêcha nullement Mitterrand d'être réélu en 1988. Sans doute y fut-il aidé par la droite et la guerre des chefs qu'on s'y livrait. Mais le président sortant avait décidément mis une sourdine à l'utopie socialiste. Faisant la chattemite face à un Jacques Chirac incapable de se départir d'une image agressive, se posant en père noble de la Nation, célébrant les vertus de l' « ouverture » au Centre, Mitterrand montra une nouvelle fois sa puissance de séduction. Les Français votèrent de nouveau pour lui, les uns par habitude, les autres par résignation, quelques fidèles par enthousiasme. La « cohabitation » qu'il avait acceptée avec une majorité de droite avait rassuré les plus modérés, tandis que pour les plus farouches Mitterrand demeurait le seul recours de la gauche. Nouvelle victoire à la Pyrrhus, nouvelle déception. Il déçut sa droite par la timidité de sa politique d'ouverture : quelques amateurs de portefeuille ornèrent le gouvernement Rocard à titre individuel, et c'était tout. Il déçut sa gauche, à cause de l'impuissance à maîtriser la courbe du chômage. Il déçut tout le monde par son indifférence morale aux « affaires » qui atteignaient la classe politique, et singulièrement des élus socialistes. Un moment remis en selle par la guerre du Golfe, où il jouit d'un appui massif de l'opinion, il subit par la suite une décote telle que le triomphe de la droite aux législatives de 1993 parut comme allant de soi. La nouvelle cohabitation permit à Mitterrand de reprendre faveur sous le masque de plus en plus hiératique de la sagesse et du respect de la loi majoritaire.

En septembre 1994, il défrayait encore la chronique à la suite du livre de Pierre Péan, *Une jeunesse française*, le présentant comme un ancien pétainiste tardivement entré dans la Résistance, et, plus grave, comme celui qui avait gardé jusqu'en 1986 son amitié à Bousquet, agent de maîtrise de la rafle du Vél'd'hiv' en 1942. L'image du président de la République se brouilla au regard d'une grande partie de ses partisans. Le mystère de l'homme Mitterrand devenait opaque pour beaucoup : quelle était donc la vérité de ce personnage qu'ils avaient soutenu si longtemps les yeux fermés ?

Si l'on s'efforce à l'objectivité, le bilan du double septennat n'est pas tout noir. Tout dépend de quel point de vue on se place. On doit ainsi créditer Mitterrand d'avoir fait, contre l'opinion, abolir la peine de mort. D'avoir entériné les institutions de la Ve République, et partant de les avoir renforcées. N'oublions pas qu'il avait été le Juvénal de la République gaullienne. Son *Coup d'État permanent* lancé contre le pouvoir personnel annonçait un nouveau système politique – un de plus ! Or la victoire de 1981 ne fut pas suivie d'un chamboulement constitutionnel. Le nouveau président avait tout à gagner à cette puissance de l'exécutif naguère contestée mais qui devenait sienne. La grande réforme, prise dès 1982, fut celle de la décentralisation. Depuis sa mise en pratique, on n'a pas manqué d'observer, à juste titre, à quel point elle était imparfaite, et comment elle permettait la constitution de potentats locaux et de clientélisme renforcé. Il n'empêche : la direction prise était la bonne. Depuis le Second Empire, les penseurs politiques réclamaient la décentralisation. Les bureaux parisiens écrasaient tout, étouffaient tout, se mêlaient de tout, il fallait en finir ! Pareille réforme ne pourra vraiment être appréciée qu'avec le recul. D'ores et déjà, et si amendable soit-elle, on sait qu'elle était nécessaire.

Accepter de « cohabiter » avec le Premier ministre d'un autre bord, du camp d'en face, nous est devenu familier, mais qui eût cru possible pareil attelage dix ans ou vingt ans plus tôt ? Mitterrand respectait à la lettre la Constitution. On peut lui reprocher de n'en avoir pas suivi l'esprit – c'est-à-dire l'esprit de De Gaulle, qui excluait tout pouvoir dyarchique, et pour lequel Matignon était subordonné à l'Élysée dans tous les domaines. Mais on peut tout aussi bien savoir gré à l'ancien chef socialiste qui proclamait vouloir rompre avec le capitalisme, d'en finir avec notre éternelle guerre civile, de se prêter à la pacification, de subordonner ses intérêts de partisan aux intérêts supérieurs de la démocratie.

La France, dont le passé est tumultueux, a besoin d'institutions stables. Elle a besoin aussi de dépasser tant de vieux clivages auxquels Mitterrand avait su concourir aux fins de sa propre gloire. Lui reprochera-t-on, la victoire acquise par lui, le respect formel de l'héritage gaulliste et de la règle majoritaire ? Quand on se souvient du déchaînement antigaulliste de 1962, on pouvait craindre que l'opposition de gauche arrivée au pouvoir ne remît en question les principes de la Ve République. J'aurais tendance personnellement à juger positive cette volonté de continuité institutionnelle – n'était les pratiques monarchiques d'un élu de la gauche.

En revanche, si nous nous plaçons du point de vue des espérances socialistes, le bilan devient sombre. François Mitterrand, s'il faut le dire d'un mot, aura été un des grands entrepreneurs en démolition du socialisme français. Celui-ci pouvait se ménager un avenir, rester un foyer d'innovations, un pôle d'attraction pour les militants, mais à condition de renoncer à la vulgate marxiste, et d'adopter une démarche social-démocrate sans complexe. Le malheur veut que la stratégie même de Mitterrand – l'alliance avec le PCF – commandait le refus théorique de la social-démocratie ou, pour être plus exact, du révisionnisme. Les nationalisations devinrent le signe éclatant, la preuve indiscutable, et l'annonce dans les actes d'une société nouvelle. On en est vite revenu. Quelques lois sociales furent appréciées : lois Auroux, semaine des 39 heures, cinquième semaine de congés payés, possibilité de la retraite à soixante ans, RMI, mais tout cela n'allait pas loin comparé aux espérances immodérées que le programme socialiste avait fait naître.

Le retour à la normale fut concrétisé par une politique monétaire qui ne manqua pas de mérite. Il y fallut un certain courage. Quand Mauroy osa décrocher le SMIC et les salaires de la fonction publique du taux de croissance, les gens de droite furent reconnaissants car eux n'auraient jamais osé. En un sens, on peut savoir gré aux socialistes d'avoir déniaisé la gauche. Ce n'était pas dans les intentions de Mitterrand, mais on peut l'en remercier. Eh, oui ! il fallait s'y faire, nous étions dans un système capitaliste, dont les deux piliers s'appellent la propriété privée et le marché. On pouvait corriger ce système, l'améliorer, le combiner avec les mérites de l'État-Providence ; on ne pouvait pas le changer sur un simple déplacement de majorité. L'évolution du bloc de l'Est et surtout de l'URSS étayaient la démonstration.

Malheureusement, ni Mitterrand ni son parti n'ont été capables d'une révision éclatante de leurs dogmes, à la manière des socialistes allemands qui avaient su le faire au congrès de Bad-Godesberg de 1959. Sans doute ont-ils produit un « Bad-Godesberg » rampant, un « Bad-Godesberg » *de facto*, peu à peu avoué, mais rien qui ressemblât à une mise au point franche et nette décrochant sans ambiguïté le parti socialiste du socialisme étatique, comme si les concessions des derniers congrès n'étaient que les éléments d'un repli stratégique, d'une NEP à la française, provisoire, en attendant de repartir en avant, le poing tendu sous le drapeau rouge, et *L'Internationale* sur les lèvres dès que la conjoncture serait meilleure. A son poste, Mitterrand aurait pu sauver l'idéal moral du socialisme, en renonçant clairement aux moyens du socialisme d'État. Il fut plus occupé du soin de sa gloire que de l'avenir des forces qui l'avaient porté au pouvoir.

Si Mitterrand a contribué à la déchéance du socialisme français – ainsi qu'à la déconfiture du communisme, mais là, il faut le dire, les circonstances l'ont bien aidé ! –, les Français qui ne sont pas de la chapelle peuvent évidemment lui en avoir de la reconnaissance. Peuvent-ils en même temps lui donner quitus sur sa politique extérieure ? Au départ, rien de clair. Mitterrand avait été partisan de l'OTAN, avant de manifester sa sympathie pour les pays communistes du temps du Programme commun. Une circonstance, cependant, lui permit de faire œuvre dans la clarté et la fermeté les plus indiscutables. Ce fut, en 1983, l'affaire des fusées. Face aux « SS 20 » soviétiques, le Président français défendit sans ambiguïté l'installation des Pershing américains en Europe – et cela bien qu'il y eût au gouvernement des ministres communistes. Le discours qu'il prononça au Bundestag, face aux pacifistes allemands qui entonnaient le refrain « plutôt rouges que morts », et plus sérieusement face à un parti social-démocrate qui comptait un Willy Brandt rallié à un nouvel « apaisement », restera assurément une des heures de gloire de Mitterrand. On ne referait pas Munich ! Comme il dira un peu plus tard, les fusées étaient à l'Est, et les pacifistes à l'Ouest.

Depuis ce coup d'éclat, le reste paraît plus gris. Il a eu le mérite de renouer avec Israël sans renoncer à défendre la légitimité d'un État palestinien, ce qui ne fut ni au goût des extrémistes de la cause palestinienne ni au goût des extrémistes pro-israéliens. Plus tard, il a défendu sans hésiter la souveraineté du

Koweït contre l'agression de Saddam Hussein, ce qui fut contesté par bien des siens, mais qui reste, à mon avis, tout à son crédit. On a vu qu'une des conséquences de la guerre du Golfe fut la négociation israélo-palestinienne, et l'espoir d'une paix enfin revenue. Il s'est affiché aussi un Européen convaincu, ce qui n'est pas une tare. En revanche, que dire de la politique africaine de Mitterrand ? Ce ne sera certes pas son morceau de bravoure. A-t-il compris ce qui se passait en URSS du temps de Gorbatchev ? C'est douteux. A-t-il senti le mouvement de réunification allemande ? Apparemment trop tard ! L'effondrement du système communiste paraît l'avoir pris de court, et ce n'est pas l'ex-Yougoslavie qui aura été pour lui l'occasion de se rattraper. A vrai dire, depuis la fin de la guerre du Golfe, on ne sait trop en quoi consiste la politique extérieure de la France, et l'on doute même qu'il y en ait une, jusqu'à l'arrivée au Quai d'Orsay d'Alain Juppé, qui a voulu assaisonner nos impuissances d'un minimum de conviction. La position de la France dans le monde n'aura guère été valorisée sous François Mitterrand. Ce n'est pas la réception de l'Ubu cubain, Fidel Castro, – et le baiser donné en public par l'épouse du Président à celui-ci – qui aura rafraîchi nos trois couleurs.

Le pire n'est peut-être pas dans ce chapitre, où il peut encore se targuer de quelques résultats ou de quelques actions qui ont eu, en leur temps, un certain retentissement. Le pire ressortit plutôt au jugement moral. Mitterrand aura contribué à la démoralisation de la nation, si l'on veut bien entendre le mot dans ses deux sens : l'atteinte au moral des Français et l'atteinte à la morale publique. Contrairement à un de Gaulle, élevant l'ingratitude à la hauteur d'un devoir d'État, Mitterrand aura été un homme de clan, entretenant un système de fidélités personnelles incompatible avec l'intérêt collectif, et se justifiant implicitement de sa politique de copinage par la devise de François Ier : « Car tel est mon bon plaisir. »

Depuis quand n'avait-on vu pareille fantaisie de prince s'exercer dans une aussi longue impunité ? L'amitié incessante dont il fait preuve pour Pelat, dont la fortune s'est accrue grâce aux nationalisations et de jolis tripotages ; la complaisance qu'il affiche sans désemparer pour tous les petits et grands profiteurs de son parti ; le choix capricieux d'Édith Cresson comme Premier ministre avant de la lâcher sans grandeur ; la défense désinvolte de l'indéfendable Bernard Tapie, qu'il fait ministre, et loue *urbi et orbi* au moment de ses pires turpitudes ; les liens tardivement révélés qu'il entretient avec René Bousquet, le technicien du « Vél'd'hiv » ; les demi-aveux qu'il fait de son passage à Vichy sans le moindre regret et en osant affirmer qu'il ignorait en 1942-1943 le statut des Juifs ; la frénésie architecturale qui le pousse à s'immortaliser dans la pierre de Paris ; l'usage scandaleux des écoutes téléphoniques sous le toit de l'Élysée ; la guerre de sape et finalement victorieuse qu'il mène contre Michel Rocard, un des rares porteurs d'espoir du PS, on n'en finirait plus de nourrir la colonne « passif »... Politicien au sens péjoratif du mot, tacticien de première force, il donne constamment l'impression que la seule chose importante à ses yeux est, après avoir conquis le pouvoir, d'en user comme un roi sans divertissement, et de le conserver sans défaillance. Tout est bon à cette fin. Un changement de mode de scrutin, des accords occultes avec l'extrême droite pour nuire à la droite, des retournements de veste en veux-tu en voilà, l'oubli des promesses d'hier, le reniement des naïfs qui ont cru en ses paroles... Le pouvoir, le pouvoir en soi, le pouvoir comme but de la politique. Au profit de quoi ? Au profit de qui ? Au profit premièrement de lui-même.

Ceux qu'il a détestés par-dessus tout, un de Gaulle, un Mendès, un Rocard, sont précisément des hommes qui, à tort ou à raison, ont incarné aux yeux des Français une certaine éthique du politique, un sens du collectif, une ambition nationale. François Mitterrand, au bout de deux septennats, nous apparaît comme quelqu'un qui aura toujours couvert son intérêt particulier de l'intérêt général, devant une claque de courtisans astiqués et renouvelables. Son amoralisme profond, masqué par quelques truismes sur « l'Argent », la culture appliquée de son *ego*, en font un individu historique intéressant, loin du commun, doué d'une rare volonté de puissance, capable de toutes les roueries. A ce titre, il restera un *personnage* de notre répertoire politique. Pour le reste, il aura traîné sur ses pas la désillusion d'un peuple et se sera révélé un douteux défenseur de la République, si l'on se rappelle que la République exige de ses magistrats, plus encore que de ses citoyens, une qualité cardinale : la vertu civique.

François Mitterrand est mort le 6 janvier 1996. Après les pompes et les pleurs funèbres, il serait temps de penser de nouveau à une vraie révision constitutionnelle – celle que Jacques Chirac a enterrée et qui vise la réduction du mandat présidentiel.

Tout ce que nous savons sur le double septennat de François Mitterrand, et en attendant de savoir ce que nous ne savons pas, nous incline à redouter la perversion monarchique des sommets de l'État. Beaucoup, dont j'étais, ont été confondus par cette semaine d'adoration, de dévotion, de vénération, dont feu le président Mitterrand a bénéficié après sa mort avec la bénédiction de l'Église catholique, qui même ferma les yeux, elle si obsédée des mœurs, sur la bigamie affichée du défunt, trop satisfaite qu'elle était d'une récupération combien profitable à ses œuvres.

Le livre du docteur Gubler [1] a jeté un froid sur ces couronnes mortuaires. Mitterrand nous avait menés en bateau avec ses bulletins de santé. On parla d'un « mensonge d'État » comme il existe une raison

1. Claude Gubler, Michel Gonot, *Le Grand Secret*, Plon, 1996.

d'État. La différence est que celle-ci, à supposer qu'elle soit justifiée, vise l'intérêt de l'État, alors que le mensonge répété et renouvelé sur la santé du Président ne visait que l'intérêt du Président, et lui permettait notamment de se représenter en 1988. Le comble est que personne, aucun article de la Constitution, aucun droit coutumier, ne lui faisaient obligation de nous entretenir sur sa condition physique. C'est lui qui l'avait voulu ! Et il a fallu attendre le livre de Gubler pour prendre enfin connaissance du premier *check up* véridique. Cela n'a guère ému la majorité de nos compatriotes, s'il faut en croire un sondage de *L'Express* d'après lequel F. Mitterrand aurait eu raison de mentir. La « privatisation » du cas présidentiel prend ainsi le pas sur l'intérêt général, comme si ce n'était pas le pays tout entier qui dépendait de la maladie du chef de l'État.

Il importe de dépasser aujourd'hui le cas Mitterrand et de saisir ce qu'il y a de pernicieux, voire d'extravagant, dans notre vie politique au plus haut niveau. L'ingouvernabilité de la IVe République, aux prises avec la guerre d'Algérie, a rendu possible l'instauration d'une nouvelle Constitution, dont le premier mérite était de rendre sa force au pouvoir exécutif. Les attributs monarchiques de la présidence étaient manifestes ; du moins étaient-ils explicables par les circonstances. Déjà cependant *Le Canard enchaîné* s'était mis à brocarder, dans sa rubrique « La Cour », les nouvelles mœurs du pouvoir personnel.

Aujourd'hui, la France ayant rejoint le peloton des démocraties ordinaires, aux problèmes identiques, et aux finalités communes, les prérogatives présidentielles présentent une anomalie. Il revenait à l'ancien chef du PS, censeur implacable du système, de faire amender la Constitution. Parvenu au pouvoir, il n'y toucha pas. Ce pouvoir, qu'il exerça avec gourmandise, lui permit d'installer un système de Cour inimaginable en toute autre démocratie. La déférence et la révérence sont la loi du genre ; les caprices du prince en dépendent. Les esprits autonomes ne résistent pas longtemps aux paroles confites et aux effluves de l'encens et quittent l'Élysée sur la pointe des pieds – à moins qu'ils ne quittent la vie quand la défaveur les accable. De nouveaux courtisans pleins du désir immodéré de plaire renouvellent les rangs dégarnis et s'admirent d'être à leur tour en grâce auprès de Sa Majesté républicaine.

L'opinion est variable, mais ne remet pas en cause le petit Versailles présidentiel, le règne des favoris, la tradition des favorites, l'adoubement offert à des coquins avérés, le mensonge institué, le ballet des réceptions officielles, le décorum abusif de l'autorité, que l'on paye de toutes les mauvaises raisons. Le modèle de la Cour a toujours fasciné la bourgeoisie, qui l'a transmis au reste de la société. La pharaonisation de nos présidents défunts restait à faire. Nous y sommes.

Refonder l'esprit républicain ne se décrète pas. A tout le moins pourrait-on y aider en modérant le pouvoir présidentiel dans la durée ou en abolissant la possibilité de son renouvellement. En raison de l'individualisme et du multipartisme qui nous caractérisent, nous aurons du mal à vivre sous un régime de démocratie parlementaire. C'est pourquoi les institutions de la Ve République gardent leur nécessité. Que du moins on les amende, en donnant à la présidence une mission limitée dans le temps – cinq ans ou un septennat unique – et en lui imposant un véritable pouvoir de contrôle. De la monarchie paternaliste du général de Gaulle à la monarchie avunculaire de François Mitterrand, les Français sont restés en marge de la démocratie républicaine. Pour combien de temps encore ?

Conclusion provisoire

Nous sommes tiraillés à l'heure présente entre deux impératifs, celui de l'identité et celui de la nouvelle modernité. Tenus à nos propres yeux de rester ce que nous sommes, mais pas au prix d'une réclusion suicidaire. Nous devons changer pour nous adapter, mais sans renoncer à notre personnalité collective. Cette double exigence peut prendre l'aspect d'un dilemme insurmontable ou d'une alternative mutilante : bégayer dans notre arbre généalogique ou adhérer à l'indifférenciation mondialiste. Le défi qui nous est lancé est, au contraire, de répondre à la demande identitaire en même temps que nous adapter au XXIe siècle.

Nous nous trouvons aujourd'hui face à un choix difficile, car l'Europe elle-même demeure un projet incertain. En 1994, on a préféré l'élargir (l'ouvrir à de nouveaux États, l'Autriche, la Suède, la Norvège, la Finlande) plutôt qu'en approfondir le statut. Est-il besoin de dire que l'Europe est appelée naturellement à faire coïncider un jour son statut juridique et la totalité de son espace géographique ? Pour l'heure, la disparité entre les diverses sociétés nationales qui la composent est telle qu'une Union européenne spatialement allongée est la garantie d'une Europe réduite à un vaste marché commun. C'est sans doute la volonté de la Grande-Bretagne, qui n'a jamais voulu entendre parler d'États-Unis d'Europe. De sorte que l'avenir d'une Europe politique passe nécessairement, qu'on le veuille ou non, par l'axe franco-allemand. Plus nous tendrons à homogénéiser notre droit et à unir nos forces, mieux nous réaliserons cette base sur laquelle l'Europe pourra enfin être édifiée [1].

Si ce partenariat franco-allemand renforcé se réalise, on doit imaginer la transformation du modèle étatique français. De l'État, les Français attendent tout ; à l'État, les Français ne pardonnent rien. Cet État bon à tout faire a eu ses mérites, et la république gaullienne l'a certainement hissé à son apogée : il incarnait, il dirigeait, il gérait – pour le meilleur et pour le pire. Le meilleur, ce fut la croissance planifiée, la modernisation du pays, le redressement diplomatique de la France. Le pire fut la formation d'un État de plus en plus bureaucratique, technocratique, au détriment des initiatives des acteurs privés. Le rôle de l'État, dans le nouveau paysage international, est destiné à se modifier – à devenir moins interventionniste, moins dirigiste, et plus coordinateur et arbitre. Il doit cesser d'être le PDG de la société civile, sans pour autant négliger sa fonction de guide.

Le « moins d'État possible » est un leurre. Français, nous avons besoin de l'État pour continuer de nous identifier. En même temps, nous avons besoin de devenir plus responsables : « Ce qui comptera pour le succès collectif, écrit Michel Crozier, ce sera l'intériorisation par les acteurs privés des objectifs et des moyens de l'intérêt général et non plus l'obéissance à la formule plus rationnelle décrétée par une autorité supérieure [2]. »

Notre modèle n'est pas l'État de droit à l'américaine, qui a laissé se réaliser une société duale et le

1. « Le marché n'est pas suffisant !, disait déjà de Gaulle. Il faut une politique commune. Or, entre cette perspective d'approfondissement et la tendance à l'élargissement géographique, il y a contradiction ! Il faudrait qu'au centre, existe un noyau de plus en plus puissant. » Cité par A. Peyrefitte, *op. cit.*, p. 111.

2. Michel Crozier, *Où va l'État?* Le Monde éditions, 1992.

pouvoir des juges. Notre modèle reste attaché à l'existence d'un État fort qui, tout en étant devenu un État de droit, est aussi « l'épine dorsale des systèmes économiques et politiques de la nation »[3].

Les Français n'ont plus à conquérir l'Europe, ils ont à la construire. Dans cette œuvre, leurs initiatives seront déterminantes. L'Europe a besoin de la France, il faudrait que nous le sachions au lieu de nous complaire dans l'attitude plaintive dont nous fatiguons l'univers. L'Europe a besoin de la France, et la France n'a pas d'autre horizon que l'Europe : en conviendrons-nous ?

Rien n'est plus tentant que de fuir son époque, rien n'est plus facile que de se réfugier dans le passé clos ou dans l'avenir lointain. Nous sommes pourtant sommés d'être des contemporains.

3. Voir les analyses et les propositions de Christian Saint-Etienne, dont je m'inspire ici, *L'Exception française,* A. Colin, 1992.

Table

COMPOSITION ET IMPRESSION : SOCIÉTÉ NOUVELLE FIRMIN-DIDOT
(MESNIL-SUR-L'ESTRÉE)
DÉPÔT LÉGAL : FÉVRIER 1997. N° 28511 (36598)

DU MÊME AUTEUR

Histoire politique de la revue « Esprit », 1930-1950
Seuil, 1975
rééd. sous le titre « Esprit » Des intellectuels dans la Cité 1930-1950
Seuil, « Points Histoire » n° 200

La République se meurt. Chronique 1956-1958
Seuil, 1978
Gallimard, « Folio Histoire », 1985

« La Gauche depuis 1968 »
in *Jean Touchard*, La Gauche en France depuis 1900
Seuil, « Points Histoire » n° 26

Mémoires d'un communard. Jean Allemane
présentation, notes et postface
Maspero, 1981

Edouard Drumont et Cie
Antisémitisme et fascisme en France
Seuil, « XXe siècle », 1982

La Fièvre hexagonale
Les grandes crises politiques 1871-1968
Calmann-Lévy, 1986
Seuil « Points Histoire » n° 97

Chronique des années soixante
« Le Monde » et Seuil, « XXe siècle », 1987
et « Points Histoire » n° 136

1789. L'année sans pareille
« Le Monde » et Orban, 1988
Hachette, « Pluriel », 1989

Nationalisme, Antisémitisme et Fascisme en France
Seuil, « Points Histoire » n° 131

L'échec au roi, 1791-1792
Orban, 1991

Les Frontières vives
Journal de la fin du siècle (1991)
Seuil, 1992

en collaboration
avec Jean-Pierre Azéma

Les Communards
Seuil, 1964
éd. revue et complétée en 1971

Naissance et mort de la IIIe République
Calmann-Lévy, 1970
éd. revue et complétée en 1976
rééed. sous le titre La Troisième République
Hachette, « Pluriel », 1986

ouvrages collectifs

Pour la Pologne
Seuil, 1982

Pour une histoire politique
Seuil, « L'Univers historique », 1988

Histoire de l'extrême droite en France
Seuil, « XXe siècle », 1993
et « Points Histoire », n° 186

La France de l'affaire Dreyfus
Gallimard, 1993

« Jeanne d'Arc »
in Les Lieux de mémoire
(direction : Pierre Nora)
tome VIII, Gallimard, 1992

Dictionnaire des intellectuels français
(co-dirigé avec Jacques Julliard)
Seuil, 1996

Collection Points

DERNIERS TITRES PARUS

R660. La Femme du boucher, *par Li Ang*
R661. Anaconda, *par Horacio Quiroga*
R662. Le Polygone étoilé, *par Kateb Yacine*
R663. Je ferai comme si je n'étais pas là, *par Christopher Frank*
R665. Un homme remarquable, *par Robertson Davies*
R666. Une sécheresse à Paris, *par Alain Chany*
R667. Charles et Camille, *par Frédéric Vitoux*
R668. Les Quatre Fils du Dr March, *par Brigitte Aubert*
R669. 33 Jours, *par Léon Werth*
R670. La Mort à Veracruz, *par Héctor Aguilar Camín*
R671. Le Bâtard de Palerme, *par Luigi Natoli*
R672. L'Ile du lézard vert, *par Eduardo Manet*
R673. Juges et Assassins, *par Michael Malone*
R674. L'Enfant de Port-Royal, *par Rose Vincent*
R675. Amour et Ordures, *par Ivan Klíma*
R676. Rue de la Cloche, *par Serge Quadruppani*
R677. Les Dunes de Tottori, *par Kyotaro Nishimura*
R678. Lucioles, *par Shiva Naipaul*
R679. Tout fout le camp !, *par Dan Kavanagh*
R680. Les Sept Solitudes de Lorsa Lopez, *par Sony Labou Tansi*
R681. Le Bout du rouleau, *par Richard Ford*
R682. Hygiène de l'assassin, *par Amélie Nothomb*
R684. Les Adieux, *par Dan Franck*
R687. L'Homme de la passerelle, *par Isabelle Jarry*
R688. Bambini, *par Bertrand Visage*
R689. Nom de code : Siro, *par David Ignatius*
R690. Paradis, *par Philippe Sollers*
R693. Rituels, *par Cees Nooteboom*
R695. Le Trouveur de feu, *par Henri Gougaud*
R696. Dumala, *par Eduard von Keyserling*
P1. Cent Ans de solitude, *par Gabriel García Márquez*
P2. Le Chevalier inexistant, *par Italo Calvino*
P3. L'Homme sans qualités, tome 1, *par Robert Musil*
P4. L'Homme sans qualités, tome 2, *par Robert Musil*
P5. Le Monde selon Garp, *par John Irving*
P6. Les Désarrois de l'élève Törless, *par Robert Musil*
P7. L'Enfant de sable, *par Tahar Ben Jelloun*
P8. La Marche de Radetzky, *par Joseph Roth*
P9. Trois Femmes *suivi de* Noces, *par Robert Musil*
P10. Un Anglais sous les tropiques, *par William Boyd*

P11. Grand Amour, *par Erik Orsenna*
P12. L'Invention du monde, *par Olivier Rolin*
P13. Rastelli raconte..., *par Walter Benjamin*
P14. Ce qu'a vu le vent d'ouest, *par Fruttero & Lucentini*
P15. L'Appel du crapaud, *par Günter Grass*
P16. L'Appât, *par Morgan Sportès*
P17. L'Honneur de Saint-Arnaud, *par François Maspero*
P18. L'Héritage empoisonné, *par Paul Levine*
P19. Les Égouts de Los Angeles, *par Michael Connelly*
P20. L'Anglais saugrenu, *par Jean-Loup Chiflet*
P21. Jacques Chirac, *par Franz-Olivier Giesbert*
P22. Questions d'adolescents, *par Christian Spitz*
P23. Les Progrès du progrès, *par Philippe Meyer*
P24. Le Paradis des orages, *par Patrick Grainville*
P25. La Rage au cœur, *par Gérard Guégan*
P26. L'Homme flambé, *par Michael Ondaatje*
P27. Ça n'est pas pour me vanter, *par Philippe Meyer*
P28. Notre homme, *par Louis Gardel*
P29. Mort en hiver, *par L. R. Wright*
P30. L'Exposition coloniale, *par Erik Orsenna*
P31. La Dame du soir, *par Dan Franck*
P32. Le Monde du bout du monde, *par Luis Sepúlveda*
P33. Brazzaville Plage, *par William Boyd*
P34. Les Nouvelles Confessions, *par William Boyd*
P35. Comme neige au soleil, *par William Boyd*
P36. Hautes Trahisons, *par Félix de Azúa*
P37. Dans la cage, *par Henry James*
P38. L'Année du déluge, *par Eduardo Mendoza*
P39. Pluie et Vent sur Télumée Miracle, *par Simone Schwarz-Bart*
P40. Paroles malvenues, *par Paul Bowles*
P41. Le Grand Cahier, *par Agota Kristof*
P42. La Preuve, *par Agota Kristof*
P43. La Petite Ville où le temps s'arrêta, *par Bohumil Hrabal*
P44. Le Tunnel, *par Ernesto Sabato*
P45. La Galère : jeunes en survie, *par François Dubet*
P46. La Ville des prodiges, *par Eduardo Mendoza*
P47. Le Principe d'incertitude, *par Michel Rio*
P48. Tapie, l'homme d'affaires, *par Christophe Bouchet*
P49. L'Homme Freud, *par Lydia Flem*
P50. La Décennie Mitterrand
1. Les ruptures
par Pierre Favier et Michel Martin-Roland
P51. La Décennie Mitterrand
2. Les épreuves
par Pierre Favier et Michel Martin-Roland

P52. Dar Baroud, *par Louis Gardel*
P53. Vu de l'extérieur, *par Katherine Pancol*
P54. Les Rêves des autres, *par John Irving*
P55. Les Habits neufs de Margaret
par Alice Thomas Ellis
P56. Les Confessions de Victoria Plum, *par Anne Fine*
P57. Histoires de faire de beaux rêves, *par Kaye Gibbons*
P58. C'est la curiosité qui tue les chats, *par Lesley Glaister*
P59. Une vie bouleversée, *par Etty Hillesum*
P60. L'Air de la guerre, *par Jean Hatzfeld*
P61. Piaf, *par Pierre Duclos et Georges Martin*
P62. Lettres ouvertes, *par Jean Guitton*
P63. Trois Kilos de café, *par Manu Dibango*
en collaboration avec Danielle Rouard
P64. L'Ange aveugle, *par Tahar Ben Jelloun*
P65. La Lézarde, *par Édouard Glissant*
P66. L'Inquisiteur, *par Henri Gougaud*
P67. L'Étrusque, *par Mika Waltari*
P68. Leurs mains sont bleues, *par Paul Bowles*
P69. Contes d'amour, de folie et de mort, *par Horacio Quiroga*
P70. Le vieux qui lisait des romans d'amour, *par Luis Sepúlveda*
P71. Rumeurs, *par Jean-Noël Kapferer*
P72. Julia et Moi, *par Anita Brookner*
P73. Déportée à Ravensbruck
par Margaret Buber-Neumann
P74. Meurtre dans la cathédrale, *par T. S. Eliot*
P75. Chien de printemps, *par Patrick Modiano*
P76. Pour la plus grande gloire de Dieu, *par Morgan Sportès*
P77. La Dogaresse, *par Henri Sacchi*
P78. La Bible du hibou, *par Henri Gougaud*
P79. Les Ivresses de Madame Monro, *par Alice Thomas Ellis*
P80. Hello, Plum !, *par Pelham Grenville Wodehouse*
P81. Le Maître de Frazé, *par Herbert Lieberman*
P82. Dans la peau d'un intouchable, *par Marc Boulet*
P83. Entre le ciel et la terre, *par Le Ly Hayslip*
(avec la collaboration de Charles Jay Wurts)
P84. Sur la route des croisades, *par Jean-Claude Guillebaud*
P85. L'Homme sans postérité, *par Adalbert Stifter*
P86. Le Nez de Mazarin, *par Anny Duperey*
P87. L'Alliance, tome 1, *par James A. Michener*
P88. L'Alliance, tome 2, *par James A. Michener*
P89. Regardez-moi, *par Anita Brookner*
P90. Si par une nuit d'hiver un voyageur, *par Italo Calvino*
P91. Les Grands Cimetières sous la lune, *par Georges Bernanos*
P92. Salut Galarneau !, *par Jacques Godbout*

P93. La Barbare, *par Katherine Pancol*
P94. American Psycho, *par Bret Easton Ellis*
P95. Vingt Ans et des poussières, *par Didier van Cauwelaert*
P96. Un week-end dans le Michigan, *par Richard Ford*
P97. Jules et Jim, *par François Truffaut*
P98. L'Hôtel New Hampshire, *par John Irving*
P99. Liberté pour les ours !, *par John Irving*
P100. Heureux Habitants de l'Aveyron et des autres départements français, *par Philippe Meyer*
P101. Les Égarements de Lili, *par Alice Thomas Ellis*
P102. Esquives, *par Anita Brookner*
P103. Cadavres incompatibles, *par Paul Levine*
P104. La Rose de fer, *par Brigitte Aubert*
P105. La Balade entre les tombes, *par Lawrence Block*
P106. La Villa des ombres, *par David Laing Dawson*
P107. La Traque, *par Herbert Lieberman*
P108. Meurtres à cinq mains, *par Jack Hitt avec Lawrence Block, Sarah Caudwell, Tony Hillerman, Peter Lovesey, Donald E. Westlake*
P109. Hygiène de l'assassin, *par Amélie Nothomb*
P110. L'Amant sans domicile fixe *par Carlo Fruttero et Franco Lucentini*
P111. La Femme du dimanche *par Carlo Fruttero et Franco Lucentini*
P112. L'Affaire D., *par Charles Dickens, Carlo Fruttero et Franco Lucentini*
P113. La Nuit sacrée, *par Tahar Ben Jelloun*
P114. Sky my wife ! Ciel ma femme !, *par Jean-Loup Chiflet*
P115. Liaisons étrangères, *par Alison Lurie*
P116. L'Homme rompu, *par Tahar Ben Jelloun*
P117. Le Tarbouche, *par Robert Solé*
P118. Tous les matins je me lève, *par Jean-Paul Dubois*
P119. La Côte sauvage, *par Jean-René Huguenin*
P120. Dans le huis clos des salles de bains, *par Philippe Meyer*
P121. Un mariage poids moyen, *par John Irving*
P122. L'Épopée du buveur d'eau, *par John Irving*
P123. L'Œuvre de Dieu, la Part du Diable, *par John Irving*
P124. Une prière pour Owen, *par John Irving*
P125. Un homme regarde une femme, *par Paul Fournel*
P126. Le Troisième Mensonge, *par Agota Kristof*
P127. Absinthe, *par Christophe Bataille*
P128. Le Quinconce, vol. 1, *par Charles Palliser*
P129. Le Quinconce, vol. 2, *par Charles Palliser*
P130. Comme ton père, *par Guillaume Le Touze*
P131. Naissance d'une passion, *par Michel Braudeau*

P132. Mon ami Pierrot, *par Michel Braudeau*
P133. La Rivière du sixième jour (Et au milieu coule une rivière) *par Norman Maclean*
P134. Mémoires de Melle, *par Michel Chaillou*
P135. Le Testament d'un poète juif assassiné, *par Elie Wiesel*
P136. Jésuites, 1. Les conquérants *par Jean Lacouture*
P137. Jésuites, 2. Les revenants *par Jean Lacouture*
P138. Soufrières, *par Daniel Maximin*
P139. Les Vacances du fantôme, *par Didier van Cauwelaert*
P140. Absolu, *par l'abbé Pierre et Albert Jacquard*
P141. En attendant la guerre, *par Claude Delarue*
P142. Trésors sanglants, *par Paul Levine*
P143. Le Livre, *par Les Nuls*
P144. Malicorne, *par Hubert Reeves*
P145. Le Boucher, *par Alina Reyes*
P146. Le Voile noir, *par Anny Duperey*
P147. Je vous écris, *par Anny Duperey*
P148. Tierra del fuego, *par Francisco Coloane*
P149. Trente Ans et des poussières, *par Jay McInerney*
P150. Jernigan, *par David Gates*
P151. Lust, *par Elfriede Jelinek*
P152. Voir ci-dessous : Amour, *par David Grossman*
P153. L'Anniversaire, *par Juan José Saer*
P154. Le Maître d'escrime, *par Arturo Pérez-Reverte*
P155. Pas de sang dans la clairière, *par L. R. Wright*
P156. Une si belle image, *par Katherine Pancol*
P157. L'Affaire Ben Barka, *par Bernard Violet*
P158. L'Orange amère, *par Didier Van Cauwelaert*
P159. Une histoire américaine, *par Jacques Godbout*
P160. Jour de silence à Tanger, *par Tahar Ben Jelloun*
P161. La Réclusion solitaire, *par Tahar Ben Jelloun*
P162. Fleurs de ruine, *par Patrick Modiano*
P163. La Mère du printemps (L'Oum-er-Bia) *par Driss Chraïbi*
P164. Portrait de groupe avec dame, *par Heinrich Böll*
P165. Nécropolis, *par Herbert Lieberman*
P166. Les Soleils des indépendances, *par Ahmadou Kourouma*
P167. La Bête dans la jungle, *par Henry James*
P168. Journal d'une Parisienne, *par Françoise Giroud*
P169. Ils partiront dans l'ivresse, *par Lucie Aubrac*
P170. Le Divin Enfant, *par Pascal Bruckner*
P171. Les Vigiles, *par Tahar Djaout*
P172. Philippe et les Autres, *par Cees Nooteboom*

P173. Far Tortuga, *par Peter Matthiessen*
P174. Le Dieu manchot, *par José Saramago*
P175. Molière ou la Vie de Jean-Baptiste Poquelin *par Alfred Simon*
P176. Saison violente, *par Emmanuel Roblès*
P177. Lunes de fiel, *par Pascal Bruckner*
P178. Le Voyage à Paimpol, *par Dorothée Letessier*
P179. L'Aube, *par Elie Wiesel*
P180. Le Fils du pauvre, *par Mouloud Feraoun*
P181. Red Fox, *par Anthony Hyde*
P182. Enquête sous la neige, *par Michael Malone*
P183. Cœur de lièvre, *par John Updike*
P184. La Joyeuse Bande d'Atzavara *par Manuel Vázquez Montalbán*
P185. Le Petit Monde de Don Camillo *par Giovanni Guareschi*
P186. Le Temps des Italiens, *par François Maspero*
P187. Petite, *par Geneviève Brisac*
P188. La vie me fait peur, *par Jean-Paul Dubois*
P189. Quelques Minutes de bonheur absolu *par Agnès Desarthe*
P190. La Lyre d'Orphée, *par Robertson Davies*
P191. Pourquoi lire les classiques, *par Italo Calvino*
P192. Franz Kafka ou le Cauchemar de la raison, *par Ernst Pawel*
P193. Nos médecins, *par Hervé Hamon*
P194. La Déroute des sexes, *par Denise Bombardier*
P195. Les Flamboyants, *par Patrick Grainville*
P196. La Crypte des capucins, *par Joseph Roth*
P197. Je vivrai l'amour des autres, *par Jean Cayrol*
P198. Le Crime des pères, *par Michel del Castillo*
P199. Les Cahiers de Malte Laurids Brigge, *par Rainer Maria Rilke*
P200. Port-Soudan, *par Olivier Rolin*
P201. Portrait de l'artiste en jeune chien, *par Dylan Thomas*
P202. La Belle Hortense, *par Jacques Roubaud*
P203. Les Anges et les Faucons, *par Patrick Grainville*
P204. Autobiographie de Federico Sánchez, *par Jorge Semprún*
P205. Le Monarque égaré, *par Anne-Marie Garat*
P206. La Guérilla du Che, *par Régis Debray*
P207. Terre-Patrie, *par Edgar Morin et Anne-Brigitte Kern*
P208. L'Occupation américaine, *par Pascal Quignard*
P209. La Comédie de Terracina, *par Frédéric Vitoux*
P210. Une jeune fille, *par Dan Franck*
P211. Nativités, *par Michèle Gazier*
P212. L'Enlèvement d'Hortense, *par Jacques Roubaud*

P213. Les Secrets de Jeffrey Aspern, *par Henry James*
P214. Annam, *par Christophe Bataille*
P215. Jimi Hendrix. Vie et légende, *par Charles Shaar Murray*
P216. Docile, *par Didier Decoin*
P217. Le Dernier des Justes, *par André Schwarz-Bart*
P218. Aden Arabie, *par Paul Nizan*
P219. Dialogues des Carmélites, *par Georges Bernanos*
P220. Gaston Gallimard, *par Pierre Assouline*
P221. John l'Enfer, *par Didier Decoin*
P222. Trente Mille Jours, *par Maurice Genevoix*
P223. Cent Ans de chanson française
par Chantal Brunschwig, Jean-Louis Calvet et Jean-Claude Klein
P224. L'Exil d'Hortense, *par Jacques Roubaud*
P225. La Grande Maison, *par Mohammed Dib*
P226. Une mort en rouge, *par Walter Mosley*
P227. N'en faites pas une histoire, *par Raymond Carver*
P228. Les Quatre Faces d'une histoire, *par John Updike*
P229. Moustiques, *par William Faulkner*
P230. Mortelle, *par Christopher Frank*
P231. Ceux de 14, *par Maurice Genevoix*
P232. Le Baron perché, *par Italo Calvino*
P233. Le Tueur et son ombre, *par Herbert Lieberman*
P234. La Nuit du solstice, *par Herbert Lieberman*
P235. L'Après-Midi bleu, *par William Boyd*
P236. Le Sémaphore d'Alexandrie, *par Robert Solé*
P237. Un nom de torero, *par Luis Sepúlveda*
P238. Halloween, *par Lesley Glaister*
P239. Un bonheur mortel, *par Anne Fine*
P240. Mésalliance, *par Anita Brookner*
P241. Le Vingt-Septième Royaume, *par Alice Thomas Ellis*
P242. Le Sucre et autres récits, *par Antonia S. Byatt*
P243. Le Dernier Tramway, *par Nedim Gürsel*
P244. Une enquête philosophique, *par Philippe Ken*
P245. Un homme peut en cacher un autre
par Andreu Martín
P246. A l'ouest d'Allah, *par Gilles Kepel*
P247. Nedjma, *par Kateb Yacine*
P248. Le Prochain sur la liste, *par Dan Greenburg*
P249. Les Chambres de bois, *par Anne Hébert*
P250. La Nuit du décret, *par Michel del Castillo*
P251. Malraux, une vie dans le siècle, *par Jean Lacouture*
P252. Une année en Provence, *par Peter Mayle*
P253. Cap Horn, *par Francisco Coloane*
P254. Eldorado 51, *par Marc Trillard*

P255. Juan sans terre, *par Juan Goytisolo*
P256. La Dynastie des Rothschild, *par Herbert Lottman*
P257. La Trahison des Lumières, *par Jean-Claude Guillebaud*
P258. Je suis vivant et vous êtes morts
par Emmanuel Carrère
P259. Minuit passé, *par David Laing Dawson*
P260. Le Guépard, *par Giuseppe Tomasi di Lampedusa*
P261. Remise de peine, *par Patrick Modiano*
P262. L'Honneur perdu de Katharina Blum, *par Heinrich Böll*
P263. Un loup est un loup, *par Michel Folco*
P264. Daddy's Girl, *par Janet Inglis*
P265. Une liaison dangereuse, *par Hella S. Haasse*
P266. Sombre Sentier, *par Dominique Manotti*
P267. Ténèbres sur Jacksonville, *par Brigitte Aubert*
P268. Blackburn, *par Bradley Denton*
P269. La Glace noire, *par Michael Connelly*
P270. La Couette, *par Camille Todd*
P271. Le Petit Mitterrand illustré, *par Plantu*
P272. Le Train vert, *par Herbert Lieberman*
P273. Les Villes invisibles, *par Italo Calvino*
P274. Le Passage, *par Jean Reverzy*
P275. La Couleur du destin, *par Franco Lucentini*
et Carlo Fruttero
P276. Gérard Philipe, *par Gérard Bonal*
P277. Petit Dictionnaire pour lutter contre l'extrême droite
par Martine Aubry et Olivier Duhamel
P278. Le premier amour est toujours le dernier
par Tahar Ben Jelloun
P279. La Plage noire, *par François Maspero*
P280. Dixie, *par Julien Green*
P281. L'Occasion, *par Juan José Saer*
P282. Le diable t'attend, *par Lawrence Block*
P283. Les cancres n'existent pas, *par Anny Cordié*
P284. Tous les fleuves vont à la mer, *par Elie Wiesel*
P285. Parias, *par Pascal Bruckner*
P286. Le Baiser de la femme-araignée, *par Manuel Puig*
P287. Gargantua, *par François Rabelais*
P288. Pantagruel, *par François Rabelais*
P289. La Cocadrille, *par John Berger*
P290. Senilità, *par Italo Svevo*
P291. Le Bon Vieux et la Belle Enfant, *par Italo Svevo*
P292. Carla's Song, *par Ken Loach*
P293. Hier, *par Agota Kristof*
P294. L'Orgue de Barbarie, *par Bernard Chambaz*
P295. La Jurée, *par George Dawes Green*

P296. Siam, *par Morgan Sportès*
P297. Une saison dans la vie d'Emmanuel
par Marie-Claire Blais
P298. Smilla et l'Amour de la neige, *par Peter Høeg*
P299. Mal et Modernité, *par Jorge Semprún*
P300. Vidal et les Siens, *par Edgar Morin*
P301. Dieu et nous seuls pouvons, *par Michel Folco*
P302. La Mulâtresse Solitude, *par André Schwarz-Bart*
P303. Les Lycéens, *par François Dubet*
P304. L'Arbre à soleils, *par Henri Gougaud*
P305. L'Homme à la vie inexplicable
par Henri Gougaud
P306. Bélibaste, *par Henri Gougaud*
P307. Joue-moi quelque chose, *par John Berger*
P308. Flamme et Lilas, *par John Berger*
P309. Histoires du Bon Dieu, *par Rainer Maria Rilke*
P310. In extremis *suivi de* La Condition, *par Henri James*
P311. Héros et Tombes, *par Ernesto Sábato*
P312. L'Ange des ténèbres, *par Ernesto Sábato*
P313. Acid Test, *par Tom Wolfe*
P314. Un plat de porc aux bananes vertes
par Simone et André Schwarz-Bart
P315. Prends soin de moi, *par Jean-Paul Dubois*
P316. La Puissance des mouches, *par Lydie Salvayre*
P317. Le Tiers Livre, *par François Rabelais*
P318. Le Quart Livre, *par François Rabelais*
P319. Un enfant de la balle, *par John Irving*
P320. A la merci d'un courant violent, *par Henry Roth*
P321. Tony et Susan, *par Austin Wright*
P322. La Foi du charbonnier, *par Marguerite Gentzbittel*
P323. Les Armes de la nuit et la Puissance du jour
par Vercors
P324. Voltaire le Conquérant, *par Pierre Lepape*
P325. Frère François, *par Julien Green*
P326. Manhattan terminus, *par Michel Rio*
P327. En Russie, *par Olivier Rolin*
P328. Tonkinoise..., *par Morgan Sportès*
P329. Peau de lapin, *par Nicolas Kieffer*
P330. Notre Jeu, par John Le Carré
P331. Brésil, *par John Updike*
P332. Fantômes et Cie, *par Robertson Davies*
P333. Sofka, *par Anita Brookner*
P334. Chienne d'année, *par Françoise Giroud*
P335. Nos Hommes, *par Denise Bombardier*
P336. Parlez-moi de la France, *par Michel Winock*